Joe Navarro
mit Toni Sciarra Poynter

DIE PSYCHOPATHEN UNTER UNS

Joe Navarro
mit Toni Sciarra Poynter

DIE PSYCHOPATHEN UNTER UNS

mvgverlag

Bibliografische Information der Deutschen Nationalbibliothek
Die Deutsche Nationalbibliothek verzeichnet diese Publikation in der Deutschen Nationalbibliografie. Detaillierte bibliografische Daten sind im Internet über **https://dnb.de** abrufbar.

Für Fragen und Anregungen
info@m-vg.de

7. Auflage 2026

Türkenstraße 89
80799 München
Tel.: 089 651285-0

Die US-amerikanische Originalausgabe erschien 2014 bei Rodale unter dem Titel »Dangerous Personalities«.

Übersetzung: Martin Bauer
Redaktion: Nicole Luzar
Umschlaggestaltung: Maria Wittek, München, unter Verwendung von iStock Bildmaterial
Satz: Georg Stadler, München
Druck: GGP Media GmbH, Pößneck
Printed in the EU

ISBN Print 978-3-86882-493-3
ISBN E-Book (PDF) 978-3-86415-631-1
ISBN E-Book (EPUB, Mobi) 978-3-86415-632-8

VERANTWORTUNG • PRODUZIERT MIT VERANTWORTUNG

Weitere Informationen zum Verlag finden Sie unter

www.mvg-verlag.de

Beachten Sie auch unsere weiteren Verlage unter www.m-vg.de

WARNUNG!

Dieses Buch soll den Leser in seinem Urteil darüber bestärken, was er gesehen und erlebt hat. Es kann und soll keine Hilfestellung für klinische Diagnosen sein und darf niemals den Facharzt ersetzen.

In allen Fällen, die nicht durch die Medien gegangen sind, habe ich zum Schutz der Privatsphäre der Beteiligten alle Namen und ggf. verräterische Details geändert.

Das Manuskript dieses Buches wurde vom FBI vor Veröffentlichung geprüft. Die geäußerten Ansichten und Gedanken sind allerdings alleine die des Autors.

Den Opfern gewidmet

»Es gibt zwei Typen Mensch auf dieser Welt:
diejenigen, die geben, und die, die nehmen.«

Joe Navarro

INHALT

DANKSAGUNGEN

Jedes Mal, wenn man eine intellektuelle Reise unternimmt, ist man so vielen Menschen zu Dank verpflichtet. Vielen Dank all jenen, die in persönlichen Gesprächen mit mir teilten, was sie wussten – ihnen gilt meine tiefste Zuneigung.

Der verstorbene Dr. Phil Quinn war mir mehr als ein Jahrzehnt lang Mentor; er holte mich ans Criminology Department der Universität Tampa, wo ich die Psychopathen unter uns näher untersuchte. Seine Perspektive als Menschenfreund, Priester, Psychologe und Kriminologe war einzigartig und hat meine Auffassungen zu diesem komplexen Thema stark geprägt.

Dr. Michel St. Yves von der Sûreté du Québec ist Autorenkollege und ein langjähriger Freund. Zusammen haben wir etliche Projekte in den USA und in Kanada gestemmt, wo er ein Gigant auf seinem Gebiet ist. Seine Anmerkungen zu diesem Buch waren mir – wieder einmal – eine Riesenhilfe.

Dr. Leonard Territo verdient meine Bewunderung ebenso wie meinen Dank. Während er selbst sein 25. Buch fertigstellte, nahm er sich die Zeit, mein Manuskript Zeile für Zeile mit mir durchzugehen. Seine gewaltige Erfahrung im Umgang mit gefährlichen Persönlichkeiten (darunter Ted Bundy) war mir eine große Hilfe.

Dieses Buch wäre nicht möglich gewesen ohne meinen Agenten Steve Ross von der Abrams Artists Agency. Steve ist einfach ein Macher – und gehört zu den interessantesten Gesprächspartnern überhaupt.

Ich möchte Alex Postman, Jennifer Levesque und all den anderen von Rodale Books danken, denen die körperliche und seelische Unversehrtheit anderer Menschen am Herzen liegt und die sofort erkannten, dass dieses Buch Leben retten kann. Unserem Lektor Michael Zimmerman möchte ich dafür danken, dass er dieses Projekt sicher gelandet hat. Du hast alles zusammengefügt. Toll gemacht!

Janice Hillary hat frühe Versionen des Manuskripts gründlich und wiederholt durchgearbeitet. Ich möchte ihr für ihre Unterstützung und Anleitung danken. Wenn wir nur alle Lehrer hätten wie sie – Lehrer, denen ihre Studenten am Herz liegen, selbst die älteren wie ich.

Toni Sciarra Poynter schulde ich wieder Dank dafür, meine Worte und Gedanken geformt zu haben. Du hast mich mit Fragen gelöchert, umwälzende Ideen und Konzepte mit mir ausgetauscht und warst einzigartig penibel. Was für eine Gabe zu schreiben du hast! Vielen Dank, meine Freundin!

Ich muss auch meiner Familie hier und in Europa für ihre Geduld danken. Ich war viel abwesend, während ich mit diesem Manuskript kämpfte, das drei Mal länger war als das Endprodukt. Dank meiner Frau Thryth, die ich zutiefst respektiere! Danke, dass du bist, wie du bist! Danke für wertvolle Ratschläge, liebende Unterstützung und deine Geduld, während ich mehr als ein Jahr lang mit diesem Buch rang. Du bist ein Segen und musstest mich oft genug vor Ablenkungen schützen.

Zu guter Letzt möchte ich meinen Eltern danken, die mir die Ehre erweisen, mich ihren Sohn zu nennen, und die mir ein liebendes Elternhaus geboten haben, ganz ohne gefährliche Persönlichkeiten.

Joe Navarro, M.A., Special Agent des FBI im Ruhestand
Tampa, Florida
November 2013

*****

Wie Joe möchte auch ich Steve Ross von der Abrams Artists Agency danken, unserem Lektor Michael Zimmerman und all den Leuten von Rodale Books, die an der Entstehung dieses Buches mitgewirkt haben.

Danke auch Dona Munker. Du bist die eisernste, liebevollste, fürsorglichste Freundin und Autorenkollegin, die man sich wünschen kann.

Liebe und Dank auch meinem Mann Donald. Dafür, dass du immer auf meiner Seite stehst und dafür, dass ich mit dir über die schlimmen Dinge ebenso reden kann wie über die wunderbaren.

Danke an Joe Navarro für unsere Zusammenarbeit, für deine Interviews und unsere Gespräche über gefährliche Persönlichkeiten – ein seltsames Gebiet, auf dem du dich bestens auskennst. Danke für deine unermüdliche Arbeit an allen Aspekten dieses Buches, für deinen Einsatz, deinen Humor und für deine unersättliche Freude am Lernen und am Arbeiten. Wenn du mir mailst, »ich bin dran«, weiß ich, du bist wirklich dran.

Abschließend möchte ich, auch auf die Gefahr hin, unseriös zu klingen, unserer Katze Lucy danken, die während der Arbeit meist in Griffweite zusammengerollt auf ihrer Decke lag. Sie war mir Trost, wenn es zu schmerzlich wurde, über diese Persönlichkeiten zu schreiben.

Toni Sciarra Poynter
New York
Dezember 2013

EINLEITUNG

Wieso ich dieses Buch geschrieben habe und wie es zu benutzen ist

Am 27. Juni 1975 verschwand Sue Curtis von einem ansonsten sehr sicheren Universitätscampus. Sie war 15 Jahre alt und besuchte einen Jugendtag an der Brigham Young University in Provo (Utah), wo ich gerade als Polizist angefangen hatte.

Ich leitete die ersten Ermittlungen über ihr Verschwinden. Wir befragten Freunde und Verwandte und erfuhren, dass sie zu ihrem Zimmer zurückwollte, um ihre neue Zahnspange zu säubern. Doch bei der Untersuchung ihres Zimmers stellte ich fest, dass ihre Zahnbürste trocken war. Sie hatte es nie dorthin zurückgeschafft.

Teilweise konnten wir rekonstruieren, was sie gemacht hatte – so war etwa ihr Gutschein fürs Mittagessen eingelöst worden –, aber vieles blieb unklar. (In jenen Zeiten hingen auf einem Campus noch nicht überall Kameras herum, auch Handys gab es nicht, um miteinander in Kontakt zu bleiben.)

Ich sprach mit ihrer Familie. Ihr unendlicher Schmerz und ihre grenzenlose Verzweiflung sind mir noch deutlich in Erinnerung.

Sue tauchte nie wieder auf, und irgendwann verliefen alle Spuren im Sande. Aber das Rätsel ihres Verschwindens beschäftigte mich weiter, denn ich hatte an jenem Abend Dienst auf dem Campus gehabt und fühlte mich irgendwie mit verantwortlich. Ich behielt also eine Kopie der Fallakte mit einem großen Bild von ihr, und noch Jahre später suchte ich in Menschenmengen nach Gesichtern, die ihrem auch nur entfernt ähnelten. Ich behielt die Akte auch als Erinnerung an mein Versagen, diese unschuldige Seele zu schützen.

Jahre vergingen, und ich stieg zum FBI-Agenten auf. Dann bekam ich eines Tages einen Anruf von einem Ermittler in Salt Lake City. »Das wird Sie wahrscheinlich interessieren«, kündigte er an. »Sue Curtis haben wir zwar nicht gefunden. Aber wir wissen, wer sie entführt hat.« Er erzählte, damals sei ein gut aussehender junger Mann in einem Volkswagen auf dem Campus herumgefahren, auf der Suche nach einem Opfer. Dieser Mann hatte jetzt gestanden, Sue Curtis entführt und getötet zu haben. Sein Name lautete Theodore Bundy, Spitzname »Ted«. Bundy gestand die Ermordung von insgesamt 35 jungen Frauen in vier Bundesstaaten.

Noch heute schmerzt mich die Erinnerung an dieses mandeläugige Mädchen, dessen Foto ich Tag für Tag angesehen, deren Tagebuch ich gelesen, deren Kleidung ich nach Hinweisen darauf, wo sie gewesen sein könnte, beschnüffelt, deren Schuhe ich auf Feuchtigkeit und Erde untersucht hatte, in dem verzweifelten Bemühen, ihren Aufenthaltsort herauszufinden. Sehr gut möglich, dass ich ihren Mörder an jenem Abend auf dem Campus herumfahren sah. Normalerweise hätte ich genau hingesehen, weil das Auto keinen Aufkleber der Uni hatte, aber an jenem Tag fuhren zahllose Gästeautos auf dem Unigelände herum. Keinerlei illegale Aktivitäten wurden beobachtet oder angezeigt. Der Tag glich allen anderen, mit einer Ausnahme: Eine gefährliche Persönlichkeit war auf dem Campus, ein Raubtier und Serienmörder, der später noch sehr oft tötete.

Der Campus von Brigham Young gehört zu den sichersten im ganzen Land, und doch hatte jemand einen Menschen von dort entführt und umgebracht. Wie konnte so etwas passieren, und wer tat so etwas? Ein schauriger Gedanke, welch verheerendes Leid ein einziger Mensch anderen zufügen kann, und zwar nicht nur seinen Opfern, sondern auch denen, die die Opfer geliebt haben! Ich war ein 22-jähriger Streifenpolizist, als mir wirklich klar wurde, dass es auf diesem Planeten gefährliche Persönlichkeiten gibt und wir alle deswegen niemals völlig in Sicherheit sind. Mich schaudert es bei dem Gedanken daran, was Sue Curtis, gerade einmal 15 Jahre alt, an jenem Abend allein mit einem Raubtier durchleiden musste, bevor sie starb.

Dieser Vorfall hat letztlich dazu geführt, dass ich Profiler wurde, davon bin ich überzeugt. Erst arbeitete ich für das FBI in Tampa, dann wurde ich in die National Security Division befördert, Abteilung Verhaltensanalyse. Es wurde zu meiner privaten wie beruflichen Besessenheit, kriminelles und anormales Verhalten zu verstehen. Sue Curtis war verschwunden, während ich Streife lief. Ich hatte den ersten Untersuchungsbericht formuliert. Nach diesem tragischen Ereignis begann ich, Material zu sammeln, und zwar bei denjenigen, die sich mit gefährlichen Persönlichkeiten am besten auskannten: bei den Kriminellen selbst und bei ihren Opfern.

Im Verlauf von vier Jahrzehnten lernte ich, dass es bestimmte hochgefährliche Persönlichkeiten gibt. Wieder und wieder brechen sie das Gesetz, quälen Menschen, stürzen sie ins Unglück, rauben ihnen Geld oder Leben. Von diesen gefährlichen Persönlichkeiten, die so viel Leid verursachen, handelt dieses Buch. Auch Sie sollen erfahren, was ich über Kriminelle, anormales Verhalten und gefährliche Persönlichkeiten gelernt habe. Es könnte Ihr Leben retten.

Gefährliche Persönlichkeiten – sie sind da draußen

Wir alle kennen die schlimmen Schlagzeilen: Ein einzelner Mensch betritt ein Bürogebäude, eine Schule, eine Ferienanlage o. Ä., eröffnet ohne erkennbaren Anlass das Feuer und tötet oder verletzt Scharen unschuldiger Opfer. Nach all diesen Tragödien, wenn das Chaos vorüber ist und die Opfer begraben oder versorgt (und wie auch ihre Angehörigen fürs Leben gezeichnet) sind, kommt immer wieder die Frage auf: »Wer tut so etwas, und wie hätte das hier verhindert werden können?«

Tragödien wie an der Columbine Highschool, wie in Oslo und in Winnenden beherrschen die Schlagzeilen und beschäftigen uns monatelang. Leider passieren solche Massaker viel zu oft – allein in Amerika durchschnittlich 18 bis 20 Mal pro Jahr.[1] Sie geschehen in solch schrecklicher Regelmäßigkeit – eineinhalb Mal im Monat! –, dass wir wie gelähmt zusehen. Ungläubig fragen wir, wie viele Menschen diesmal getötet wurden. 8, 16, 26 oder gar 77 (wie in Oslo durch Anders Behring Breivik, einen narzisstischen Rassisten)?

Diese Tragödien erschüttern uns so, dass sie unsere Wahrnehmung darüber verzerren, welche Täter die meisten Menschen umbringen. Denn die traurige Wahrheit lautet: Auf jeden Massenmörder kommen Hunderte Menschen, die ein Kind, eine Freundin, einen Ehepartner umbringen – Ereignisse, die es in den großen Zeitungen Amerikas gerade mal auf Seite sechs schaffen. Der Großteil der Gewalt findet unterhalb des Radars der Öffentlichkeit statt und schafft es nie in die landesweiten Nachrichten. Und ist doch genau die Gewalt, die uns am ehesten trifft.

Die Psychopathen in unserer Mitte begehen ihre Taten hinter verschlossenen Türen; zu Hause, in Kirchen, in Büros. Oft suchen sie sich arglose, nichts ahnende Opfer – und meistens schöpft niemand Verdacht, bis es zu spät ist. In die Schlagzeilen kommen Täter nur in dem seltenen Fall, dass sie auch erwischt werden. Sie sind für einen Großteil der fast 15.000 Morde, 4,8 Millionen Fälle häuslicher Gewalt, 2,2 Millionen Einbrüche, 354.000 Raubüberfälle und gut 230.000 sexuellen Gewalttaten verantwortlich, die jährlich in den Vereinigten Staaten begangen werden. Viele dieser Taten werden niemals angezeigt oder bestraft. Andere Täter stehlen wie Bernie Madoff alten Menschen und Freunden Geld – in Madoffs Fall über Jahre hinweg und Tausenden Opfern. Oft bleiben sie jahrzehntelang unbehelligt und zerstören ein Leben nach dem anderen, wie der notorische Kinderschänder Jerry Sandusky.

Erinnern Sie sich einmal an jene Episoden in Ihrem Leben, als jemand Ihnen etwas gestohlen oder Sie schmerzlich übervorteilt hat. Vielleicht wurde bei Ihnen zu Hause eingebrochen oder Ihr Auto geknackt. Vielleicht sind Sie auch mit jemandem ausgegangen, der sich als üble Type herausstellte, vielleicht wurden Sie in der Schule oder im Büro gemobbt. Vielleicht wurden Sie tätlich angegriffen, ausgeraubt oder sexuell missbraucht. Vielleicht haben Sie die Tat nie zur Anzeige gebracht, vielleicht wurde nie ein Täter gefunden. Um uns herum geht viel Illegales vor, das nie angezeigt wird, und selbst in den angezeigten Fällen muss der Täter nur selten ins Gefängnis. Seit 60 Jahren wissen Kriminologen, dass weniger als ein Prozent aller Verbrecher je für ihre Taten ins Gefängnis kommen.

Für uns bedeutet das, dass die meisten derjenigen Menschen, die uns schaden können – jene gefährlichen Persönlichkeiten –, nie Ärger mit der

Polizei bekommen, nie gefasst werden und jahrelang weitermachen, bevor jemand sie stoppt. Und wir reden hier nur von körperlicher Gewalt. Andere Täter richten emotionalen, seelischen oder finanziellen Schaden an. Auch diese Menschen sind gefährliche Persönlichkeiten, denn auch sie stellen für uns eine Bedrohung dar.

Wieso vier gefährliche Persönlichkeitstypen?

Während meiner Arbeit als Profiler beim FBI fiel mir ein Muster darin auf, welche Typen uns hauptsächlich beschäftigten: sogenannte Intensivtäter - Menschen, die ständig anderen Menschen Schaden zufügten, Gesetze übertraten, gewaltige Risiken eingingen, Menschen ausnutzten oder misshandelten und ganz allgemein Leid und Schmerz verbreiteten - nicht ein Mal, nicht zwei Mal, sondern wieder und wieder.

Im Lauf meiner Arbeit erfuhr ich, dass manche Menschen einfach gemein sind, verlogen und manipulativ, und genüsslich andere ausnutzen. Respekt vor ihren Mitmenschen oder dem Gesetz kennen sie nicht. Sie sind emotional aufreibend, oft grausam, herzlos und ausbeuterisch. Und sie machen ganz ungeniert immer weiter.

In meiner Karriere jagte, verhaftete und verhörte ich Vergewaltiger, Mörder, Kidnapper, Bankräuber, Betrüger, Pädophile und Terroristen. Dabei erfuhr ich am eigenen Leib, wie gerissen solche Typen sein können. Von außen betrachtet wirken sie ganz normal. Oft sind sie intelligent, interessant, charmant und attraktiv. Aber sie sind immer gefährlich.

Im Jahr 1995 traf ich Kelly Therese Warren zum ersten Mal. Sie war 30 Jahre alt und lebte mit Mann und Kind in Georgia. Sie hatte in Deutschland als Sekretärin beim US-Militär gedient und war ehrenhaft entlassen worden.

Kelly lächelte viel, umarmte mich bei jeder Begrüßung herzlich und bot mir immer süßen Eistee an. Über den Sommer hinweg sah ich sie mehr als ein Dutzend Mal. Sie erzählte mir vom Leben in der Army, in Deutschland, und wie es war, arm und im amerikanischen Süden aufgewachsen zu sein. Sie war lustig, fröhlich und immer bereit, meine Fragen zu beantworten. Über ein Jahr lang half sie mir und meinen FBI-Kollegen bei der Suche nach einem Agenten, der für die Sowjetunion spioniert hatte. Sie fütterte uns mit etlichen Informationen, denen wir eifrig nachgingen. Ein Jahr lang glaubten wir ihr aufs Wort.

Aber irgendetwas stimmte nicht. Nichts von dem, was Kelly erzählte, ließ sich erhärten. Es dauerte eine Weile, das herauszufinden, weil die Spuren alle nach Europa führten. Doch irgendwann konnten wir sie mit den Tatsachen konfrontieren. Jetzt stellte sich heraus, dass sie nicht nur gelogen hatte, sondern dass sie selbst es gewesen war, die ihr Land verraten hatte. Sie hatte dem Ostblock die streng geheimen Strategiepapiere verkauft, die sie getippt hatte.

Kelly mit ihrem süßen Lächeln und ihrem süßen Tee sollte uns als Warnung dienen, dass gefährliche Persönlichkeiten charmant, lustig und interessant sein können, aber sie denken sich auch nichts dabei, eine ganze Nation – oder in ihrem Fall eine ganze Reihe von Ländern – in Gefahr zu bringen. Inzwischen wurde Kelly wegen Spionage zu 25 Jahren Gefängnis verurteilt. Typen wie sie haben einen üblen Charakter, es fehlt ihnen schlicht an Moral. Man darf ihren Worten nicht trauen, sich nie auf sie verlassen und nie darauf vertrauen, dass sie einem nichts antun. Aufgrund ihrer Charaktermängel verwüsten sie das Leben derjenigen, die ihnen begegnen, wie ein Wirbelsturm.

Im Lauf der Jahre identifizierte ich vier Persönlichkeitstypen, die für den Großteil des Leids verantwortlich sind, das wir erleben. Sie stehlen unser Geld, rauben uns den letzten Nerv, schlagen oder töten uns. Von diesen Typen handelt dieses Buch:

- der narzisstischen Persönlichkeit,
- der emotional instabilen Persönlichkeit,
- der paranoiden Persönlichkeit,
- der dissozialen Persönlichkeit.

Mein Ziel

Dieses Buch soll Ihnen vermitteln, was ich über Menschen weiß, die auf Ihren Schaden aus sind. Wir sind von gefährlichen Persönlichkeiten umgeben. Vielleicht gehört Ihr Nachbar, Freund, Chef, Date, Partner, Onkel oder Vater dazu. Auch Lehrer, Finanzverwalter, Ärzte, Polizisten – alle sogenannten Stützen der Gesellschaft – können Psychopathen sein. Deswegen müssen wir besonders aufpassen.

Das Böse hat viele Gesichter, und nur selten schwenkt es eine Fahne oder bläst in eine Trillerpfeife, um uns zu warnen: »Aufgepasst, ich komme!« Aus meiner Erfahrung als FBI-Agent weiß ich, dass Täter unglaublich geschickt darin sein können, sich Vertrauen zu erschleichen und dann auszunutzen. Dennis Rader, der als BTK-Killer bekannt wurde, lebte über 30 Jahre lang völlig unbehelligt in Park City. Dort war er Präsident der örtlichen Kirche, Hundefänger und öffentlicher Ordnungshüter. Gleichzeitig war er ein Serienmörder (mindestens zehn Opfer), der seine Opfer fesselte, folterte und tötete (auf englisch **b**ind, **t**orture, **k**ill, daher BTK). Drei Jahrzehnte lang mordete er – ohne dass seine Frau, seine Kinder, die Stadtoberen oder seine Kirchenvorgesetzten es ahnten. David Russell Williams, ein dekorierter Oberst der kanadischen Luftwaffe, hielt ebenfalls vor seiner Frau und seinen Offizierskameraden geheim, dass er ein Serienvergewaltiger und -mörder war. Und denken Sie nur an die Horden katholischer Priester, die jahrzehntelang unter dem Schutz ihres Amtes Kinder missbrauchen.

Solche Fälle bringen uns ins Grübeln, wem wir denn überhaupt noch trauen dürfen. Wie können wir Gefahren erkennen und vermeiden? Am Ende bleiben uns nur unser angeborener Instinkt für Gefahren und unsere Beobachtungsgabe. In diesem Buch verrate ich Ihnen, auf welche Warnzeichen Sie achten müssen.

Wie leicht trügt der äußere Schein! Betrachten Sie nur den Fall von Ariel Castro, der drei Frauen entführte und mehr als ein Jahrzehnt lang (!!) in seinem Haus gefangen hielt, wo er sie misshandelte und vergewaltigte. All seine Nachbarn priesen ihn als »tollen Kerl«, der immer freundlich grüßte.

Hätten Nachbarn, Verwandte oder Freunde doch nur genauer hingesehen! Leider ist soziale Blindheit die Regel, nicht die Ausnahme. Das liegt zum einen daran, dass die Gesellschaft es gar nicht schätzt, wenn Menschen im Leben anderer herumschnüffeln, und man daher seinen Nachbarn, Freund, Kollegen im Zweifelsfall in Ruhe lässt. Es liegt aber auch daran, dass die meisten Menschen schlicht nicht wissen, worauf sie achten müssten.

Ich will nicht, dass Sie Opfer werden. Ich will nicht, dass Sie durchmachen, was ich so oft gesehen habe und was so viele schon durchgemacht haben. Ich will, dass Sie ein glückliches, erfülltes Leben führen. Aber ich weiß, dass da draußen gefährliche Typen nur darauf warten, Sie zu quälen und Ihnen etwas wegzunehmen. Wenn Sie daran zweifeln, schauen Sie nur in die Zeitung.

Hinterher fragt sich jedes Opfer: »Wie konnte mir das passieren? Wieso habe ich die Vorzeichen nicht erkannt?« Dabei ist uns allen schon Ähnliches passiert, auch mir.

Hinterher ist man immer klüger, aber mittendrin sieht die Sache anders aus. Das muss allerdings nicht so sein – wenn wir wissen, auf welche Signale wir achten müssen. Wir Ermittler wissen, dass es fast immer Persönlichkeitsmerkmale oder Verhaltensauffälligkeiten gibt, die den Eingeweihten warnen: Vorsicht, hier stimmt etwas nicht, pass auf, bring dich in Sicherheit. Diese Signale wurden von Opfern oft nicht erkannt oder gezielt ignoriert.

Genau dort setzt dieses Buch an. Ich will Ihren Blick dafür schärfen, wann jemand plant, Sie zu übervorteilen oder zu verletzen. Für die eigene Sicherheit ist jeder selbst verantwortlich. Das können wir an niemanden delegieren. Tun wir es doch, geht es wahrscheinlich schief. Die Polizei ist überlastet, die psychiatrischen Kliniken sind überfüllt, die Gerichte lassen zu viele Verdächtige laufen, außerdem werden die meisten Täter ohnehin nie gefasst. Wir müssen also selbst für unsere Sicherheit sorgen.

Wie schön wäre es, wenn wir diese Typen mit einem einzigen Klick aus unserem Leben entfernen könnten wie nervige Pop-up-Werbung im Internet. Aber das geht nicht. Also müssen wir aufpassen. Ich möchte mein Wissen mit Ihnen teilen, weil niemand ständig einen Experten bei sich hat, den er fragen könnte: »Was meinst du, ist der hier gefährlich?« »Ist der hier ein netter Mensch?« »Darf ich ihr mein Kind anvertrauen?« »Darf ich bei ihm investieren?« »Sollte ich sie zu meiner Zimmergenossin machen?« »Hat dieser Manager das Zeug dazu, mein Unternehmen zu ruinieren?« »Kann ich ihn über Nacht mit nach Hause nehmen?« Diese Entscheidungen können nur Sie selbst treffen, auch wenn Sie bisher gar nicht das Wissen dafür haben, andere Menschen richtig einzuschätzen. Wenn wir nur eine dieser Fragen heute falsch beantworten, liest man das Ergebnis vielleicht schon morgen auf der Titelseite der Zeitungen.

Ich will Ihnen beibringen, wie man in anderen Menschen Charaktermängel erkennt und so die Wahrscheinlichkeit reduziert, emotionalen, seelischen, finanziellen oder körperlichen Schaden zu erleiden. Benjamin Franklin brachte das schön auf den Punkt: »Eine Investition in Wissen bringt die höchsten Zinsen.« Und in diesem Fall kann sie sogar Ihr Leben retten.

Die Checklisten für gefährliche Persönlichkeiten

In meiner Arbeitswelt konnten wir uns nicht den Luxus leisten, Verdächtige ausführlich zu begutachten. Die Entscheidungen, wen man überprüfen, durchleuchten, beobachten, befragen, verhören, mit Vorwürfen konfrontieren oder verhaften sollte, mussten spontan getroffen werden. Auch während Verhandlungen mit einem Entführer konnten wir schlecht sagen: »Warten Sie bitte eine Sekunde, wir erkundigen uns schnell bei einem Experten, welcher Persönlichkeitstyp Sie sind, damit wir wissen, wie Sie vermutlich reagieren.« So läuft das nicht. Das Leben läuft im Eiltempo, und Entscheidungen müssen schnell getroffen werden.

Wenn es Spitz auf Knopf stand, zählte unser Allgemeinwissen über menschliches Verhalten – aber eben auch unser stetig wachsendes spezifisches Wissen darüber, wie die vier gefährlichen Persönlichkeitstypen sich verhalten. Im Lauf der Zeit entwickelte ich nach Gesprächen mit Tätern, aber auch mit Experten und Opfern Checklisten, anhand derer wir uns sehr rasch ein Urteil über Menschen bilden konnten. Diese Checklisten habe ich über Jahre benutzt und verfeinert; sie haben sich im Alltag der Strafverfolgung gut bewährt.

In diesem Buch verrate ich Ihnen, was vorher nur ausgesuchte FBI-Profiler wussten.

In den folgenden Kapiteln werde ich die typischen Erkennungsmerkmale der vier Persönlichkeitstypen vorstellen: wie sie sich verhalten, wie wir uns beim Umgang mit ihnen fühlen, wo und wie wir ihnen begegnen. Zur Veranschaulichung schildere ich Beispiele aus dem Alltagsleben, aus meinen Fällen und aus den Medien. Jedes Kapitel schließt mit einer Checkliste zum Erkennen des jeweiligen Persönlichkeitstyps. In allgemeinverständlicher Sprache beschreibe ich, auf welche Warnsignale zu achten ist. Anhand des Punktesystems der Checklisten können Sie selbst einordnen, ob jemand ein »milder«, »mittlerer« oder »ernster« Fall einer bestimmten Persönlichkeitsstörung ist, also nervig, schädlich oder gar gefährlich.

Die Checklisten zeigen Ihnen:

- die am häufigsten beobachtbaren Charaktermerkmale und Verhaltensweisen, die zur Vorsicht mahnen.
- die Merkmale, Verhaltensweisen und Begebenheiten, die normal wirken, tatsächlich aber von Gefahr zeugen.
- was Sie in Zukunft von dieser Person erwarten können.
- welche Bedrohung diese Person für Sie und Ihr gesamtes Umfeld darstellt.

Die Checklisten sind ganz spezifisch und sehr detailliert – viel detaillierter als diejenigen, anhand deren Psychiater Persönlichkeitsstörungen diagnostizieren.

Ich vermeide es – anders als andere Autoren zu diesem Thema – bewusst, konkrete Wahrscheinlichkeiten zu beziffern. Wenn ich schriebe, diese oder jene Persönlichkeitsstörung trete bei vier Prozent der Bevölkerung auf, würde das den Leser meiner Ansicht nach nur ablenken. Mir geht es nicht um Statistiken, sondern um Menschen! Ich sehe die Gefahr, dass jemand sich sagt: »Ach, die Wahrscheinlichkeit, dass dieser Mensch nicht gestört ist, liegt bei 96 Prozent, also brauche ich mir keine Sorgen zu machen.« Genau diesen Trugschluss versuche ich zu verhindern. Es reicht bereits *eine* einzige Begegnung mit *einer* gefährlichen Persönlichkeit – unterwegs, im Büro, im Auto, zu Hause, im Schlafzimmer –, und Ihr ganzes Leben kann den Bach runtergehen. Deswegen konzentrieren wir uns auf Verhaltensweisen, nicht auf Wahrscheinlichkeiten, und ordnen dieses Verhalten anhand unserer Checklisten ein.

Mir ist natürlich auch bewusst, dass bestimmte Störungen vornehmlich bei Frauen bzw. Männern auftreten.[2] So werden dissoziale Störungen öfter bei Männern diagnostiziert, während Borderline-Störungen (die oft mit emotionaler Instabilität verbunden sind) vermehrt bei Frauen auftreten. Trotzdem wäre es ein Fehler, bestimmte Störungen mit bestimmten Geschlechtern zu assoziieren. Lassen Sie uns ganz unvoreingenommen von Statistiken einfach die Tatsachen betrachten. Schauen wir uns an, wie

Menschen sich verhalten. *Daran* zeigt sich, mit welcher Art Mensch wir es zu tun haben.

Wichtige Warnung

Vergessen Sie beim Lesen dieses Buches nie, dass ich kein Psychiater oder Psychologe bin und das Buch keine Diagnoseanleitung darstellt. Mein Fachgebiet ist Beobachtung und Interpretation menschlichen Verhaltens. Dieses Buch beschreibt, wie man gefährliche Persönlichkeiten anhand ihres Verhaltens erkennt. Es soll Ihnen helfen, sich und Ihr Umfeld zu schützen.

Es gibt einen Haufen hervorragender Bücher über Geisteskrankheiten, Psychopathologie und Persönlichkeitsstörungen, in denen mögliche Gründe und Behandlungsansätze erläutert werden. Besorgen Sie sich ein Fachbuch, wenn diese Aspekte für Sie zählen. Mein Buch ist strikt aus der Perspektive eines Ex-FBI-Agenten geschrieben, der häufig mit diesen Typen zu tun hatte. Mir geht es nicht um Gründe für die Störungen oder um Behandlungsmethoden – damit sollen sich die entsprechenden Fachleute beschäftigen.

Im Literaturverzeichnis finden Sie eine breite Palette von Büchern, die von Ärzten, Kriminologen, Ermittlern, Forensikern, aber auch von Opfern geschrieben wurden.

Viele Titel gehen der Frage nach, warum diese Typen so sind, wie sie sind. Darauf kommt es mir nicht an, aus einem einfachen Grund: Die Antwort auf diese Frage ist Ihnen schlicht egal, wenn jemand Sie ständig erniedrigt, Ihr Bankkonto plündert, Ihr Kind missbraucht hat oder Sie mit einem Gürtel würgt. Für Sie zählt nur, wie Sie da wieder rauskommen.

Während meiner jahrzehntelangen Ermittlertätigkeit galt: Je besser wir die Persönlichkeit eines Täters verstanden, desto besser standen unsere Chancen, ihn zu erwischen und weitere Straftaten zu verhindern. Bei Geiselnahmen beispielsweise verhandelt man ganz unterschiedlich, je nachdem, ob man es mit paranoiden, dissozialen, narzisstischen oder emotional instabilen Persönlichkeiten zu tun hat. Auch eventuelle Maßnahmen zur Rettung der Geiseln hängen sehr stark vom Persönlichkeitstyp des Täters ab. Vom Tätertyp hängt also ab, wie die Sache enden wird. Deswegen heißt es in der Verhaltensanalyse: »Die beste Vorhersage für zukünftiges Verhalten bekommt man aus dem früheren Verhalten.« Oder, um einen legendären Denker über die menschliche Natur zu zitieren:

»Wir sind, was wir wiederholt tun.« Aristoteles

Wenn Sie also nach dem Warum suchen, sind Sie hier falsch. Wenn Sie aber wissen wollen, wie gefährliche Persönlichkeiten denken und handeln, wenn Sie sich, Ihre Familie oder Ihr Geschäft beschützen wollen, dann stellt dieses Buch einen guten Anfang dar.

Ein letzter Gedanke, bevor es losgeht

Von meiner Ausbildung und persönlichen Philosophie her strebe ich danach, alle Menschen mit Anstand und Respekt zu behandeln. Gleichzeitig finde ich, dass niemand eine soziale Verpflichtung hat, sich zum Opfer machen zu lassen. Lassen Sie mich das wiederholen: Niemand hat eine soziale Verpflichtung, sich zum Opfer machen zu lassen. Deswegen habe ich dieses Buch geschrieben. Mir ist nur eines wichtig: Ihr Wohlergehen. Mir sind Sie wichtig, Ihre Kinder, Ihre Eltern, Ihre Großeltern. Möge niemand von ihnen zum Opfer werden.

Ich habe nicht die Absicht, Sie zu erschrecken. Nein, ich will Sie stärken. Ich will Sie für diese Persönlichkeitstypen sensibel machen, sodass Sie sie erkennen, bevor sie Ihnen Schaden zufügen können, bzw. sich von ihnen losmachen können, wenn sie Ihnen bereits schaden. Ich will Ihnen dabei helfen, ein »Radar« für Verhaltensweisen zu entwickeln, die warnen: Vorsicht, pass bei diesem Menschen auf, langsam, vertrau ihm nicht!

Je besser das jedem Einzelnen gelingt, desto sicherer wird unsere Gesellschaft. Vielleicht können wir so die nächsten Tragödien verhindern, wie sie von extrem gefährlichen Typen angerichtet wurden.

Wenn dieses Buch Ihnen dabei hilft, einen Psychopathen zu identifizieren und sich vor ihm zu schützen, dann habe ich mein Ziel erreicht.

Anmerkungen:

[1] *Time*, 6. August 2012, S. 28 f.

[2] American Psychiatric Association, 2013

ERSTES KAPITEL

»Alles dreht sich um mich.« Die narzisstische Persönlichkeit

Von all den Schubladen, in die wir unsere Mitmenschen ständig gedankenlos stecken, ist diejenige mit der Aufschrift »Narzisst« vielleicht die vollgestopfteste. Als »narzisstisch« oder »selbstverliebt« gelten uns schon Leute, die Hotels nach sich selbst benennen oder ständig im Rampenlicht stehen müssen.

Ja, viele Menschen genießen es, im Zentrum der Aufmerksamkeit zu stehen. Aber daran ist nichts Schlimmes. Erst wenn die Sucht nach Aufmerksamkeit krankhaft wird, wenn ein Mensch rücksichtslos anderen schadet, um sich selbst zu profilieren, dann wird es gefährlich. Und erst dann haben wir es mit einer narzisstischen Persönlichkeit zu tun.

Narzissten interessieren sich ausschließlich für sich selbst, für ihre eigenen Bedürfnisse und ihre eigenen Wünsche. Während Sie und ich uns über Aufmerksamkeit freuen, giert die narzisstische Persönlichkeit danach; sie manipuliert Menschen und Situationen, bis sie sie bekommt. Sie und ich, wir strengen uns vielleicht an, um Erfolg zu haben, doch die narzisstische Persönlichkeit geht dafür über Leichen: Um aufzusteigen, lügt, betrügt und intrigiert sie skrupellos – welche Schäden sie dabei anrichtet, ist ihr völlig egal.

Diese Typen finden sich in jeder Gesellschaftsschicht, auch ganz oben, wo sie, wie die Geschichte gezeigt hat, Kriege angezettelt und ganze Völker ausgerottet haben. Aber vielleicht sitzt ja auch einer im Büro neben

Ihnen, auf dem Barhocker, in der Umkleidekabine, am heimischen Esstisch, im Klassenzimmer, in der Kirchenbank.

Aschenputtel, das Märchen mit der grausamen Stiefmutter und den zwei völlig von sich selbst besessenen Halbschwestern, versinnbildlicht die ausbeuterische Natur des Narzissmus. Es geht dabei um Menschen, die ihre Selbstsucht auf Kosten anderer ausleben. Die berühmteste Version der Geschichte ist der Disney-Zeichentrickfilm *Cinderella*, doch historisch sind mehr als 300 Varianten des Märchens belegt.[1] Offenbar hielten es viele Kulturen für notwendig, uns vor diesen Typen zu warnen, und mit gutem Grund.

Ebenso wie Aschenputtels Stiefmutter und ihre Töchter finden sich narzisstische Persönlichkeiten nahezu perfekt, und jeder, der keine ebenso hohe Meinung von ihnen hat, ist ein Niemand, den man verunglimpfen oder misshandeln darf. Während allerdings Disneys *Cinderella* glücklich endet, retten uns im wahren Leben keine gute Fee und kein Prinz vor diesen Tyrannen. Das müssen wir schon selbst erledigen.

Grundzüge der narzisstischen Persönlichkeit

Narzissmus darf nicht mit Selbstbewusstsein verwechselt werden. Selbstbewusstsein ist etwas Bewundernswertes – man ist sich seiner Stärken, aber auch seiner Schwächen bewusst. Das »Selbstbewusstsein« des Narzissten ist in Wirklichkeit Arroganz – eine Charaktereigenschaft, die zu Größenideen und zu rücksichtslosem Streben nach Erfüllung der eigenen Bedürfnisse führt, oft auf Kosten anderer.

Gelegentlich bringen große Ideen eine Gesellschaft voran. Nehmen Sie nur die Fortschritte, die durch die Erfindung der Elektrizität und durch die Landung auf dem Mond erzielt wurden. Auch Walt Disney hatte grandiose Ideen von einem »magischen« Ort, an dem sich Kinder und Erwachsene amüsieren sollten. So entstanden Disneyland, Disney World und Eurodisney.

Doch die Visionen der narzisstischen Persönlichkeit sehen ganz anders aus. Sie zielen nicht darauf ab, das Leben *anderer* Menschen besser oder schöner zu machen – sie sollen das Leben des Narzissten schöner machen. Betrachten Sie Jim Jones, der in Guyana sein Jonestown gründete, um sich dort als gottähnliches Wesen verehren zu lassen. Am Eingangstor mussten seine Anhänger ihre Lebensersparnisse und ihren freien Willen abgeben. Außerdem mussten sie später auch bereit sein, mit Zyanid versetztes Kool-Aid zu trinken und sich so gemeinsam mit mehr als 900 weiteren Anhängern umzubringen.[2]

Sie sehen schon den Unterschied zwischen einer gesunden und einer gefährlichen Vision: Hinter der einen steckt der Gedanke, *andere* Menschen glücklich zu machen, hinter der anderen der Plan, *sich selbst* glücklich zu machen. Notfalls auch auf Kosten anderer – deswegen ist der Narzisst so gefährlich.

Egozentrisch

Als Kinder halten wir uns alle eine Zeit lang für den Nabel der Welt und glauben, ein ganz natürliches Recht darauf zu haben, dass all unsere Bedürfnisse erfüllt werden. Die narzisstische Persönlichkeit entwickelt sich im Grunde nie über dieses Stadium hinaus. Um ihr kindliches Bedürfnis danach zu stillen, ständig umsorgt und beachtet zu werden, schreckt die narzisstische Persönlichkeit vor nichts zurück, nicht einmal vor lächerlichen oder unsäglichen Aktionen.

Sie kommt zu spät zu Besprechungen, Partys, Familienfeiern; sie hält den Betrieb auf und zwingt andere, auf sie zu warten oder umzuplanen. Dann legen sie einen dramatischen Auftritt hin, damit jeder sie beachtet. Sie teilen gern jedermann mit, dass sie die klügste Person im Raum sind. Viele von ihnen sind schamlose Namedropper; ständig erwähnen sie die Namen von Persönlichkeiten, die sie kennen, mit denen sie beim Mittagessen waren usw. So wollen sie Ihnen das Gefühl vermitteln, sie verkehrten mit wichtigen Leuten.

Für die narzisstische Persönlichkeit ist es entscheidend, jederzeit gut dazustehen. Diese Menschen bewundern sich selbst gern im Spiegel. Sie achten sehr auf ihre äußere Erscheinung (was sich in Fitness-Fixierung und einem übertriebenen Hang zu Schönheitsoperationen äußern kann) und nutzen ihr Erscheinungsbild, um andere zu beeindrucken; auf Partys sind sie glücklich, wenn sich die gesamte Aufmerksamkeit auf sie richtet und sie den anderen Gästen unter die Nase reiben können, dass sie das Beste, Größte und Teuerste von allem haben.

Narzisstische Persönlichkeiten tun gern so, als hätten sie enorm viel geleistet. Selbst wenn das nicht im Geringsten stimmt, stellen sie sich doch gerne als brillante Investoren, Künstler, Musiker, Denker, Anführer oder Sänger hin. An Misserfolgen sind immer nur die anderen schuld. Von einer narzisstischen Persönlichkeit werden Sie niemals hören, dass sie einen Fehler gemacht hat, etwas nicht kann oder gar unbeliebt ist. Nein, die Welt hat sich gegen sie verschworen: das System, die Gesellschaft, ihr Chef, ihr Professor, die Wählerschaft. Wir erkennen einfach nicht, wie grandios dieser Mensch ist.

Behandelt die Umwelt narzisstische Persönlichkeiten nicht als die VIPs, als die sie sich selbst sehen, reagieren sie mit kindlichem Trotz: Sie schmollen, quengeln, wüten und werden gelegentlich sogar gewalttätig. Sie machen andere Menschen nieder, schieben ihnen die Schuld an allem zu, sind äußerst nachtragend und rachsüchtig – das ist ihre Natur.

Überschätzt sich, unterschätzt andere

Narzisstische Persönlichkeiten nehmen sich als ganz besonders und einzigartig wahr und finden alle anderen Menschen unerheblich oder minderwertig. Sie beherrschen geradezu meisterlich, andere herabzusetzen, um selbst besser dazustehen – sie sind die Tyrannen dieser Welt. So erwarb sich etwa die Geschäftsfrau und Hotelbetreiberin Leona Helmsley den Spitznamen »The Queen of Mean« (Die Fieseste von allen) – dabei war das noch schmeichelhaft. Dem Vernehmen nach tyrannisierte Helmsley jeden, der ihrer Ansicht nach unter ihr stand.

Aktuell scheint es, als würde an unseren Schulen stärker gemobbt als früher, mit all den schlimmen Folgen wie Schulschwänzerei, Ängste, Depressionen und Selbstmord. Viele Psychologen sind der Ansicht, dass der Anteil narzisstischer Persönlichkeiten in der Bevölkerung steigt, und es gehört nun einmal zum narzisstischen Persönlichkeitstypus, dass er andere tyrannisiert, mobbt und runterputzt.

Heutzutage braucht man dem anderen ja nicht mal mehr ins Auge zu sehen, wenn man ihn fertigmacht. Es häufen sich die Fälle, in denen Jugendliche sich gegen Mobbing im Internet (sogenanntes Cyber-Mobbing) nicht mehr zu wehren wissen und sich schließlich umbringen. Aktuelle Beispiele sind die 14-jährige Hannah Smith aus London oder die 15-jährige Kanadierin Amanda Todd.

Das passiert, wenn Menschen sich chronisch überschätzen und andere heruntermachen.[3]

Narzisstische Persönlichkeiten haben einen unheimlich scharfen Blick für die Schwächen und Unsicherheiten anderer und bohren genau in diese Wunden, um den anderen herunterzuziehen und sich selbst zu erhöhen. So kann es geschehen, das ein Narzisst Ihre neue Armbanduhr bemerkt und lobt – um in der nächsten Sekunde die Aufmerksamkeit auf seine viel teurere Uhr zu lenken. Bei einer Grillparty sagt er laut genug, damit jeder es hört: »Keine Steaks, nur Hamburger?« Ihm ist egal, dass er damit die Gefühle anderer verletzt – ganz im Gegenteil blüht er auf, wenn er andere kleinmachen kann.

Er bemerkt auch, wenn Sie vor einer wichtigen Rede nervös sind, und sagt dann Dinge wie: »Es muss schwer sein, nach einem so tollen Redner anzutreten – ich möchte ja nicht in Ihren Schuhen stecken.« Das kenne ich aus eigener Erfahrung; genau das habe ich erlebt.

Seine wahre Natur zeigt sich, wenn er etwa Partner oder Kinder in aller Öffentlichkeit niedermacht, z. B. auf einer Party oder bei einem Fußballmatch. Stellen Sie sich nur vor, wie es in diesen Familien daheim zugeht, wenn kein Außenstehender zusieht!

Oft lassen Narzissten auch ganz nebenher verächtliche Kommentare über die Dummheit und Inkompetenz anderer Menschen fallen. Sie können auch vorbeigehenden Kellnern Befehle zubellen und sich dann lächelnd wieder Ihnen zuwenden, als wäre nichts vorgefallen. Bei einer Veranstaltung, die ich vor vielen Jahren in Las Vegas besuchte, fiel plötzlich das Mikrofon aus. Daraufhin brüllte der Redner einen Hotelangestellten vor 150 Zuhörern an: »Ich bin nicht den weiten Weg hierher gekommen, um wie ein Idiot dazustehen. Richten Sie's!« Dem Publikum fiel die Kinnlade runter. Solche Verhaltensweisen sollten alle – Zeugen und Betroffene – warnen, dass sie es mit einer narzisstischen Persönlichkeit zu tun haben.

Arroganz und Anspruchshaltung statt Mitgefühl

Jemand, der sich allen anderen überlegen fühlt, wird nur wenig Einfühlungsvermögen in andere haben. Normalerweise lernt man als Kind, die Gefühle anderer Menschen zu achten und sich entsprechend rücksichtsvoll zu verhalten. Doch narzisstischen Persönlichkeiten geht dieses Mitgefühl, dieses Verständnis für die Lage und Stimmung des anderen, ganz oder teilweise ab. Und wenn Ihr Haus gerade brennt – der Narzisst wird nicht zulassen, dass Sie im Mittelpunkt der Aufmerksamkeit stehen. Nichts darf von seinen Bedürfnissen und Wünschen ablenken. Auch wenn Sie sich eigentlich um Ihr krankes Kind kümmern müssten – der Narzisst wird darauf bestehen, dass Sie ihn ins Einkaufszentrum fahren. Wenn Sie Bedürfnisse, Krankheit oder Fehler eingestehen, fasst die narzisstische Persönlichkeit das als Eingeständnis Ihrer Schwäche auf, sieht sich in ihrem Überlegenheitsgefühl bestätigt und fühlt sich umso berechtigter, Sie herunterzumachen.

Bekundet eine narzisstische Persönlichkeit doch einmal Mitgefühl, dann aus Eigeninteresse. Ein Beispiel: Sie bleiben krank zu Hause, und Ihr tyrannischer Chef ruft an und erkundigt sich, wie es Ihnen geht. Eigentlich interessiert ihn aber nur, wann Sie wieder zur Arbeit erscheinen.

Ein groteskes Beispiel dafür, wie ichfixiert die narzisstische Persönlichkeit sein kann, lieferte im Mai 2010 der Chef von British Petrol, Tony Hayward. Einen Monat zuvor war die BP-Bohrplattform Deepwater Horizon explodiert, elf Menschen waren dabei umgekommen, noch immer strömte ungebremst Öl aus dem unterseeischen Bohrloch und verursachte die größte Ölpest aller Zeiten. Als Hayward sich Reportern gegenüber für diese »massive Störung« entschuldigte, versicherte er: »Ich wünsche mehr als jeder andere, dass das hier endlich vorbeigeht. Ich will mein Leben zurück.« So denkt die narzisstische Persönlichkeit: »Menschen tot? Mir egal. Meer verseucht? Mir egal. Aber ich will meine Ruhe zurück!« Nichts ist wichtiger als sie selbst.

Die Arroganz und Überheblichkeit der narzisstischen Persönlichkeit zeigen sich in ihren Worten, ihren Taten und selbst in ihrer Körperhaltung. Je länger man mit ihr redet, desto stärker bekommt man das Gefühl, ihr völlig egal zu sein; sie interessiert sich eigentlich gar nicht dafür, was ihr Gesprächspartner sagt, sondern wartet nur darauf, endlich selbst reden zu dürfen. Da ihnen extrem wichtig ist, gut dazustehen, mäßigen viele von ihnen ihr Verhalten, und man kann sich mit ihnen zeitweise unterhalten wie mit normalen Menschen. Aber irgendwann – z. B. in Krisenzeiten – bricht sich ihr wahrer Charakter Bahn.

Narzisstische Persönlichkeiten können nett tun, um zu bekommen, was sie wollen. Aber in Wirklichkeit scheren sie sich einen Kehricht um die Gefühle anderer Menschen. Im Film *Goodfellas* umwirbt der aufsteigende Mafioso Henry Hill (gespielt von Ray Liotta) seinen Schwarm Karen nach allen Regeln der Kunst: Er führt sie in edle Restaurants aus; der beste Tisch, köstliches Essen, erlesene Weine, kein Warten in der Schlange. Karen ist das Zentrum seiner ungeteilten Aufmerksamkeit. Doch nach der Hochzeit hört all das schlagartig auf. Der Narzisst hat sich angestrengt und bekommen, was er wollte. Also fühlt er sich berechtigt, betrunken und nach anderen Frauen riechend heimzukommen. Er schert sich nicht um die Bedürfnisse seiner Frau. Für ihn zählt nur, was er als sein ureigenstes Recht betrachtet. Seine Aufmerksamkeit war nur ein Mittel, um seine Freundin zu umgarnen. Doch wie sie sich fühlt, ist ihm eigentlich egal.

Im richtigen Leben umgarnte der Anlagebetrüger Bernard Madoff Bekannte und selbst Freunde, bis sie ihm ihr Geld anvertrauten. Der gewaltige Unterschied zwischen dem, was die Anleger erwarteten, und dem, was sie bekamen, ist typisch für die Beziehung zu einer narzisstischen Persönlichkeit: Man erwartet, wie ein Gleichberechtigter, wie ein Freund behandelt zu werden – aber der Narzisst kennt keinen Gleichrangigen. Und Freunde hat so jemand nur, weil sie nützlich sind, einen Zweck erfüllen: ihm etwas zu geben, das er will oder braucht.

Am gefährlichsten sind diejenigen Typen, denen jedes Mitgefühl abgeht und deren Größenideen derart übersteigert sind, dass sie schon ins Wahnhafte gehen. Diese Menschen sind fähig, anderen Leid zuzufügen, ohne auch nur mit der Wimper zu zucken.

Sie haben keinerlei Gewissen und beuten ihr Umfeld emotional, finanziell und manchmal auch physisch aus. Solange Sie es ihnen recht machen, sind Sie willkommen. Stehen Sie ihnen aber im Weg, dann gnade Ihnen Gott. Nachrichten von jungen Eltern, die ihr Kleinkind allein in der Wohnung zurückließen oder sogar ermordeten, um ausgehen und sich amüsieren zu können, handeln von narzisstischen Persönlichkeiten:

Menschen, die sich an die erste Stelle setzen und andere mit reptilienhafter Kaltschnäuzigkeit abfertigen.

In Sachen reptilienhafte Ungerührtheit ist ein neuer Trend in den USA kaum zu schlagen: Knockout Assaults, verniedlichend auch Knockout Game genannt. Dabei geht es darum, einen – vorzugsweise älteren – Passanten ohne jede Vorwarnung mit einem Hieb k. o. zu schlagen und anschließend zu berauben. Eine solche Herzlosigkeit bringt nur fertig, wer sich selbst viel zu wichtig nimmt und andere Menschen als wertlos betrachtet. Darin ist die narzisstische Persönlichkeit hervorragend.

Schwindelt, verletzt Regeln, übertritt Grenzen

Narzisstische Persönlichkeiten finden ohnehin, dass ihnen Ehrerbietung gebührt, deswegen halten sie es oft für unnötig, sich wirklich anzustrengen. Sie glauben, Abkürzungen zum Ziel nehmen zu dürfen. Regeln gelten in ihren Augen nur für andere. Beispiele finden sich endlos, etwa in der Politik: Der Exsenator John Edwards zeugte ein außereheliches Kind und versuchte dann, die Vaterschaft zu leugnen; der ehemalige Abgeordnete Jesse Jackson jr. steckte öffentliche Gelder ein; Rod Blagojevich, der Exgouverneur von Illinois, verkaufte politische Gefälligkeiten gegen Geld.

Ein Spitzenmanager erzählte mir, er habe einmal einen Manager eingestellt, der plötzlich anfing, alle Mitarbeiterinnen anzumachen. Er schien das fast zwanghaft zu tun. Alle wussten, dass ein solches Verhalten inakzeptabel war, doch darauf angesprochen reagierte der Manager wütend. Er beharrte darauf, nichts in seinem Verhalten habe gegen seine vertraglichen Pflichten verstoßen, er sei einfach nur freundlich gewesen. Vergessen Sie nie: Narzissten merken überhaupt nicht, dass sie Regeln verletzen; sie glauben wirklich, sie hätten das Recht dazu. Sie ärgern sich nur, wenn jemand es wagt, ihr Verhalten zu kritisieren.

Viele Narzissten erzählen Lügengeschichten, um ihr Bedürfnis nach Anerkennung zu befriedigen. Dann behaupten sie zum Beispiel, sie seien hochdekorierte Exelitesoldaten, auch wenn sie in Wirklichkeit nie gedient haben. Beweisen können sie ihre Geschichten leider nicht, weil ihre Einsätze alle »top secret« waren. Schlimm genug, wenn jemand den Helden spielt – ein Affront für alle, die wirklich gedient haben –, doch richtig kriminell wird es, wenn er sich als Anlageprofi, Arzt oder Pilot ausgibt und mit den Finanzen, der Gesundheit und dem Leben anderer Leute spielt. Wer das Vertrauen seiner Mitmenschen derart ausnutzt, untergräbt die Fundamente der Gesellschaft und ist nach meiner Erfahrung meistens eine narzisstische Persönlichkeit.

Oft sind narzisstische Persönlichkeiten sehr geschickt darin, ihr Umfeld an der Nase herumzuführen. Nehmen Sie den Fall von Christian Karl Gerhartsreiter, der in die USA auswanderte und sich dort als Clark Rockefeller ausgab, ein Mitglied des legendären Rockefeller-Clans. Sandra Boss, eine angesehene Geschäftsfrau, heiratete ihn. Als sie seine Lügen durchschaute, entführte er das gemeinsame Kind. Wer bringt denn so etwas fertig? Ein Narzisst, der nach Anerkennung giert, aber keine eigene Leistung zustande bekommt.

Als die Witwe Sara* ihr drittes und letztes Kind durch die Uni gebracht hatte, hatte sie endlich wieder mehr Zeit für sich. Bald geriet sie in den Bann eines charismatischen Priesters, der kurz zuvor in die Stadt gezogen war. Sie bewunderte seine Frömmigkeit, sein »Wissen über so viele Dinge«, seinen Charme. Er überredete Sara, ihm Geld für den Aufbau seiner Kirche zu spenden – und verschwand dann mit fast 30.000 Dollar, dem Großteil ihrer Ersparnisse.

Drei Jahre nach diesen Vorfällen sprach ich mit Sara, und der finanzielle Verlust schmerzte sie noch immer. Schlimm genug, dass ihre Ersparnisse weg waren und ihre Kinder sie für ihre Naivität schimpften. Ebenso herzzerreißend fand ich jedoch, dass Sara, wie sie sagt, ihren »Glauben und ihr Vertrauen in andere verloren hatte«.

In ihrer maßlosen Egozentrik akzeptieren narzisstische Persönlichkeiten schlicht keine Grenzen. Gesetze, Regeln, soziale Normen – das alles zählt nicht für sie. Sie verhalten sich wie Puppenspieler, sie sehen andere Menschen als Verlängerung ihrer selbst und schubsen sie nach Belieben herum, kommandieren sie herum, manipulieren sie und nutzen sie aus. Hauptsache, der Narzisst bekommt, was er will. Wie andere sich dabei fühlen, ob sie dabei leiden oder in Gefahr geraten, ist ihm egal. Bei Ver-

---

* Alle Namen der Opfer und einige Details wurden geändert, um die Identität der von mir befragten Menschen zu schützen.

abredungen fasst die narzisstische Persönlichkeit Flirten, Necken, Küssen und Streicheln als Einladung zum Sex auf. Sagt die Frau später »Stopp!«, fühlt der narzisstische Typ sich daran nicht gebunden. Er glaubt, sich nehmen zu dürfen, was er will. »Nein« und »halt« haben für ihn keine Bedeutung. Diese Worte sind für ihn Bodenschwellen, aber keine Stoppschilder. Das meine ich, wenn ich sage, er kennt keine Grenzen.

Und wenn Sie wieder einmal einen Spitzenmanager über den Wert seines Unternehmens lügen hören, wissen Sie, dass Sie es mit einer narzisstischen Persönlichkeit zu tun haben. Jeff Skilling und Kenneth Lay führten Enron 2001 in den Abgrund und verantworteten so die bis dahin größte Unternehmenspleite in der Geschichte der USA. Beide wurden wegen Betrugs und Verschwörung verurteilt, aber das war den hinters Licht geführten Aktionären nur ein geringer Trost. Besonders hart traf es die fast 20.000 Angestellten, die noch kurz vor dem Zusammenbruch des Unternehmens dazu aufgefordert worden waren, Aktien der Firma zu kaufen. So verloren die Mitarbeiter nicht nur ihren Job sondern auch noch ihre Ersparnisse. Leute derart ins Messer laufen zu lassen zeugt von schockierendem Anspruchsdenken, unfassbarer Selbstüberhöhung und totaler Gefühllosigkeit.[4]

All die Geschichten von Pfarrern, Jugendbetreuern oder Trainern, die Kinder sexuell missbrauchen, handeln von narzisstischen Persönlichkeiten, die die Rechte anderer Menschen missachten. Ist Ihnen je aufgefallen, dass diese Typen sich auch nach ihrer Entlarvung niemals entschuldigen? Sie entschuldigen sich nicht, weil sie eigentlich denken, sie hätten das Recht, Kinder zu missbrauchen. Wenn ich mir Jerry Sandusky betrachte, ein ehemaliger Trainer von der Penn State und verurteilter Massen-Kinderschänder, sehe ich eine narzisstische Persönlichkeit und ein erbärmliches Würstchen, das Kinder wie Spielzeug benutzte. Kein Wort des Bedauerns kam je über seine Lippen! Dieser Mann verdient seine lebenslange Haftstrafe und unsere tiefste Verachtung. Er mag ja ein toller Trainer gewesen sein, aber er war kein guter Mensch – dies ist ein Teil der narzisstischen Pathologie.

Kontrollbedürfnis

Menschen bezeichnen sich gelegentlich scherzhaft als »Kontrollfreaks«, aber wer je einen kontrollwütigen Chef oder Partner hatte, weiß, dass das nicht zum Lachen ist. Matilda verliebte sich in einen gut aussehenden Mann, der wie sie aus Lateinamerika stammte. Sie blieb zu Hause, er arbeitete und managte die Finanzen der Familie. Anfangs klappte diese Arbeitsteilung gut, doch nach einer Weile wurde sein Kontrollzwang unerträglich. Matilda ärgerte sich, ihn ständig um Geld für Lebensmittel, Kleidung und Weihnachtsgeschenke bitten zu müssen. Wenn sie sich darüber beschwerte, antwortete er: »Sorge ich nicht für dich? Bekommst du nicht alles von mir? Du solltest dir über solche Dinge keine Gedanken machen.«

Jahre später ließ er sie für eine andere sitzen. Matilda wusste nicht, wie viel Geld auf dem Konto war, sie wusste nicht einmal, *wo* das Konto war. Ihr Mann, der früher so großzügig getan hatte, drehte ihr den Geldhahn völlig zu. Auf einen Schlag stand die 50-jährige Matilda mittellos da, ohne einen Cent Ersparnisse fürs Alter. Heute muss sie mehrere Jobs gleichzeitig machen, ihr Selbstwertgefühl steht ebenso auf null wie ihr Bankkonto. Weinend erzählte sie mir: »Ich habe ihm alles gegeben. Und jetzt habe ich nichts, nichts!« Matilda hatte ihrem Mann vertraut – und der stahl ihr dafür ihre Freiheit und ihre Würde. Doch wie hatte es so weit kommen können? Wie so oft: mit einem winzigen Schritt nach dem nächsten, mitten hinein in die Hölle eines Lebens mit einem Narzissten.

Narzisstische Persönlichkeiten streben oft in Positionen, in denen sie andere kontrollieren können. Deswegen findet man sie überdurchschnittlich häufig in juristischen Berufen, in der Medizin, der Politik und im Management. Überall dort können sie ihre Macht ausnutzen, um zu bekommen, was sie wollen. Ich erinnere mich noch, wie ein Kandidat in einem Bewerbungsgespräch mir gegenüber einmal sagte: »Sobald ich die FBI-Dienstmarke habe, kann mir keiner mehr was.« Die Bewerbung wurde natürlich sofort abgelehnt. Aber diese Denkweise ist typisch: Narzisstische Persönlichkeiten streben Macht an, um andere kontrollieren und nicht, um Gutes bewirken zu können.

Doch selbst wenn eine narzisstische Persönlichkeit in ihrem Job nur wenig Macht ausübt – diese Macht wird sie zur Erfüllung ihrer Bedürfnisse missbrauchen. Wenn Sie hören, dass ein Mitglied eines Clubs, einer Organisation, eines Verbands als egozentrischer Tyrann beschrieben wird oder über Jahre Geld unterschlagen hat, dürfen Sie auf eine narzisstische Persönlichkeit schließen. Genau so verhalten sie sich nämlich.

Worte, die den Narzissten beschreiben

Über die Jahre hinweg habe ich Formulierungen von Menschen gesammelt, die mit Narzissten zusammengelebt oder -gearbeitet haben oder ihre Opfer wurden. Die Formulierungen sollten Ihnen eine Lehre und Warnung sein.
aalglatt, aggressiv, amoralisch, angstfrei, arglistig, arrogant, aufbrausend, ausbeuterisch, ausfällig, berechnend, beredt, bestrickend, betörend, Betrüger, Blender, bombastisch, Chamäleon, charismatisch, charmant, clever, desinteressiert, distanziert, dominierend, dreist, egozentrisch, einschüchternd, entmenschlichend, erbärmlich, falsch, Fälscher, feindselig, fies, gefährlich, gemein, giftig, gleichgültig, grausam, hartherzig, heftig, Herrscher, Heuchler, heuchlerisch, hinterhältig, interessant, irritierend, kalt, Klapperschlange, König, kontrollierend, kriminell, lieblos, Lügner, machiavellistisch, manipulativ, Maulaffe, narzisstisch, Nazi, nervig, nervös, nervtötend, oberflächlich, Pädophiler, Pfau, rachsüchtig, räuberisch, Raubtier, reizbar, risikofreudig, rücksichtslos, sarkastisch, Scharlatan, Schauspieler, Schlange, schlecht, schleimig, Schmarotzer, schuldlos, Schwindler, selbstüberschätzend, skrupellos, Spieler, strahlend, taktlos, Täuscher, temperamentvoll, theatralisch, toxisch, Tyrann, unaufrichtig, unehrlich, unredlich, unsensibel, untreu, unverfroren, unzuverlässig, verächtlich, verantwortungslos, Verbrecher, verführerisch, verlogen, verschlagen, verstörend, witzig.

Ihr Effekt auf Sie

Narzisstische Persönlichkeiten sind oft nicht sofort als solche erkennbar, weil sie intelligent, umgänglich, interessant wirken und sogar eine gewisse Aura der Allmacht ausstrahlen können. Denen gegenüber, die ihnen noch nützlich sein können, verhalten sie sich durchaus charmant, aber irgendwann zeigen sie immer ihr wahres Gesicht.

Manchmal beobachtet man eine vielsagende Zurschaustellung von Arroganz, Verachtung oder Größenwahn, die Ihnen das Gefühl vermittelt, hier stimme etwas nicht. Bei anderen Gelegenheiten verhalten diese Typen sich unnahbar, herablassend, kalt, was bei Ihnen einen schalen Nachgeschmack hinterlässt. Manchmal entziehen sie anderen die Zuneigung, weigern sich zu helfen oder ihren Verpflichtungen nachzukommen. Der Betroffene fühlt sich dann besorgt, zurückgewiesen, gequält.

Der Narzisst kann auf subtile Weise grausam sein. Bewusst ignoriert er Ihre Leistungen und Nöte. Mit seiner Gleichgültigkeit zwingt er Sie, sich allein zu freuen und allein zu leiden. Sein Desinteresse ist absichtlich. Denn wenn er sich für Sie interessieren würde, würden Sie sich gut fühlen, und das wünscht sich der Narzisst nicht. Das Gefühlsleben des Narzissten ist derart unterkühlt, dass er wie ein halber Mensch ist: Er braucht immer jemanden, der ihn vervollständigt. Wenn er dann aber jemanden gefunden hat, geht die Beziehung auch wieder schnell den Bach runter, weil niemand den Bedürfnissen eines Narzissten genügen kann und umgekehrt der Narzisst die emotionalen Bedürfnisse eines normalen Menschen nicht erfüllt. Geben Sie sich nie der Illusion hin, Sie könnten die Beziehung zu einer narzisstischen Persönlichkeit »reparieren«. Sie werden scheitern – und emotional, seelisch oder sogar körperlich einen schrecklichen Preis bezahlen.

Und das ist der Haupteffekt des Narzissten auf andere Menschen: Er laugt sie aus. Der Narzisst sieht Ihre Bedürfnisse, Wünsche und Pläne nur als Hindernis bei der Erfüllung seiner eigenen. Ihm ist es egal, wenn Sie unglücklich, frustriert oder gestresst sind. Aber wenn er etwas nicht bekommt, reagiert er wie ein Kleinkind: Er verdreht die Augen, zeigt seine Verachtung, schmollt, wird ungeduldig, quengelt, ist beleidigt, schimpft oder geht einfach.

Gelegentlich spüren wir den Schmerz sofort, den narzisstische Persönlichkeiten uns zufügen, manchmal trifft er uns erst mit ein paar Sekunden Verzögerung wie ein Dolchstoß (»Hast du das gerade gesehen/gehört?«). In anderen Fällen wiederum weckt uns unser Unterbewusstsein um zwei Uhr nachts auf, weil es auf etwas Schmerzliches gestoßen ist, das jemand uns angetan hat. Oft erwecken narzisstische Persönlichkeiten mit ihrem Verhalten auch einfach ein vages Gefühl, dass hier irgendetwas nicht stimmt. Dann fühlen die Betroffenen sich verwirrt oder verunsichert. Manchen wird übel, andere zeigen Stresssymptome. Einmal sagte mir jemand: »Wenn ich mit Soundso zu tun habe, frühstücke ich vorher nicht, weil ich immer das Gefühl habe, ich müsste kotzen.«

Passen Sie auf, wenn Sie solche negativen Gefühle haben. Vielen von uns hat man beigebracht, insbesondere Freunden und Verwandten gegenüber »zu vergeben und zu vergessen«. Doch dieser Typ baut genau darauf, dass Sie das tun. Dass Sie sich eine Gemeinheit gefallen lassen, und noch eine und noch eine. Und jedes Mal, wenn Sie sprachlos, schockiert und verletzt dastehen, fühlt er sich überlegen und glücklich. Diese emotionalen Angriffe kochen Sie weich, bis Sie Wachs in seinen Händen sind und sich, wie es oft geschieht, krankmelden, weil Sie es nicht mehr aushalten.

In seinen krasseren Ausprägungen kann Narzissmus erschreckende Blüten treiben, vor denen selbst das Gesetz uns nicht schützen kann. Eine Frau erzählte, sie und ihre Kinder hätten sich regelmäßig auf den Boden setzen müssen, wenn ihr Mann die Familie wegen irgendetwas tadeln wollte. Er saß dabei natürlich auf einem Stuhl, wie auf einem Thron, während sie und die Kinder auf dem Boden kauerten und ausgeschimpft oder aufgefordert wurden, ihre Fehler einzugestehen. Schließlich schaffte es die Frau, sich und ihre Kinder zu befreien, aber mit gewaltigen finanziellen Einbußen und erst nachdem erheblicher psychischer Schaden angerichtet worden war.

Und wenn sie einen gerade mal nicht runtermachen, sind sie einfach »ekelhaft«. Claire erzählte mir von ihrem Manager: »Er ging an meinem Schreibtisch vorbei und warf mit einem grimmigen Blick einen Stapel Arbeit drauf. Akten flogen herum, Kaffee wurde verschüttet. Ihm war egal, was ich gerade tat und dass mein Schreibtisch nicht seine Müllhalde war. Ich kann Ihnen nicht sagen, wie viele Leute er zum Weinen gebracht hat. Zum Weinen. Wer macht so was denn?« Während sie das erzählte, kamen ihr wieder die Tränen.

Jedes Mal, wenn ich von Frauen und Kindern erfahre, die wiederholt öffentlich zusammengestaucht, geschlagen oder sonst irgendwie misshandelt werden, denke ich sofort: Hier ist ein Narzisst am Werk, der seinen Partner oder seine Kinder herabsetzt und glaubt, das Recht zu haben, seine Familienmitglieder zu schlagen. Der Fall von Hedda Nussbaum und ihrer Stieftochter Elizabeth Steinberg führt vor Augen, wie es sich anfühlt, mit einer narzisstischen Persönlichkeit zusammenzuleben, die sich hinter geschlossenen Türen austobt.[5] Anfangs verehrte Nussbaum ihren Quäler, Joel Steinberg, als »gottähnlich« und folgte ihm bedingungslos. Schon bald nörgelte er wegen allem und jedem an ihr herum, er machte sich über ihre Art zu gehen lustig und erniedrigte sie, indem er sie zwang zu krabbeln. Er schlug sie fast täglich, so hart, dass ihr Gesicht entstellt wurde. Einmal, 1987, schlug er in seiner grenzenlosen Wut so auf die Stieftochter Elizabeth ein, dass sie starb. Hedda Nussbaum schaute zu und holte auch hinterher keine Hilfe für die kleine Elizabeth. Ein Gericht befand später, sie habe keine Schuld auf sich geladen – sie sei von ihrem tyrannischen Mann über Jahre derart unterdrückt worden, dass es ihr schlicht nicht mehr möglich gewesen sei, sich zu widersetzen. Ein tragisches Beispiel dafür, wie Menschen, die mit solchen Typen zusammen sind, mit der Zeit gefügig werden. Allein der Gedanke daran schmerzt. Und jetzt stellen Sie sich vor, selbst so zu leben.

Eines sagen alle Befragten übereinstimmend, die es mit einem Narzissten zu tun gehabt hatten: Er hatte sie daran gehindert, sich zu entfalten. Entsprechend kamen sie sich »klein«, »unwichtig«, »minderwertig« vor. Das sagt alles.

Die narzisstische Persönlichkeit in Beziehungen

Die narzisstische Persönlichkeit kennt keine Liebe im landläufigen Sinn. Für sie ist Liebe immer bedingt oder kommt mit Auflagen verbunden. In anderen Worten: »Ich mache das für dich, aber im Gegenzug erwarte ich von dir bestimmte Dinge.« Für den Narzissten ist Liebe ein Geben und Nehmen, ein Deal nach dem Motto »eine Hand wäscht die andere«, nichts Altruistisches.

Menschen, die Beziehungen mit narzisstischen Persönlichkeiten eingegangen sind, erzählen mir oft, sie seien anfänglich vom Charme, von der Intelligenz, der Aufmerksamkeit, den großen Gesten des anderen wie verzaubert gewesen – genau wie Karen im Film *Goodfellas*. Frauen sind besonders empfänglich für das Charisma narzisstischer Persönlichkeiten. Kaum sind sie aber eine feste Bindung eingegangen, wird der Charme abgeschaltet, und die Frauen finden sich verwundert mit einem gleichgültigen, manipulativen Partner wieder.

Zu Hause verlangt der Narzisst vielleicht, dass alles stehen und liegen gelassen wird, wenn er zur Tür hereinkommt. Die Partnerin hat allein die Aufgabe, all seine Bedürfnisse zu befriedigen. Aber sie kann es ihm nie recht machen.

Der Narzisst ist stets unzufrieden mit Aussehen, Gewohnheiten, Geschmack, Hobbys und Fähigkeiten seines Partners. Die Kritik kann verschiedenste Formen annehmen: von abschätzigen Blicken über Nörgeln bis hin zu Beleidigungen, auch in der Öffentlichkeit. Ich fragte eine Frau, wie oft sie von ihrem Mann kritisiert worden sei. Ihre ernüchternde Antwort: »Jeden Tag. Jeden einzelnen Tag. Ich konnte es ihm nie recht machen, und er brachte den Kindern bei, mich ebenfalls zu kritisieren und auszulachen.«

Ein (mittlerweile geschiedener) Freund erzählt, er habe stundenlang nach dem perfekten Geschenk für seine damalige Frau gesucht. Als er es ihr überreichte, warf sie es auf die Küchenplatte und sagte nebenher »Danke«, als hätte er ihr ein Glas Wasser gereicht. Sie packte es nicht einmal aus. Das klingt jetzt wie eine Kleinigkeit, aber sie machte so etwas derart häufig, dass klar wurde: Ihr Mann war ihr völlig egal. Später fand er heraus, dass sie ihn nur geheiratet hatte, um aufzusteigen. Diese Art, andere runterzumachen, ist ganz typisch für die narzisstische Persönlichkeit. Willst du, dass jemand sich minderwertig vorkommt? Dann mach seine Leistungen schlecht, übersieh seine gute Absicht, zeig kein Interesse. So macht es ein Narzisst.

Miriam wandte sich ans FBI, weil ihr Mann sich ins Ausland abgesetzt und sie völlig mittellos zurückgelassen hatte. Sie erzählte, ihr Mann sei geradezu besessen davon gewesen, immer teurere Häuser in immer besseren Vierteln zu kaufen, immer schickere Autos, immer teureren Schmuck. In gleich zwei Country Clubs musste er unbedingt Mitglied sein. Sie berichtete, erst dann aufgehorcht zu haben, als er sie anwies, weniger für Ausflüge, Ferien, Kinderkleidung und Nahrungsmittel auszugeben. Letzteres brachte bei ihr das Fass zum Überlaufen. Er schrieb ihr vor, beim Essen zu sparen, während er selbst fast 3000 Dollar monatlich für die Clubmitgliedschaften ausgab! Schließlich stellte sie ihn zur Rede. Er drehte sich zu ihr und sagte gelassen: »Wir sind pleite.«

Obwohl er Schulden in Millionenhöhe angehäuft hatte, zwang ihn das narzisstische Bedürfnis, sein öffentliches Image zu wahren, dazu, sich weiterhin jede Woche die Haare schneiden und die Nägel maniküren zu lassen. Er blieb auch weiterhin Mitglied in zwei Country Clubs, während Miriam beim Einkauf der Lebensmittel sparte und »Panikattacken hatte«. Am Ende setzte er sich einfach ins Ausland ab und ließ sie ahnungslos, ohne einen Cent und mit einem Haufen Schulden zurück, da sie bei einigen Krediten mit unterschrieben hatte. Das Ausmaß seiner Dreistigkeit war atemberaubend. Immer wieder neue Schuldeneintreiber und Anwälte meldeten sich mit Ansprüchen. Als sie ihn endlich im Ausland aufspürte, antwortete er ihr: »Ich schulde dir nichts. Dank mir hattest du es viele Jahre ziemlich schön. Du hast in einem edlen Viertel gelebt. Du solltest mir danken.«

Kims Geschichte ist auf andere Art ebenso traurig. 20 Jahre alte Bilder von ihr zeigen eine energiegeladene, schöne, glücklich strahlende Frau. Doch als ich sie traf, ging sie auf die 50 zu und war emotional wie körperlich »verwelkt«, wie sie es ausdrückte. Ihr Gesicht spiegelte das Leben wider, das sie seit ihrer Hochzeit geführt hatte. Mit 22 Jahren heiratete sie einen neun Jahre älteren Mann, einen Mann mit großen Plänen, der sie so hartnäckig umworben hatte, dass sie und ihre Eltern schließlich nachgaben, beeindruckt von seinem »Enthusiasmus«, seiner »Unbeirrbarkeit« und seinen grandiosen Plänen für ihre gemeinsame Zukunft.

Doch kaum hatte sie ihn geheiratet, konnte sie es ihm gar nicht mehr recht machen. Anfangs beleidigte er sie zu Hause, als »ignorant, dumm, närrisch«, bald machte er das auch in der Öffentlichkeit, zu ihrer großen Beschämung. Er gab ihr die Schuld für sein Scheitern in der Politik. Erst allmählich ging Kim und ihren Eltern auf, dass er schlicht ein Großmaul war, unfähig und sogar unwillig, je irgendetwas, das er anfing, auch zu Ende zu führen.

Kims Freunde zogen sich zurück, weil er ihre Besuche unangenehm machte und sein Missfallen über Leute ausdrückte, die »ihm nicht angemessen« waren. Kim erzählte, seit mehr als 15 Jahren habe sie keinen

Besuch von Freunden mehr bekommen und selbst auch kaum Leute besucht, um andere Menschen nicht mit der Gegenwart ihres Mannes und dem traurigen Stand ihrer Beziehung zu belasten.

Ständig züchtigte er seine Kinder, und sie schritt nur ein, »wenn er sie richtig fest schlug«. Meistens stellte sie sich taub, wenn er die Kinder »mit Worten verhaute«, weil Auseinandersetzungen mit ihm so schmerzlich waren, dass sie sich einfach »nicht lohnten«. Sie hatte, in ihren Worten, »keine Kraft mehr zu kämpfen und nichts, worum es sich zu kämpfen gelohnt hätte«.

Kim wurde misshandelt, zwar nicht körperlich, aber durch unablässige, ätzende Kritik und Erniedrigung. Sie wirkte völlig gebrochen, sie machte sich klein, wie in Ehrerbietung für dieses Monster. Sowohl Kim als auch Miriam sagten auf ihre Weise das Gleiche: »Wenn ich nur gewusst hätte, worauf ich achten muss!«

Als Eltern verfügen narzisstische Persönlichkeiten nicht über die emotionale Tiefe, um Kindern wirklich etwas geben zu können. Die narzisstische Persönlichkeit idealisiert sich selbst und erwartet entsprechend auch von ihren Kindern Perfektion. Sie drängt sie überall zu Spitzenleistungen, selbst in Bereichen, für die das Kind weder Neigung noch Talent hat. (Oft strengen sich die Kinder trotzdem gewaltig an, um die Anerkennung der Eltern zu erlangen.) Und ständig legt sie die Latte höher (»Warum hast du keine Eins bekommen?« »Blöd, dass du es nicht in die Schulmannschaft geschafft hast.« »Ich weiß, du kannst es besser.«). Typische Erscheinungsformen narzisstischer Erziehung sieht man bei »Stage Mothers«, Müttern, die ihre Kinder zwanghaft auf Schönheitswettbewerbe jagen oder beim Fernsehen unterzubringen versuchen, und bei Fußballvätern, die bei E-Jugend-Spielen mit hochrotem Kopf herumbrüllen. Solche Eltern sind dann echt erschüttert, wenn das Kind, ihr Abbild, es nicht auf ihre frühere Uni schafft oder nicht in die gleiche Studentenverbindung geht.

Oft versuchen narzisstische Eltern, über das Kind zu Ruhm und Reichtum zu kommen, und treiben es auf Wettbewerbe aller Art, Tennisturniere, ins Fernsehen, auf die Bühne o. Ä. Natürlich schwören sie, alles zum Wohl des Kindes zu tun, und leugnen ihre narzisstische Freude am Abglanz des Ruhms.

Eine erwachsene Frau erzählte mir, ihre narzisstische Mutter habe sie als Kind fürchterlich verletzt, indem sie sie gnadenlos zum Wettkampfsport antrieb. Dieses Gefühl der Tochter, benutzt worden zu sein, riss einen emotionalen Graben zwischen ihr und der Mutter auf. Heute hat sie keinerlei Kontakt mehr zu ihr.

Von Kindern, die nicht im Sport brillieren, in der Schule an der Spitze stehen, berückend schön oder wenigstens absolut gehorsam sind, wenden narzisstische Eltern sich ab und empfinden sie zunehmend als Bürde statt als Quell der Freude.

Andere narzisstische Eltern sehen in Kindern nur Arbeitskräfte. Carolina ist eine solche Mutter. Als sie 50 wurde, begann sie, »Unterschichtkinder« (ihr Wort) zu adoptieren und sie darauf zu dressieren, sie später zu pflegen. Selbst in Gegenwart Fremder rieb sie ihren Adoptivkindern unter die Nase, sie müssten später für sie sorgen, schließlich habe sie sie »gerettet«. Ja, Carolina bot ihnen Nahrung, Unterkunft und vielleicht ein besseres Leben, als sie es im Heim gehabt hätten, doch in den Gesichtern der Kinder stand resignierte Trauer. Sobald sie volljährig wurden, zogen allesamt aus und reden bis heute nicht mehr mit Carolina – der Person, die sich als ihre Retterin aufspielte, sie aber nur nach Kräften ausbeutete. Mit einem der Opfer stand ich über ein Jahrzehnt lang in Kontakt. Und noch zehn Jahre nach ihrem Weggang aus Carolinas Haus schmerzten ihre seelischen Wunden. Sie konnte es einfach nicht verwinden, dass sie nur als Gratisarbeitskraft angesehen worden war. Sie befand, selbst im Heim sei das Leben schöner gewesen, denn dort habe sie sich zwar nicht geliebt, aber auch nicht »wie eine Sklavin« gefühlt.

Und Sie hielten Aschenputtel für ein Märchen.

Es kann noch schlimmer kommen. In unzähligen Fällen mussten Kinder ohne Nahrung oder Medikamente auskommen, weil ihre narzisstischen Eltern mit solchem Kram nicht behelligt werden wollten. Mitunter kommt es vor, dass narzisstische Eltern ihre lästigen oder störenden Kinder ans Bett fesseln, einsperren, zur Adoption freigeben oder sogar töten.

Es bricht einem das Herz, mit ansehen zu müssen, wie die Kinder narzisstischer Eltern weiter nach deren Aufmerksamkeit gieren, selbst wenn diese nur ganz sporadisch gewährt wird. Kinder verstehen einfach nicht, dass dieser Elternteil sie nicht lieben kann, wie sie geliebt werden wollen. Erst wenn sie älter werden, erkennen sie, wie wenig ihnen dieser Elternteil gegeben hat, zu welchem Preis und zu welchen Bedingungen. Auf Sorgen ihrer Kinder reagieren narzisstische Eltern gleichgültig, mit Kommentaren wie »beiß die Zähne zusammen«, »übertreib nicht« oder »sei keine Heulsuse, ich musste viel Schlimmeres durchmachen«.

Amanda spürt noch immer die seelischen Narben, die ihre narzisstische Mutter ihr zugefügt hat. Als Kind fühlte sie sich nie geliebt. Nie. Was für ein grässlicher Gedanke! Sie lebte im Bewusstsein, es ihrer Mutter nie recht machen zu können. Immer krittelte, forderte, kommandierte ihre Mutter, nie bat sie um etwas, nie erkundigte sie sich, wie es Amanda ging. Sie zeigte überhaupt kaum Interesse an den Bedürfnissen, Wünschen und Träumen ihrer Tochter. Amanda fragt sich, warum sie sich heute so leer fühlt. Die Antwort liegt in ihrer Kindheit, als sie behandelt wurde wie ein Niemand.

Diese Wunden platzen immer wieder auf. Was schenkt man einer Mutter zum Muttertag, die sowieso alles schlechtmacht? Was schreibt man einem Vater zum Geburtstag, der einen jahrelang runtermachte? Wie oft soll man ein Elternteil besuchen, das einen nie respektiert, das nie Liebe gezeigt hat? Soll man ihn im Alter pflegen? Was soll man bei seiner Beerdigung tun oder sagen? Soll man überhaupt hingehen?

Manchmal ziehen narzisstische Menschen selbst die nächste Generation von Narzissten heran, dann nämlich, wenn sie ihre Kinder grenzenlos verhätscheln – sie also so behandeln, wie sie selbst von der Welt behandelt werden wollen. Ja, Kinder können von ihren Eltern Herzlosigkeit, Gemeinheit, Abschätzigkeit und eine absurde Anspruchshaltung lernen. Sie wachsen heran und erfahren nie, dass andere Menschen Mitgefühl und Respekt verdienen. Es darf niemanden überraschen, wenn diese Kinder Tyrannen werden, schon auf dem Pausenhof oder später im Erwachsenenleben. Wer Unkraut sät, erntet keine Blumen.

Begegnungen mit der narzisstischen Persönlichkeit

Egal, ob sie Ihnen durch Intrigen eine Beförderung wegschnappen, Sie in einer Versammlung herunterputzen oder sich in einer Schlange vordrängen – Narzissten schert es nicht, ob sie andere Menschen behindern, wütend machen oder einschüchtern, Hauptsache sie bekommen, was sie wollen.

Beispiele dafür sind Chefs, Manager, Trainer, Lehrer oder Kollegen, die austicken, brüllen, schreien, mit Gegenständen um sich werfen oder Menschen schikanieren. Solche Verhaltensweisen sind unentschuldbar, und jeder Arbeitgeber oder Verein, der sie duldet, sollte sich schämen. Erwachsene, die sich wie Kinder benehmen, können ernsthaften Schaden anrichten, und je größer ihre Macht, desto schlimmer die Verwüstung, die sie hinterlassen.

Bei einem besonders krassen Fall, in dem ich selbst ermittelte, hatte ein Systemadministrator das komplette Computersystem seines Arbeitgebers (der für die Regierung arbeitete und mit Geheimsachen zu tun hatte) gekapert. Als ich mir seine Mails der letzten Jahre durchsah, fand ich zahllose Formulierungen wie »mein System«, »mein Netz«, »meine Programme«, »meine Protokolle«. Natürlich gehörte ihm all das nicht, er war lediglich Angestellter, aber seine Mails spiegelten seinen Narzissmus wider. Schließlich mussten Experten nach Büroschluss eindringen und das System zurückerobern. Genau darin liegt das Problem mit narzisstischen Angestellten: Das Unternehmen gehört zwar Ihnen, *Ihr* Geld steht auf dem Spiel, aber sie sehen das anders. Sie fühlen sich als die wahren Eigentümer und gehen auf *Ihre* Kosten Risiken ein.

Doch Narzissten sind nicht nur als Untergebene schlimm, sondern auch als Vorgesetzte. Sie werfen mit Dingen um sich, packen Untergebene am Arm, blockieren (wie mir auf einer Konferenz erzählt wurde) mit ihrem Körper den Ausgang und schubsen den Mitarbeiter zurück in sein Büro. Das Beunruhigende ist, dass der Betroffene diesen Vorfall nie meldete. Das war nicht zum ersten Mal passiert und auch nicht zum letzten Mal; der Chef hatte andere ebenso behandelt, aber der Angestellte meinte nur: »Wir haben uns an seine Tyrannei gewöhnt.«

Leider spielen viele Betroffene solche und andere unsägliche Verhaltensweisen herunter und verharmlosen das Ganze mit Sprüchen wie »ist doch nicht so schlimm« oder »das war ein einmaliger Ausrutscher«. Oft finden die Opfer es einfacher, solche Ausfälle zu dulden, besonders, wenn sie vom Boss kommen.

Also lassen Mitarbeiter sich schikanieren und überfahren, Probleme werden unter den Teppich gekehrt, gute Ideen nie geäußert, weil niemand vom Chef dafür heruntergeputzt werden will. Wer es sich leisten kann – meist die besten Mitarbeiter –, kündigt. Manchmal haben sich die Untergebenen derart an die Ausfälle des Narzissten gewöhnt, dass sie ihn sogar decken, entschuldigen (»er ist brillant«, »meistens ist er ganz okay«) oder glauben, solch unsägliches Verhalten gehöre dazu. Nein. Es gehört nicht dazu, es ist nicht okay, sondern äußerst schädlich – und teuer für die Unternehmen.

Vorfälle dieser Art müssen nach Möglichkeit immer gemeldet werden. Informieren Sie sofort die Personalabteilung. Sollte das aus irgendeinem Grund nicht gehen, fertigen Sie zumindest sofort ein Gedächtnisprotokoll an (im Kalender, in einer E-Mail an andere, auf einem Handy, irgendwo). Halten Sie fest, was genau passierte, was wer wo sagte. Warum? Weil diese Typen sich nie ändern. Und wenn die Situation sich zuspitzt und die Sache intern oder sogar strafrechtlich untersucht wird, haben derartige Belege viel größeres Gewicht als vage Erinnerungen. Der narzisstische Boss wird nicht protokollieren, »heute habe ich Herrn Meier rumgeschubst« oder »heute habe ich Meier ein ______ genannt«. Denn er hält sein Verhalten ja für völlig normal und angemessen. Aber Sie müssen den Vorfall festhalten und publik machen. Im sechsten Kapitel schildere ich weitere Strategien, wie man mit Narzissten umgeht.

Einmal wandte sich ein Firmenchef ans FBI, weil das Verhalten eines Angestellten derart außer Kontrolle geraten war, dass er das ganze Unternehmen in den Abgrund zu reißen drohte. Die Geschichten sprudelten nur so aus dem Chef heraus. Ein ums andere Mal hatte der Angestellte das in ihn gesetzte Vertrauen aufs Schändlichste missbraucht. Er hatte persönliche Daten von Kunden, darunter auch die Kreditkartendaten, abgezapft und erpresste das Unternehmen nun damit.

Der Chef hatte – immer in Absprache mit der Personalabteilung – alles versucht, um diese Person zu besänftigen. Doch er hatte nichts erreicht. Ganz im Gegenteil hatten die Kompromissangebote des Arbeitgebers den Erpresser noch in seinem Verhalten bestärkt. Den Firmenchef nahm die ganze Angelegenheit derart mit, dass er sich in ärztliche und psychologische Behandlung begeben musste (dem narzisstischen Angestellten ging es natürlich prima).

Der Chef erzählte, das Ganze ziehe sich nun seit 18 Monaten so hin. Ich fragte: »Er ist Ihr Angestellter, er bringt alle auf die Palme, er raubt Ihnen den Schlaf und treibt mit den firmeneigenen Daten Schindluder, stimmt das so?« Der Chef bejahte. »Warum arbeitet er dann noch bei Ihnen?« »Weil ich dachte, dass sich alles wieder einrenken würde.« Wer so denkt, versteht die narzisstische Persönlichkeit nicht. Es ist völlig naiv zu glauben, dass sich je irgendetwas bessert. Nichts bessert sich.

Ich weiß von Managern, die große Geschäfte platzen ließen, weil der Vertragspartner ein derart ekelhafter Mensch war, dass sie (und ihre Untergebenen) es nicht in einem Raum mit ihm aushielten oder auch nur ertrugen, mit ihm zu telefonieren. Ich kenne einen Fall, in dem mehrere Mitarbeiter eines Spediteurs buchstäblich krank wurden, wenn sie mit dieser Person zu tun bekamen. Der betroffene Unternehmer verriet mir: »Joe, ein Geschäft bringt nichts, wenn meine besten Leute darüber krank werden und ich mich ständig frage, ob ich dem anderen trauen kann. Ich bin ausgestiegen und froh darüber.«

Narzisstische Persönlichkeiten steigen oft in mächtige Positionen und Vertrauensstellungen auf, in denen sie schrecklichen Schaden anrichten können. Polizisten, die lügen, betrügen und stehlen, Ärzte und Pfleger, die sich zum Richter über Leben und Tod aufschwingen, Trainer, die unschuldige Kinder missbrauchen, richten einen schier unermesslichen Schaden an.

Nehmen Sie den Fall von Rita Crundwell, die als Stadtkämmerin von Dixon (Illinois) über 22 Jahre hinweg insgesamt 53 Millionen Dollar veruntreut hat. Das ist eine unglaubliche Menge Geld, mit dem sie unter anderem ihr Hobby, Quarter Horses, finanzierte. Dank ihrer Vertrauensposition kam sie leicht an das Geld, und es dauerte ewig, bis der Schwindel auffiel.

Jeder, der einer religiösen Sekte mit einem narzisstischen Anführer beitritt, lässt sich auf ein Leben ein, in dem der Anführer sich von seinen Schäfchen huldigen lässt. Alle von mir untersuchten Kulte hatten pathologisch narzisstische Anführer: Jim Jones (Jonestown, Guyana), David Koresh (Branch Davidians), Charles Manson, Shoko Asahara (Aum-Sekte), Joseph Di Mambro (Sonnentempler), Marshall Herff Applewhite (Heaven's Gate), Bhagwan Shree Rajneesh (Baghwan-Bewegung) und der verurteilte Kinderschänder Warren Steed Jeffs (Polygamisten). Sie alle waren notorisch narzisstisch, ließen keinerlei Kritik zu, salbaderten von fantastischen Plänen, fühlten sich zu allem berechtigt und ließen sich von den anderen verehren. Sie verkauften Träume, aber sehr teuer. Und den Preis bezahlten am Ende ihre Anhänger.

Aus den FBI-Unterlagen zum Fall Jim Jones lassen sich mehrere Lehren ziehen:

- Erstaunlich viele Menschen lassen sich dazu verführen, ihr Leben bedingungslos in die Hände eines anderen zu geben.
- Unter dem Deckmantel der Religion kann eine gefährliche Persönlichkeit lange Zeit mit sehr viel durchkommen, solange kein Außenstehender Einblick hat.
- Sektenführer üben bisweilen totale Kontrolle über das Leben der Gläubigen aus und herrschen wie in einem totalitären Regime.
- Sekten versuchen oft mit Psychoterror und notfalls körperlicher Gewalt, Abtrünnige daran zu hindern, die Sekte zu verlassen.
- Versuche von Angehörigen und Freunden, Menschen aus der Sekte zu retten, werden nach Kräften sabotiert.
- Der Narzissmus des Sektenführers ist ganz offenkundig. In Jones' Fall äußerte er sich in seinen Worten und Texten, die jeden Beitrittswilligen hätten warnen müssen.
- Hatten sich Menschen erst einmal zu dem Sektenführer bekannt, wollten oder konnten sie das heraufziehende Unheil nicht mehr sehen. Sie widersetzten sich nicht einmal dann, als das Leben ihrer Kinder in Gefahr geriet.

Daraus ergeben sich weitere Schlussfolgerungen:

- Auch weiterhin werden Menschenfänger Leute in ihren Bann ziehen, die nicht wahrhaben können oder wollen, wenn sie manipuliert oder ausgebeutet werden.
- Sekten, die Abtrünnige mit psychologischem und sozialem Druck oder handgreiflich davon abhalten fortzugehen, schlagen schlimme seelische Wunden, die noch Jahre später schmerzen.
- Isolation ist das A und O. Nur so kann die narzisstische Persönlichkeit uneingeschränkt über ihre Gläubigen herrschen und es vermeiden, von außen kontrolliert, kritisiert oder verhöhnt zu werden.
- Die narzisstische Persönlichkeit genießt die Verehrung und schreckt vor praktisch nichts zurück, um ihre Stellung zu verteidigen. Kritiker oder Rivalen werden marginalisiert oder vernichtet.

- Der narzisstische Sektenführer steht über seinen Gläubigen und gönnt sich einen Luxus (Reisen, Kleidung, Luxusgüter, Sex), von dem seine Schäfchen nur träumen können.
- Der narzisstische Sektenführer tut, als kenne er alle Antworten und Geheimnisse, und trifft alle Entscheidungen.
- Aufgrund der Religionsfreiheit kann der Staat nur dann eingreifen, wenn offenkundig Gesetze gebrochen werden. Wegen der Isolation von Sekten dringt aber nicht viel nach außen. So konnten Sektenführer jahrelang schwere Straftaten begehen (z. B. wie Warren Jeffs mit minderjährigen Mädchen schlafen), ohne belangt zu werden.

Die Geschichte zeigt, dass pathologischer Narzissmus zu grauenhaften Verwüstungen führen kann. Adolf Hitler, Josef Stalin und Pol Pot gehören zu den extremsten Beispielen für Narzissten an der Macht; sie rotteten Millionen Menschen aus, aus reinem Größenwahn. Über sie und andere werde ich in späteren Kapiteln noch mehr sagen. Um Ihnen einen Einblick zu verschaffen, wie ein narzisstisches Gehirn arbeitet, hier nur ein Beispiel, das zum Lachen wäre, wenn der Fall nicht so tragisch wäre: Josef Stalins sagenhafte Grausamkeit ging einher mit einem fast ebenso übersteigerten Verlangen nach Anerkennung, weswegen er sich mit allen möglichen Ehrentiteln schmückte: Generalissimus der Sowjetunion, Oberster Befehlshaber, Vorsitzender des Staatsrats für Verteidigung, Generalsekretär des Zentralkomitees der Bolschewikischen Kommunistischen Partei, Generalsekretär des Zentralkomitees der Kommunistischen Partei, Vorsitzender des Rats der Volkskommissare der UdSSR, Koryphäe (wörtlich: »Anführer des Chores«) der Wissenschaften, Vater der Nationen und Brillantes Genie der Menschheit. All das, um seine kleinbürgerliche Herkunft vergessen zu machen. Geboren wurde er als Iosseb Bessarionis dse Dschughaschwili, doch diesen georgischen Namen legte er später ab und nannte sich »Mann aus Stahl« (Stalin bedeutet wörtlich »Stahl«), was seinem Selbstbild entsprach.[6] So sind Narzissten.

Checkliste: Hinweise auf narzisstische Persönlichkeiten

Wie in der Einleitung schon erwähnt, erstellte ich im Lauf meiner Arbeit Checklisten zur Beurteilung, ob jemand womöglich ein Psychopath ist. Anhand der folgenden Checkliste können Sie ermessen, ob Sie es mit einem narzisstischen Menschen zu tun haben und wie stark dieser Zug ausgeprägt ist. Dieses Wissen darum, wie schädlich oder gar gefährlich die Person ist, hilft Ihnen dabei, Verhaltensstrategien im Umgang mit ihr zu entwickeln.

Diese Checkliste ist für Laien wie Sie und mich gemacht und für den Einsatz im Alltag gedacht. Sie soll keine Hilfestellung für klinische Diagnosen bieten, sondern belehren, informieren und bei der Einordnung dessen helfen, was Sie erlebt oder beobachtet haben.

Beim Ankreuzen der zutreffenden Aussagen werden Sie sich in Ihren Beobachtungen und Instinkten bestätigt fühlen, dass eine bestimmte Person Anzeichen von Narzissmus zeigt. Dieses Wissen wird Ihnen helfen, mit der Person auszukommen, gezielt Hilfe zu suchen oder sich von ihr zu distanzieren. Narzissmus tritt in den verschiedensten Ausprägungen auf; anhand dieser Liste werden Sie einordnen können, ob jemand nur arrogant und unausstehlich ist, herz- und gefühllos oder gar gewalttätig und kriminell.

Lesen Sie jede Aussage aufmerksam durch und fragen Sie sich, ob sie auf die betreffende Person zutrifft. Seien Sie ehrlich, überlegen Sie, was Sie mit dieser Person selbst erlebt haben und was andere Menschen Ihnen aus persönlicher Erfahrung berichtet haben. Die besten Beweise sind natürlich diejenigen, die Sie mit eigenen Augen und Ohren gesammelt haben. Auch wissen Sie dann natürlich am besten, wie man sich in Gegenwart dieser Person fühlt.

Kreuzen Sie nur die zutreffenden Aussagen an. Denken Sie daran: Nicht jede Aussage muss zutreffen, raten Sie also nicht und machen Sie nur dann ein Kreuz, wenn die Aussage genau zutrifft.

Lassen Sie in Zweifelsfällen das Kreuzchen weg. Sie werden bemerken, dass einige Fragen sich zu wiederholen oder zu überschneiden scheinen – das ist Absicht. Die Fragen sind so formuliert, um bestimmte Nuancen des Verhaltens zu erfassen, wie Menschen sie typischerweise erleben oder beschreiben.

In den Aussagen verwende ich durchgehend das männliche Personalpronomen »er«, doch jede Aussage kann auf eine Frau ebenso gut zutreffen wie auf einen Mann. Manche Verhaltensweisen sind zwar typisch für Männer bzw. Frauen, die allermeisten aber nicht. Vergessen Sie nicht: Jeder Mensch kann eine gefährliche Persönlichkeit sein.

- ☐ Demonstriert ein Selbstwertgefühl, das sich mit seiner Position, seiner Erfahrung oder seinen Verdiensten nicht rechtfertigen lässt.
- ☐ Hegt großartige Vorstellungen davon, wer er ist und was er erreichen kann.
- ☐ Redet oft über sein Bedürfnis zu führen, die Leitung zu übernehmen, Macht auszuüben oder seinen Wunsch nach schnellem Erfolg.
- ☐ Glaubt, dass er sich nur mit anderen »besonderen«, »erfolgreichen« oder »hochrangigen« Menschen umgeben sollte.
- ☐ Benötigt übertriebene Bewunderung durch andere.
- ☐ Hat das Gefühl, vieles stehe ihm einfach zu. Erwartet ständig Vorzugsbehandlung.
- ☐ Beutet Menschen aus bzw. übervorteilt sie.
- ☐ Hat kein Einfühlungsvermögen und ist unfähig, Bedürfnisse und Leid anderer Menschen wahrzunehmen.
- ☐ Ist oft neidisch auf andere oder glaubt, dass andere ihn beneiden.
- ☐ Ist arrogant und behandelt Leute von oben herab.
- ☐ Empfindet seine Probleme als einzigartig oder wichtiger als diejenigen anderer Leute.
- ☐ Hat eine übertriebene Vorstellung davon, was ihm zusteht, und rechtfertigt damit die Beugung von Regeln und die Übertretung von Gesetzen.
- ☐ Ist überaus ichorientiert und verprellt andere, weil es ihm immer nur um ihn selbst geht.
- ☐ Ist extrem empfindsam dafür, wie er von anderen wahrgenommen wird.
- ☐ Irritiert oder erbost Sie und andere Menschen regelmäßig.

- ☐ Es ist ihm wichtig, gut auszusehen und verhätschelt zu werden. Verbringt regelmäßig außergewöhnlich viel Zeit mit Körperpflege.
- ☐ Tendiert dazu, sich und seine Fähigkeiten in fast allen Bereichen zu überschätzen.
- ☐ Hat andere als minderwertig, unfähig oder unwürdig beschimpft.
- ☐ Hat wenig Verständnis oder Einfühlungsvermögen für andere gezeigt, erwartet aber selbst Mitgefühl von allen.
- ☐ Hat wiederholt die Bedürfnisse anderer ignoriert: körperliche (Nahrung, Schutz, Kleidung …), emotionale (Liebe, Berührung, Umarmen …) und finanzielle.
- ☐ Freut sich nicht, wenn andere Erfolg haben oder Anerkennung bekommen.
- ☐ Gilt als Tyrann oder verhält sich wie einer.
- ☐ Redet eher auf Sie ein anstatt mit Ihnen.
- ☐ Braucht es, im Mittelpunkt der Aufmerksamkeit zu stehen, und stört absichtlich andere Menschen, um wahrgenommen zu werden (durch Zuspätkommen, auffällige Kleidung, dramatische Sprache oder theatralische Auftritte).
- ☐ Wenn er mit Ihnen kommuniziert, fühlt es sich an, als ob er Nachrichten versende, aber selbst keine empfängt. Die Kommunikation ist einseitig.
- ☐ Nimmt an, dass andere ihn ebenso toll finden wie er sich selbst, und ist schockiert, wenn er die Wahrheit erfährt.
- ☐ Muss unbedingt das Beste von allem haben (Haus, Auto, Schmuck, Elektronik, Kleidung), auch wenn er es sich nicht leisten kann.
- ☐ Scheint tiefe Gefühle nicht zu verstehen. Wirkt gelegentlich unbeteiligt, wenn tiefe Gefühle angebracht wären.
- ☐ Hat das Bedürfnis, andere zu kontrollieren, und verlangt jederzeit totale Loyalität.
- ☐ Verhält sich, als wären Menschen Dinge, die man nach Belieben benutzen, manipulieren oder ausbeuten darf.

☐ Hat oft Regeln gebrochen, die Privatsphäre oder Anstandsregeln verletzt oder ist mit vertraulichen Daten unangemessen umgegangen.

☐ Nimmt nur seine eigenen Probleme wahr und übersieht die Probleme und Schwierigkeiten anderer Menschen.

☐ Ihm scheint jeder Altruismus abzugehen, alles geschieht nur aus egoistischen Gründen, er macht nur selten etwas, das anderen nützt.

☐ Bläst sich auf und tut mordswichtig, ohne etwas Vorzeigbares geleistet zu haben.

☐ Übertreibt notorisch seine Verdienste, Taten oder Erfahrungen.

☐ Reden andere über ihre Erfolge, brüstet er sich sofort mit seinen eigenen oder wechselt zu einem Thema, bei dem er protzen kann.

☐ Findet, er habe das Recht auf Erfolg, Ruhm, Reichtum oder Sex. Fühlt sich beim Streben danach nicht an Gesetze, moralische oder ethische Regeln gebunden.

☐ Konkurriert am Arbeitsplatz ständig mit Kollegen um die Aufmerksamkeit und die Anerkennung des Chefs. Macht seine Kollegen bei Vorgesetzten schlecht, um selbst besser dazustehen.

☐ Wirkt verunsichert und reagiert aggressiv, wenn man ihn kritisiert.

☐ Hat sich gelegentlich herrisch verhalten und wollte nicht wissen, was andere dachten, vorhatten oder befürchteten.

☐ Hält sich für allmächtig oder hat sich schon entsprechend verhalten. Ist unwillig, seine Schwächen oder Grenzen anzuerkennen.

☐ Wirkt auf den ersten Blick charmant oder interessant.

☐ Hat sich als etwas ausgegeben, das er nicht war, beispielsweise als Arzt, Offizier, Astronaut oder Elitesoldat.

☐ Anfangs ist es interessant, Zeit mit ihm zu verbringen, später raubt er einem Energie, und das Interesse erlahmt.

☐ Hat Ihnen das Gefühl gegeben, Sie müssten sich um ihn kümmern, obwohl es Ihnen gerade schlecht ging.

☐ Hat Sie oder Ihre Arbeit schlechtgemacht und Ihnen ohne Rücksicht auf Ihre Emotionen das Gefühl gegeben, wertlos zu sein.

- ☐ Interessiert sich dafür, wie andere Erfolge erzielt haben, ist aber selbst nicht bereit, sich entsprechend anzustrengen.
- ☐ Träumt von gewaltigen Erfolgen (z. B. hohen politischen Ämtern), die er aber nur selten mit legalen Mitteln erreicht, wenn überhaupt.
- ☐ Ist bereit, mit allen Mitteln um soziale Anerkennung oder politische Ämter zu kämpfen.
- ☐ Hat sich wiederholt teure oder wertvolle Dinge gekauft, hält aber seine Familie knapp.
- ☐ Unterschätzt chronisch die Fähigkeiten anderer.
- ☐ Hält sich für klüger, tüchtiger oder schöner als alle anderen.
- ☐ Genießt es, andere runterzumachen, um sich selbst besser zu fühlen.
- ☐ Hat öffentlich Menschen (auch seine Kinder) ausgeschimpft, die seinen Erwartungen nicht entsprachen.
- ☐ Hat kein Interesse daran, mehr von Ihnen zu erfahren. Ihm fehlt die natürliche Neugier für andere.
- ☐ Wirkt gelegentlich derart kalt oder distanziert, dass Sie sich fragen, wer diese Person eigentlich ist und ob Sie sie wirklich kennen.
- ☐ Fasst völlig unschuldige Gesten anderer Menschen (Zurechtrücken des Stuhls, Umdrehen, Blick aufs Telefon oder auf die Uhr) als Zeichen von Desinteresse auf und ist dann eingeschnappt.
- ☐ Behandelt Menschen, die er als rangniedriger betrachtet, mit Verachtung und Arroganz.
- ☐ Schätzt nur Menschen, die etwas für ihn tun können.
- ☐ All seine persönlichen Beziehungen scheinen unter seinem Egoismus und seinen Größenideen zu leiden.
- ☐ Glaubt, spezielles Wissen oder den besonderen Durchblick zu haben, und redet auch so von sich.
- ☐ Sie empfinden ihn als anstrengend oder irritierend.
- ☐ Er brüstet sich übertrieben mit seinen Leistungen.
- ☐ Er benutzt ständig das Wort »ich«, ohne das überhaupt zu merken.
- ☐ Er wirkt selbstgerecht und verbittet sich jede Kritik.

- ☐ Er hat große Erfolge vorzuweisen, die er zwar anderen verdankt, denen er aber selten bis nie Anerkennung dafür zollt.
- ☐ Er hat Menschen oder Gruppen als »minderwertig« oder »wertlos« bezeichnet.
- ☐ Nimmt gerne Kokain, das seine übersteigerten Vorstellungen von Größe, Tüchtigkeit und Selbstwert noch befeuert.
- ☐ Behauptet, ein fantastischer Liebhaber oder Verführer zu sein. Brüstet sich mit der Zahl seiner Eroberungen.
- ☐ Hasst es, schlecht dazustehen oder öffentlich zu scheitern.
- ☐ Wirkt nach Fehltritten niemals zerknirscht und entschuldigt sich nie.
- ☐ Glaubt für fast alle Probleme, egal wie komplex, eine Lösung zu kennen.
- ☐ Glaubt sich ständig im Recht und alle anderen im Unrecht.
- ☐ Betrachtet Menschen, die anderer Ansicht sind, als »Feinde«.
- ☐ Hat betrogen, andere hereingelegt, intrigiert, unterschlagen o. Ä., um Erfolg zu haben.
- ☐ Ist oft stur, unnachgiebig und unsensibel.
- ☐ Versucht zu kontrollieren, was andere tun oder denken.
- ☐ Verhält sich gegenüber geliebten Menschen oder Familienmitgliedern besitzergreifend und schränkt ihre Freiheit ein. Mag es nicht, wenn Freunde oder Bekannte zu Besuch kommen.
- ☐ Mitgefühl wird nur ganz kurz, nebenher oder aus eigennützigen Motiven gezeigt.
- ☐ Man hat das Gefühl, er würde gern das Glück seiner Konkurrenten und derjenigen ruinieren, die er beneidet.
- ☐ Weigerte sich, eine Leistung, auf die Sie stolz waren, anzuerkennen oder auch nur wahrzunehmen. Oder er weigerte sich, Leid und Qualen anderer Leute anzuerkennen.
- ☐ Reagiert auf Kritik oft rachsüchtig, ausfallend, aggressiv, wütend oder total abgebrüht.

- ☐ Mag nicht mit Arbeit behelligt werden, weil sie ihn angeblich vom »Denken«, »Planen«, »Kontakteknüpfen«, »Lernen« oder »Vorbereiten« abhält.
- ☐ Ist einem teuren Club, etwa einem Golfclub, beigetreten, nur um an den richtigen Orten mit den »richtigen Leuten« gesehen zu werden, obwohl er sich den Beitrag kaum leisten kann.
- ☐ Erkennt routinemäßig Fehler an anderen, aber nie an sich selbst.
- ☐ Verträgt selbst konstruktive Kritik nicht.
- ☐ Betrachtet private Probleme anderer Menschen als Ausdruck von Minderwertigkeit, Schwäche oder schlechter Impulskontrolle.
- ☐ Gibt ständig mit teuren Einkäufen an (Schmuck, Spielsachen, Häuser, Autos usw.).
- ☐ Übertreibt gegenüber seinen Vorgesetzten ständig seinen Wert und seine Leistungen.
- ☐ Ist sehr gut darin, Schwächen in anderen zu erkennen und auszunutzen.
- ☐ Befindet sich in einer parasitischen oder ausbeuterischen Beziehung; nutzt jemand anderen finanziell aus oder weigert sich zu arbeiten, obwohl er gesund und fähig wäre.
- ☐ Hat mindestens einmal gesagt, sich schon sehr früh »zu Höherem bestimmt« gefühlt zu haben.
- ☐ Scheint hochgradig abhängig von Anerkennung und Ehrerbietung; versucht oft, Komplimente aus anderen herauszukitzeln.
- ☐ Ist kein guter Zuhörer und hört nur hin, wenn etwas Positives über ihn gesagt wird.
- ☐ Verlangt, dass andere sich anpassen, damit seine Bedürfnisse erfüllt werden. Welche Mühe und Kosten anderen dabei entstehen, ist ihm egal.
- ☐ Ist verschlagen und manipulativ und sucht immer nach dem größten Vorteil für sich.
- ☐ Zahlt Aufmerksamkeit, Dankbarkeit oder Freundlichkeit nicht mit gleicher Münze zurück.

- ☐ Setzt Beleidigungen ein, um andere kleinzuhalten und sich die Kontrolle zu sichern.
- ☐ Hat sich Titel und Abschlüsse angemaßt (etwa einen nichtexistenten Doktortitel).
- ☐ Lebt weiter auf großem Fuß, obwohl er knapp bei Kasse oder sogar pleite ist.
- ☐ Schafft es oft nicht, eine Sache aus der Warte anderer Menschen zu betrachten; ihm fehlt das Einfühlungsvermögen in die Seele und die Bedürfnisse anderer.
- ☐ Treibt sich gern im Dunstkreis bekannter Persönlichkeiten herum, um von ihrem Glanz etwas abzubekommen und sich später damit zu brüsten.
- ☐ Findet, dass nicht jeder es wert ist, in seiner Nähe zu sein.
- ☐ Hat selbst nur ein oberflächliches Gefühlsleben und hasst es, wenn andere ihm mit ihrem »trivialen« Beziehungsquatsch kommen.
- ☐ Kann schüchtern oder einzelgängerisch sein, aber trotzdem arrogant gegenüber anderen; hält sich für überlegen oder einzigartig.
- ☐ Hat schon in Bezug auf seine Leistungen gelogen und juristische Verfahren sowie moralische Fehltritte verschwiegen, die er hätte offenbaren müssen (etwa potenziellen Arbeitgebern gegenüber).
- ☐ Reagiert indigniert, wenn andere weniger als hundertprozentige Loyalität zeigen.
- ☐ Hat Sie oder andere absichtlich warten lassen oder bei Besprechungen und Unterhaltungen die anderen aufgehalten.
- ☐ Ist mit seiner Entlohnung nie zufrieden, selbst wenn sie großzügig ist.
- ☐ Zögert nicht, anderen triviale Aufgaben aufzubürden, auch wenn sie gerade beschäftigt sind oder Wichtigeres erledigen.
- ☐ Versucht verzweifelt, ein jugendliches Aussehen zu behalten, und übertreibt es mit Fitnesstraining, körperlichen Anstrengungen, Kosmetik und Schönheitsoperationen.
- ☐ Scheint sich und anderen mit einer Unzahl von Affären etwas beweisen zu wollen.

- ☐ Scheint den größten Teil seiner Befriedigung aus der Anerkennung durch andere zu ziehen.
- ☐ Hat es genossen, andere zu täuschen, darunter Eltern, Freunde und Kollegen.
- ☐ Freut sich nicht mit anderen über ihren Erfolg, sondern ist neidisch, kleinkrämerisch und verärgert.
- ☐ Hat eine Beziehung oder Freundschaft beendet, sobald sie ihm gesellschaftlich oder finanziell nicht mehr nützlich war.
- ☐ Hat sich gezielt einen Vorzeigepartner gesucht, der bei Karriere oder politischen Ambitionen nützlich werden könnte.
- ☐ Plant den Tag oder Ereignisse gezielt so, dass er Aufmerksamkeit und Lob einheimst.
- ☐ Ist unfähig, die Bedürfnisse, Wünsche, Hoffnungen und Gefühle selbst derjenigen Personen wahrzunehmen, die ihm am nächsten stehen.
- ☐ Ist ungeduldig mit anderen.
- ☐ Redet ständig von sich und seinen Plänen.
- ☐ Redet unangemessen lang und ausführlich über private Probleme oder Sorgen, ohne Rücksicht auf die Zeit und die Empfindlichkeiten des Gesprächspartners zu nehmen.
- ☐ Sagt oft Dinge, die anderen wehtun, ohne die geringste Reue zu zeigen.
- ☐ Eines der folgenden Worte passt auf ihn: snobistisch, herablassend, arrogant, bevormundend.
- ☐ Mokiert sich über Menschen, die Regeln einhalten oder sich brav hinten anstellen.
- ☐ Zeigt einen auffälligen Mangel an Traurigkeit oder schwermütiger Sehnsucht.
- ☐ Sorgt sich nur darum, erwischt oder öffentlich bloßgestellt zu werden, nicht darum, ob sein Handeln moralisch ist.
- ☐ Selbst nach vielen Jahren haben Sie das Gefühl, ihn eigentlich nicht zu kennen.
- ☐ Er hat Freunde und Verwandte eingespannt, für ihn zu lügen.

- ☐ Ist unwillig, eigene Fehler, Fehltritte, Schnapsideen oder haarsträubende Aktionen einzugestehen.

Auswertung:

15 bis 25 Kreuzchen: Dieser Mensch kostet andere gelegentlich Nerven; es kann schwierig sein, ihn als Partner oder Kollegen zu haben.

26 bis 65 Kreuzchen: Der Betreffende zeigt alle Anzeichen und Verhaltensweisen einer narzisstischen Persönlichkeit. Er benötigt Hilfe und wird im Leben seines Umfelds Unheil anrichten.

66 und mehr Kreuzchen: Dieser Mensch ist ein schlimmer Narzisst und stellt eine Gefahr für die Gefühle, die Psyche, die Finanzen und sogar die körperliche Gesundheit anderer Menschen dar.

Sofortmaßnahmen

Hat die Checkliste Ihren lange gehegten Verdacht bestätigt, dass Ihr Partner oder Kollege ein Narzisst ist? Wurden Sie misshandelt und gequält, sehen sich durch die Checkliste bestätigt und wollen etwas ändern? Herzlichen Glückwunsch! Sie haben einen gewaltigen Schritt getan. Lernen Sie jetzt, wie Sie mit diesen Typen effektiv umgehen.

Was Sie sofort tun können und müssen, hängt von Ihrer Situation und der erreichten Punktzahl ab. Vielleicht können Sie dieser Person ja bei der Arbeit aus dem Weg gehen. Vielleicht leben Sie aber auch mit ihr zusammen, und Sie können ihre Unarten möglicherweise ertragen, wenn die narzisstische Störung nicht zu schlimm ist. Doch was tun, wenn Ihr Partner eine sehr hohe Punktzahl erreicht hat und Sie ewige Quälereien, Erniedrigungen und sogar seelischen Schaden befürchten müssen? Das können nur Sie entscheiden, aber mit dem Ergebnis der Checkliste haben Sie wenigstens etwas Konkretes in der Hand. Zeigen Sie es ruhig anderen, etwa einem mitfühlenden Verbündeten, um ihnen klarzumachen, was diese Person Ihnen und anderen antut. Jetzt haben Sie etwas Konkretes (die ausgefüllte Checkliste) an der Hand, um Freunden, einem Pfarrer, der Personalabteilung, Ihrem Chef, einem Psychiater, Ämtern oder sogar der Polizei klarzumachen, was vorgeht.

Doch zu allererst gilt Ihre Verantwortung Ihnen selbst und Ihren geliebten Menschen. Lassen Sie sich von niemandem weismachen, Sie müssten in einer Beziehung oder einer Firma bleiben, in der Sie tyrannisiert, gequält und schikaniert werden. Tun Sie, was Sie tun müssen, um sich zu schützen.

Entfernen Sie sich so weit wie nötig von diesen Typen. Ich weiß, dass das oft aus den verschiedensten Gründen nicht leichtfällt. Ich kenne sie alle. Versuchen Sie in diesen Fällen Grenzen zu ziehen, was noch erlaubt oder akzeptabel ist, aber wundern Sie sich nicht, wenn diese Grenzen überschritten werden und die verletzende Behandlung weitergeht.

Hier die schlimme Wahrheit: Vielleicht sind Sie auf diesen Menschen angewiesen, vielleicht können Sie sich nicht von ihm lossagen. Vielleicht ist dieser Mensch Ihr Kind, Ihr Partner, Ihr Arbeitgeber. Habe ich alles gesehen. Aber lassen Sie sich gesagt sein: Eine narzisstische Persönlichkeit macht Sie fertig, und am Ende werden Sie emotional, körperlich, seelisch und vielleicht auch finanziell ruiniert sein. Je höher die Punktzahl in der Checkliste, desto schlimmer geht es aus. Meiner Erfahrung nach hilft gegen diese Typen am besten, sie so weit wie möglich aus dem eigenen Leben zu verbannen. Das ist die harte Wahrheit. Und jetzt kennen Sie sie auch. Weitere Strategien zum Umgang mit narzisstischen Persönlichkeiten finden Sie im sechsten Kapitel.

Anmerkungen:

[1] Cox, 1893

[2] Kildug & Javers, 1978

[3] Chan, 2007; Quinn, 2001

[4] Suddath, 2010; Lipman-Blumen, 2005

[5] Kilgannon, 2013, Russo, 1997

[6] Radzinsky, 1996, S. 276f.

ZWEITES KAPITEL

»Bitte anschnallen.« Die emotional instabile Persönlichkeit

Wenn Menschen mir erzählen, wie ihr Leben von einer emotional instabilen Persönlichkeit auf den Kopf gestellt wurde, leide ich oft mit. Denn Gesellschaft und Behörden nehmen eher diejenigen Schäden wahr, die andere Psychopathen wie etwa Raubtiere (viertes Kapitel) anrichten. Welche Verwüstungen emotional instabile Persönlichkeiten anrichten, wird nur selten anerkannt, wohl auch weil sie oft seelischer Natur und daher vom Strafverfolgungssystem schwer zu erfassen sind. Nichtsdestotrotz leben oder arbeiten wir oft mit solchen Typen zusammen, und sie können großen Schaden verursachen.

Der Hauptcharakterzug dieser Menschen ist eine tief greifende emotionale Instabilität, die sich in Verhaltensweisen äußert, die ihr eigenes Wohlergehen, ihre Beziehungen und ihre Interaktionen mit anderen beeinträchtigen. Sie sind sprunghaft wie Aprilwetter, sie pendeln von einem Ende der emotionalen Bandbreite zum anderen. Im einen Augenblick fühlen sie sich im siebten Himmel, im nächsten am Boden zerstört. Diese Menschen können talentiert sein, charmant, anregend und verführerisch, aber sie können im Handumdrehen auch feindselig werden, impulsiv oder sogar irrational. Für diese Menschen wurde das Wort »launenhaft« erfunden.

Sie haben ein überwältigendes Bedürfnis, sich geliebt und geborgen zu fühlen, gleichzeitig aber nur ein geringes Talent dafür, gesunde Beziehungen zu führen. Kommt man ihnen zu nahe, fühlen sie sich erdrückt, lässt man ihnen mehr Raum, fühlen sie sich vernachlässigt. In ihrer irregeleiteten Suche nach Stabilität können sie tragischerweise sich und anderen Schaden zufügen.

Wenn ich von Promis höre, die sich zum fünften, sechsten, siebten oder (wie Elizabeth Taylor) achten Mal scheiden lassen, frage ich mich: Ist diese Person emotional instabil? Dachte Richard Burton, der Elizabeth Taylor sogar zwei Mal heiratete, wirklich, beim nächsten Mal würde alles besser? Wurde es dann natürlich nicht – das tut es kaum jemals.[1]

Die instabile Persönlichkeit wirkt in ihrem Überschwang lebendig und verführerisch und hat oft keinerlei Probleme, neue Partner zu finden. Doch wenn diese dann unter die Oberfläche blicken, finden sie hinter der öffentlichen Maske die traurige instabile Wahrheit. Zu Hause, im Büro oder bei Dreharbeiten stören oder behindern diese klugen, aber äußerst schwierigen Menschen die Arbeit durch immer neue Forderungen, bis schließlich nichts mehr geht oder man sich heillos zerstreitet. Alle Biografien Marilyn Monroes attestieren ihr eine instabile Persönlichkeit, die ihr und ihrem gesamten Umfeld schwer zu schaffen machte.[2]

Ähnlich wie der Narzisst will auch die emotional instabile Persönlichkeit umsorgt werden: Sie testet Grenzen aus, verletzt Regeln und braucht es, im Zentrum der Aufmerksamkeit zu stehen. Narzissten tun diese Dinge allerdings, weil sie sich für perfekt halten und glauben, eine Sonderbehandlung verdient zu haben, während emotional instabile Persönlichkeiten sich so verhalten, weil sie ständige Bestätigung von außen brauchen, selbst von Kindern, um sich in der eigenen Haut wohlzufühlen. Emotional bedürftig, klammern sie sich wie Blutegel an diejenigen Menschen, die ihre Bedürfnisse erfüllen und ihr Verhalten ertragen. In ihrer extremen Bedürftigkeit sind sie aber enorm anstrengend.

Wenn Sie mit so jemandem zusammen sind, müssen Sie sich auf ein Leben voller Extreme einstellen. Er wird Sie regelmäßig an den Rand des Wahnsinns oder Ihrer Kraft treiben. Wie viel Wirbel er erzeugt, hängt vom Ausmaß seiner Störung ab. Manche sind weniger feindselig und leichter ertragbar, andere hingegen handeln selbstzerstörerisch oder sind äußerst schädlich für Kollegen oder gar ihre eigenen Kinder. Im besten Fall sind sie nervtötend und streitsüchtig, im schlimmsten Fall fügen sie anderen schlimme seelische oder gar körperliche Schäden zu. Ein Psychologe schilderte mir einmal, wie unerträglich stressig es ist, mit einer emotional instabilen Persönlichkeit umzugehen: »Sie bringen dich nicht unbedingt um, aber haben ständig einen Finger in deinem Auge.«

Viele Faktoren mögen dazu beitragen, dass Menschen so werden. Möglicherweise spielen neurologische oder sogar biologische Gründe eine Rolle, vielleicht ist die Störung Folge eines Traumas in der Vergangenheit (etwa Drogen, Missbrauch oder gleichgültige Eltern). Niemand weiß das genau, wenngleich vermutet wird, dass Umweltfaktoren, ebenso wie genetische, bedeutsam sind.

Was wir aber sicher wissen, ist, dass diese Menschen anderen den letzten Rest von Geduld, Verständnis und Mitgefühl rauben. Das weiß ich aus eigener Erfahrung und den Berichten anderer. Durch ihr Verhalten und ihre Sprunghaftigkeit belasten sie ihre Beziehungen zu Familienmitgliedern, Freunden, Kollegen und Vorgesetzten bis aufs Äußerste.

Irgendwann geben die Leute in ihrem Umfeld einfach auf – sie können nicht mehr geben. Manche Opfer berichteten, sie seien von einer emotional instabilen Persönlichkeit emotional derart ausgelaugt worden, dass sie seitdem keinerlei Mitgefühl oder Liebe mehr spüren können. Ein Mann erzählte mir nach vielen Jahren Ehe mit einer emotional instabilen Partnerin: »Ich habe alles versucht. Ich habe mir sämtliche Beine ausgerissen. Aber mit ihr zu leben war die Hölle. Sie hat mich sogar zu Selbstmordgedanken getrieben. Das war der letzte Strohhalm. Ich war völlig entnervt und dachte mehrfach daran, mir etwas anzutun. Nur wegen ihr.« In den vergangenen 35 Jahren hörte ich das zahllose Male.

Auch mein verstorbener Mentor Dr. Phil Quinn stolperte schon früh in seiner Karriere als katholischer Pfarrer und Psychologe über das Phänomen, dass Menschen, die keiner Fliege etwas zuleide tun konnten, plötzlich davon träumten, sich oder anderen Leid anzutun. Der Grund: eine emotional instabile Persönlichkeit.

Eine Frau schrieb zum Beispiel: »Ich sehne den Tag herbei, an dem meine Mutter endlich stirbt. Sie hat mir meine Jugend und jedes Gefühl von Sicherheit genommen. Ich wünsche mir, dass die eine Person, die mich nie verteidigt hat, endlich stirbt, damit ich mich nicht mehr in Acht nehmen muss.« Als ich diese Passagen ihres langen, geschliffenen Briefes las, war ich schockiert – bis ich erfuhr, was ihre Mutter getan und wie sie ihre Tochter gequält hatte. Danach verstand ich diese Gefühle.

Zu Beginn meines Polizeidienstes erzählten mir erfahrene Beamte von der traurigen Vorgeschichte hinter vielen Fällen häuslicher Gewalt: Oft werden Menschen durch die Art, wie sie von anderen behandelt werden, bis zum Äußersten getrieben. Das ist die traurige Wahrheit über die schlimmeren Fälle von emotional instabiler Persönlichkeit. Ihr extremes Verhalten führt zu extremen Reaktionen: Geistig gesunde Menschen reagieren mit Gewalt oder Gewaltfantasien. Und obwohl diese Reaktion nur zu verständlich ist, bleibt Gewalt gegen sich oder andere natürlich dennoch ungerechtfertigt und unentschuldbar. Wenn sich die Lage derart zugespitzt hat, brauchen beide Seiten dringend psychologische Hilfe.

Das Verhalten der instabilen Persönlichkeit

Emotionale Instabilität kann sich in einem so breiten Spektrum von Verhaltensweisen äußern, dass sie sich oft nur schwer als solche erkennen lässt. Manche instabile Persönlichkeiten leben in stiller Verzweiflung. Andere suchen ständig Streit, auch handgreiflichen, vorzugsweise mit ihrem geschundenen Partner. Dann gibt es noch die temperamentvolle Verführerin, die sexuell attraktiv, aber derart besitzergreifend ist, dass ihre Partner bald wieder davonlaufen. Und viel dazwischen.

Eines haben aber alle instabilen Menschen gemeinsam: die gewaltigen Stimmungsschwankungen. Wir alle sind gelegentlich launisch, reizbar oder ängstlich, doch die instabile Persönlichkeit ist es viel zu häufig. Sie kann durchaus gute Tage, Wochen oder sogar Monate haben. Aber irgendwann verfällt sie wieder in ihre Standardantwort auf die Anforderungen des Lebens: mit Gefühlsschwankungen und Temperamentsausbrüchen.

Das dürfte sie auch ruhig tun, wenn sie allein im Wald lebte – doch normalerweise gibt es immer eine Umwelt, die unter ihr leidet: Eltern, Geschwister, Partner, Kinder oder Kollegen. Und jetzt kommt der Knackpunkt: Mit seiner tief greifenden Instabilität bringt dieser Mensch andere Menschen aus ihrem seelischen oder sogar körperlichen Gleichgewicht. Teenager können zwar auch launenhaft sein und mit riskanten Verhaltensweisen experimentieren, aber irgendwann haben sie diese Phase überwunden. Instabile Persönlichkeiten indes sind dauerhaft unbeständig, und das untergräbt jede Beziehung zu ihren Mitmenschen.

Diese Menschen sind sich oft bewusst, dass schmerzliche Erfahrungen aus ihrer Vergangenheit zu ihrem sprunghaften Verhalten beitragen, trotzdem scheinen sie ihren Gefühlen und Ausbrüchen machtlos gegenüberzustehen. Selbst Therapeuten tun sich schwer mit solchen Patienten. Man versucht, ihnen eine Hand zu reichen, aber das genügt ihnen nie. Der Umgang mit diesen Menschen lässt sich mit einer Achterbahnfahrt vergleichen: Gerade noch warst du ihr Held, und plötzlich bist du Kaugummi an ihrer Schuhsohle. Wer diese Flatterhaftigkeit am eigenen Leib miterlebt hat, berichtet oft von Ungläubigkeit und Verzweiflung. Immer wieder fragt man sich: »Wo kam das jetzt her?«, »War das wirklich nötig?« und »Wann kommt das wieder vor?«.

Kinder solcher Eltern lernen schnell, ständig die Stimmung des betroffenen Elternteils zu überwachen. »Wie geht es ihr heute?« wird zur regelmäßig gewisperten Parole. Es schmerzt mich, mit anzusehen, wie früh diese Kinder lernen, wie auf Eiern zu gehen, weil sie wissen, dass aus dem Elternschlafzimmer jeden Morgen entweder ein Heiliger oder ein blutdurstiges Monster kommen kann. Wenn Kinder und Jugendliche aus ihrem Elternhaus ausziehen wollen oder weglaufen (was nicht selten vorkommt), liegt das oft daran, dass sie es schlicht nicht mehr ertragen, mit einem emotional instabilen Elternteil unter einem Dach zu leben. Oft sehen sie in derart radikalen Maßnahmen ihre letzte Chance, sich die geistige Gesundheit zu bewahren; genug ist genug.

Am Arbeitsplatz laufen wir wie auf Zehenspitzen, ganz wie Kinder: »Hat der Chef einen guten Tag oder brüllt er wieder herum und wirft mit Gegenständen wie gestern?« Arbeitnehmer verstecken sich buchstäblich auf der Toilette oder melden sich krank, wenn sie die Stimmungsschwankungen nicht mehr ertragen. Darunter leidet natürlich die Arbeitsmoral und damit die Produktivität, weshalb Arbeitgeber heutzutage seltener dulden, dass ein Angestellter seine emotionale Instabilität auslebt.

Das Liebesleben dieser Menschen verläuft stürmisch. Auf wilde Auseinandersetzungen folgt – auf Wunsch der emotional instabilen Persönlichkeit – leidenschaftlicher Versöhnungssex. Es ist verblüffend, wie übergangslos sie von erbittertem Streit auf heißen Sex umschalten kann. Die emotional instabile Persönlichkeit findet das ganz normal – aber für ihren Partner lässt der Reiz dieser Achterbahnfahrt bald nach. Viele Partner wünschen sich nach einer erbitterten Auseinandersetzung keine

Intimität, sondern Distanz. Und schon sind die Weichen für das Scheitern der Beziehung gestellt.

Extrem empfindlich

Emotional instabile Persönlichkeiten ertragen oft keine Kritik, sind äußerst empfindlich für echte oder nur eingebildete Kränkungen und werden schnell aggressiv, wenn sie sich beleidigt fühlen. Sie halten sich gern für ungerecht behandelt und beschuldigen den anderen dann der Illoyalität, oft völlig grundlos. In einem Fall mied eine Mutter ihre drei erwachsenen Töchter monatelang, weil sie ohne sie ins Kino gegangen waren. Sie warf ihnen vor, »sich verschworen zu haben«, sie zu isolieren und hinter ihrem Rücken schlecht über sie und ihre Erziehungsmethoden gesprochen zu haben. Das sind die typischen Rollen, die diese Typen spielen, und in denen sich ihre seelischen Höhen und Tiefen widerspiegeln: Mal fühlen sie sich wie der König/die Königin und verlangen allgemeine Ehrerbietung, mal empfinden sie sich als Opfer/Ausgegrenzte (»niemand will mit mir spielen/alle sind gegen mich«).

Die drei Schwestern gaben sich alle Mühe, ihre Mutter zu beschwichtigen – umsonst. Sie schmollte, tat wochenlang beleidigt und weigerte sich, mit ihnen zu reden. Doch die Schwestern kannten das schon; alle drei erzählten mir, ihre Mutter sei gegenüber (eingebildeten) Herabsetzungen seit je lächerlich empfindlich gewesen. Und hier liegt das Problem: Extreme Überempfindlichkeit ist Grundeinstellung dieses Persönlichkeitstyps, und das ist ermüdend, manipulativ und emotional auslaugend.

Aber es kommt noch schlimmer. Emotional instabile Persönlichkeiten sind unverbesserliche »Sammler von Verletzungen«. Manisch und kleinlich achten sie darauf, ob jemand sie sozial kränkt, versehentlich etwas vergisst oder sonst einen Fauxpas ihnen gegenüber begeht. Und sie merken sich alles, um es dann später dem anderen wieder vorzuwerfen. Sie sind berüchtigt dafür, immer und immer wieder mit uralten Kamellen daherzukommen. Manchmal werfen sie anderen Menschen Dinge vor, die diese Jahrzehnte zuvor gesagt, getan oder nicht getan haben. Und weil diese Typen ebenso dünnhäutig wie nachtragend sind, kann diese Liste – realer oder eingebildeter – Herabsetzungen ziemlich lang sein. Der renommierte Kriminologe Dr. Leonard Territo nennt sie »Opfer auf der Suche nach einem Unterdrücker«.

Bedürftig und anspruchsvoll, kennt keine Grenzen

Zu behaupten, diese Menschen seien »schwierig«, ist eine Untertreibung. Die emotional instabile Persönlichkeit hat ein kindliches Bedürfnis, sich herausgehoben zu fühlen. Sie braucht das Rampenlicht, im Öffentlichen (denken Sie nur daran, wie Schauspielerinnen sich auf dem roten Teppich benehmen) wie im Privaten: Egal, ob sie Ihr Kunde, Patient, Chef oder Partner ist, sie verlangt Ihre ungeteilte Aufmerksamkeit. Sie sät sogar Zwietracht zwischen anderen, die Ihnen nahestehen, damit sie sich dazwischendrängen und Ihre Aufmerksamkeit vereinnahmen kann. Sie teilt, um zu herrschen.

Die instabile Person in Ihrem Leben braucht andere Menschen so unbedingt, dass sie Sie auf geradezu kindische Weise verehrt oder idealisiert, als »wunderbarsten Liebhaber«, »besten Arzt«, »talentiertesten Anwalt« oder »besten Freund aller Zeiten«. Sobald Sie sie aber enttäuschen, etwa weil Sie das Interesse verlieren, dann wendet sie sich gegen Sie und dämonisiert Sie. Es ist bemerkenswert, wie abrupt eine instabile Persönlichkeit von Bewunderung auf Verteufelung umschalten, alles Positive aus der Vergangenheit vergessen und sich total auf ihre Bedürfnisse, Ihr Versagen oder eine empfundene Herabsetzung fixieren kann.

Oft verschreckt sie ebenjene Menschen, deren Nähe sie unbedingt braucht, indem sie Regeln bricht und Grenzen überschreitet, indem sie zu neugierig, zu anspruchsvoll, zu persönlich oder zu bedürftig wird. Egal, ob zu Hause oder bei der Arbeit: Wenn Sie ihren Forderungen nachgeben, verlangt sie nur immer noch mehr: mehr Zuwendung, mehr Privilegien, mehr Regelverletzungen. Weigern Sie sich, wirft sie Ihnen vor, herzlos, schlecht oder treulos zu sein. In gewisser Weise verhält sie sich wie ein Kind, das trotzig brüllt »Ich liebe dich nicht mehr!«, wenn es etwas nicht bekommt.

Diese Typen kennen keine Grenzen oder Anstandsregeln. Wenn sie sich bedürftig fühlen, brauchen sie Sie *sofort*, ansonsten kommen sie sich ausgesetzt, verlassen vor. Rechnen Sie zu jeder Tages- und Nachtzeit mit

Anrufen, E-Mails oder Textnachrichten, ohne Rücksicht darauf, ob es bei Ihnen gerade passt, ob Sie das wollen oder ob so etwas im Geschäftsleben überhaupt angemessen ist. Und Gott helfe Ihnen, wenn eine emotional instabile Persönlichkeit Ihre Handynummer oder Ihre Bürodurchwahl bekommt!

Ärzte berichten, dass diese Typen ohne Termin in die Praxis kommen und verlangen, sofort behandelt zu werden. Weist man sie darauf hin, dass das so nicht läuft, plustern sie sich auf und beleidigen Arzt und Sprechstundenhilfen. In einem Fall warf ein solcher Patient die Tür so heftig zu, dass vor den Augen der geschockten Wartenden die Bilder von der Wand fielen. In einer Sekunde von Bewunderung zu geiferndem Hass – ein typisches Verhaltensmuster für diese Persönlichkeitsstörung.

Es kommt auch vor, dass instabile Persönlichkeiten nicht nur ihre Partner, sondern sogar ihre Kinder beschatten, überwachen, ihre Briefe lesen, ihre Gespräche belauschen und sie unerwartet aufsuchen, um sich ihrer Loyalität und Treue zu versichern. Es gab auch Fälle, in denen sie Expartnern, die ausgezogen waren, über eine weite Strecke nachreisten oder ihnen mit grusliger Hartnäckigkeit auf dem Weg zur Arbeit und zurück folgten. Sie werden zu Stalkern, manchmal auch zu Saboteuren.

Gelegentlich schrecken emotional instabile Persönlichkeiten auch vor Vandalismus nicht zurück und beschädigen Fahrzeuge und Häuser. Manchmal platzen sie in Büros, um Expartner zur Rede zu stellen, oder hinterlassen verletzende, ätzende Nachrichten unter Scheibenwischern oder auf Anrufbeantwortern. Die neuen sozialen Medien erlauben ihnen, noch mehr Schaden anzurichten und üble Gerüchte zu verbreiten. Wenn diese Typen wütend sind, halten sie alles für erlaubt. Selbst Gesetze zählen dann nichts mehr.

Manchmal allerdings wünschen sie sich einfach nur Aufmerksamkeit, wie in einem Fall, zu dem ich als Berater hinzugezogen wurde. Eine Frau, die ich hier Sheila nennen will, war innerhalb von fünf Jahren drei Mal zur Polizei gegangen, um eine Vergewaltigung anzuzeigen. Jedes Mal war es Ende Juli, Anfang August passiert, jedes Mal, als sie gerade in ihr Auto steigen wollte. Da an ihrem Wohnort Vergewaltigungen aber nur selten vorkamen, kamen der Polizei schwere Zweifel an ihrer Darstellung. Sie schaffte es aber auch nicht, ihr Lügen nachzuweisen. Erst als ich Sheila bat, den Tatverlauf an ihrem Auto nachzustellen, verstrickte sie sich in

Widersprüche. Damit konfrontiert, gab sie schließlich schluchzend zu, alles nur erfunden zu haben.

Warum? Weil sie eine emotional instabile Persönlichkeit war, wie wir in Gesprächen mit Kollegen, Freunden und Verwandten schließlich herausfanden. Während der Sommerferien (sie war Lehrerin) brauchte sie einfach Aufmerksamkeit. Und jedes Mal, wenn sie eine Vergewaltigung anzeigte, wurde sie von Polizei, Krankenhauspersonal, Sozialarbeitern und besorgten Freunden umsorgt und betüttelt. Herrlich: ein einziger Telefonanruf, und man bekam wochenlang Aufmerksamkeit! Mit der Wahrheit darf man es halt nicht so genau nehmen, aber das ist der emotional instabilen Persönlichkeit egal.

Manipulativ

Um Liebe oder Aufmerksamkeit zu erlangen oder seinen Willen durchzusetzen, schreckt dieser Typ vor nichts zurück: Er weint, wütet, spielt mit Schuldgefühlen, täuscht Krankheiten vor, verführt, wechselt die Seiten, ändert seine Meinung um 180 Grad oder geht absurde Risiken ein. Wenn er »nein« hört, hält er das für verhandelbar – besonders sobald er erfahren hat, dass aus einem »Nein« ein »Vielleicht« und schließlich ein »Ja« werden kann, solange er nur kindlich stur bleibt.

Um Aufmerksamkeit zu bekommen, lügt er, dass sich die Balken biegen. Der Klassiker: Eine Frau macht ihrem Partner weis, sie sei schwanger, damit er sie nicht verlässt. Manchmal behauptet eine emotional instabile Frau auch, sie hätte mit einem anderen geschlafen, in der perversen Hoffnung, so vom Partner größere Treue erzwingen zu können. Die Unbekümmertheit und Kunstfertigkeit, mit der emotional instabile Persönlichkeiten täuschen und manipulieren, sind atemberaubend.

Solange die Opfer jung oder naiv sind, merken die manchmal nicht einmal, wie sie manipuliert werden. Ein junger Offizier am Luftwaffenstützpunkt MacDill erzählte mir einmal, dass seine Mutter ihrer jüngsten Tochter fast täglich sagte: »Du heiratest ja wohl nie, oder? Du wirst dich immer um mich kümmern, stimmt's?« Das war kein Witz, sondern ein krankes Ritual, mit dem die jüngste Tochter ständig daran erinnert werden sollte, dass sie nur einen Lebenszweck hatte: sich um ihre Mutter zu kümmern. Der Sohn hatte die Mutter nie Dinge sagen hören wie »Geh spielen, amüsier dich«. Wie traurig! Wie der Narzisst kann auch die instabile Persönlichkeit außerordentlich fordernd sein, und weil sie emotional bedürftiger ist, kann sie sogar noch gefährlicher sein.

Selbstmorddrohungen sind vielleicht das mächtigste Instrument, um andere zu manipulieren. Die emotional instabile Persönlichkeit kann sehr gefährlich für sich selbst sein, besonders wenn sie mit Selbstmord droht oder sich tatsächlich Leid antut. Zu solchen Episoden kommt es hauptsächlich in Krisenmomenten, wenn sie sich alleine fühlt oder fürchtet, verlassen zu werden.

Eine Selbstmorddrohung nimmt jeden mit. Bleiben Sie aber gelassen. Teilen Sie dem anderen als Erstes mit, dass Sie jetzt den Notruf wählen, und tun Sie das dann. Egal, ob ein Selbstmordversuch nun vorgetäuscht oder ernsthaft gemeint war – um solche Dinge müssen sich Profis kümmern. Das Verhalten dieser Person lässt Ihnen gar keine andere Wahl.

Nach meiner Erfahrung rudern diese Typen oft schnell zurück, wenn Sie ankündigen, den Notruf zu wählen. Machen Sie keinen Fehler: Drohungen, dass jemand sich selbst etwas antut, sollten immer ernst genommen werden. Aber Sie sind kein Therapeut; überlassen Sie solche Krisen den Profis. Emotional instabile Persönlichkeiten bringen es tatsächlich fertig, sich Leid anzutun. Indem Sie den Notruf wählen, tun Sie ethisch das Richtige – außerdem vermeiden Sie so, vom anderen manipuliert zu werden. Sie sind keine Marionette und haben das Recht, nicht manipuliert zu werden, egal, wie krank oder bedürftig der andere ist.

Ein Mann erzählte mir, seine Frau habe bei fast jedem »großen Streit« angedroht, sich etwas anzutun, wenn er nicht nachgab. Ihm zufolge hat sie im Verlauf der schmerzhaften Ehe mindestens »zwei Dutzend« Mal mit Selbstmord gedroht. Nie fiel ihm ein, den Notruf zu wählen. Immer glaubte er, das wäre das letzte Mal; außerdem war ihm die Sache peinlich. Überrascht? Sollten Sie nicht sein. Menschen tun, was man ihnen durchgehen lässt. Wenn Sie mitspielen und bei jeder Selbstmorddrohung sofort nachgeben, wird die emotional instabile Persönlichkeit das ausnutzen, um Sie zu manipulieren. Warum? Weil sie es kann, weil es für sie so einfach ist und weil sie über keinerlei Selbstbeherrschung verfügt.

Wenn sie nicht bekommen, was sie wollen, und alle Manipulationsversuche fehlgeschlagen sind, töten emotional instabile Persönlichkeiten manchmal, was sie nicht haben können. Vergessen Sie nicht: Auch bei der emotionalen Instabilität gibt es ein weites Spektrum. Manche instabile Menschen sind »nur« extrem anstrengend im Umgang, andere aber können brutal und unter Umständen sogar zu Mördern werden. Suchen Sie nur mal in Zeitungen nach Geschichten über Haushalte, in denen es ständig Streit gab, der dann irgendwann tödlich eskalierte.

Der tragische Tod des Comedians Phil Hartmann im Jahr 1988 zeigt auf, wie gefährlich es sein kann, mit einer emotional instabilen Psychopathin zusammenzuleben. Seine Frau Brynn erschoss erst ihn, dann sich selbst. Freunde wussten seit Jahren von ihren Stimmungsschwankungen und den heftigen Streitigkeiten, zu denen diese führten. Die zwei überlebenden Kinder müssen jetzt alleine klarkommen.

Irrationales Alles-oder-nichts-Denken

Appellieren Sie nicht an den Verstand der instabilen Person, wenn sie aufgebracht ist oder eine Szene macht. Wenn sie gestresst ist oder sich kritisiert fühlt, reagiert sie emotional, nicht rational. Ihr Denken ist binär: alles oder nichts, hier und jetzt, gut oder schlecht, schwarz oder weiß; Grautöne dazwischen gibt es nicht. Man ist für sie oder gegen sie, man ist Freund oder Feind. Traurigerweise gilt das sogar für Kinder.

Die emotional instabile Persönlichkeit wird öffentlich Ihre Loyalität testen, indem sie fragt: »Stehst du auf meiner oder auf ihrer Seite? Auf wessen Seite stehst du jetzt?« Solch offenkundige Manipulationsversuche sind nervig und peinlich, aber emotional instabile Persönlichkeiten brauchen solche Treueschwüre einfach immer wieder.

Ihr Verhalten ist ebenso unvorhersehbar wie ihr Denken. Man kann nie wissen, was sie tun werden. Ein Vater erzählte mir, er sei mit seiner Familie gerade zu einem verlängerten Wochenende aufgebrochen, als seine Frau, eine sehr instabile Persönlichkeit, anfing, einen winzigen Vorfall immer weiter aufzublasen. Als sie merkte, dass ihre Kinder auf der Seite des Vaters standen, stauchte sie sie zusammen. Doch was als Nächstes kam, überraschte selbst den an solche Ausbrüche gewohnten Mann. Mit wutverzerrtem Gesicht bellte sie: »Dreh auf der Stelle um, oder ich werfe mich verdammt noch mal aus dem Auto.« Noch während sie das sagte, öffnete sie die Tür und beugte sich bei voller Fahrt hinaus. Die Kinder schrien entsetzt auf – und der Mann drehte um. Der Urlaub war ruiniert, die Kinder völlig verängstigt, die Anzahlungen fürs Hotel verloren. Und alles, weil der Mann vergessen hatte, »ihre Lieblings-Sonnenmilch einzupacken«. Für derartiges Verhalten gibt es keine Entschuldigung. Dieser traumatisierende Vorfall verfolgte Mann und Kinder noch Jahre später. Menschen haben keine Löschtaste, und wenn Kinder solche Szenen erleben, bezahlen sie einen hohen Preis für das Zusammenleben mit einer emotional instabilen Persönlichkeit.

Gelegentlich sind emotional instabile Persönlichkeiten extrem leichtgläubig oder laufen jeder Modeerscheinung hinterher. Viele suchen sich Gurus oder Kulte mit ganz starren Glaubenssystemen. Kulte sind für sie attraktiv, weil sie dort Aufmerksamkeit bekommen, bedingungslos akzeptiert werden, Gemeinschaftsgefühl erfahren und eine Struktur erleben, die ihnen in der normalen Gesellschaft abgeht. Ihre Empfänglichkeit für Gurus und Scharlatane macht sie zum idealen Opfer für Ausbeutung – doch wenn besorgte Menschen sie darauf hinweisen, gibt es einen Riesenstreit. Denken Sie nur kurz darüber nach, welchen Typ Mensch der Sektenführer, Berufsverbrecher und verurteilte Mörder Charles Manson wohl anzog. Antwort: emotional instabile Menschen, die Charles Manson okay fanden.[3] »Leichtgläubig« und »leicht beeinflussbar« sind da noch milde Formulierungen.

Ungestüm, impulsiv, auf der Suche nach Thrills

Diese Typen verhalten sich oft leichtsinnig und impulsiv, entweder um sich lebendiger zu fühlen oder um sich davon abzulenken, dass es ihnen schlecht geht. Spontan und urplötzlich machen sie völlig verrücktes (und riskantes) Zeug oder benehmen sich total daneben. Sie gelten vielleicht als »Störenfried« oder »Idiot«, als »schwierig«, »melodramatisch« oder »ausgeflippt«. Oft versuchen sie, durch erotische Abenteuer Aufmerksamkeit zu erregen.

Nach dem Tod des Playboy-Models Anna Nicole Smith meldeten sich mehrere Männer als angebliche Väter ihres Kindes. Emotional instabile Persönlichkeiten genießen Sex oft enorm und gehen in ihrem Liebesleben mitunter gewaltige Risiken ein. Sie haben oft zahllose Sexualpartner, mit entsprechenden Nebenerscheinungen wie Geschlechtskrankheiten, Eifersuchtsszenen, ungeplanten Schwangerschaften und Gewalt, finden aber nur wenig Wärme oder Liebe. Der Film *Auf der Suche nach Mr. Goodbar* handelt von einer solchen Person. Theresa Dunn, gespielt von Diane Keaton, fühlt sich chronisch leer und verschafft sich mit Sex kurze Augenblicke der Intimität, was sie aber nicht erfüllt.

Emotional instabile Persönlichkeiten lassen sich gelegentlich mit »schlimmen Jungs« ein oder suchen sich gefährliche Bekannte. Es ist erschütternd, dabei zusehen zu müssen, etwa als Mutter eines instabilen Kindes, das sein Leben wegwirft oder mit dem Feuer spielt. Emotional instabile Frauen zieht es mitunter zu verbrecherischen Psychopathen hin. Erinnern Sie sich an Bonnie Parker, die sich Clyde Barrow anschloss und mit ihm das berüchtigte Duo Bonnie & Clyde bildete? Allem Anschein nach handelte es sich bei ihr um eine instabile Persönlichkeit. Die Sache endete, wie sie enden musste: mit einem tragischen Tod.

Wenn emotional instabile Menschen Alkohol oder Drogen nehmen, um mit den Anforderungen der Welt zurechtzukommen, wird ihr Verhalten noch unberechenbarer.

Manche impulsive, pathologische oder selbstzerstörerische Verhaltensweisen scheinen auf den ersten Blick nicht so tragisch, doch chronischer Ladendiebstahl, wiederholtes Ausreißen von Zuhause, Zocken, Fressanfälle, riskantes Autofahren oder Bulimie, um nur einige zu nennen, haben schlimme Folgen für diese Menschen, ihre Angehörigen und sogar die Gesellschaft.

Typisch für die emotional instabile Person ist auch die geradezu zwanghafte Suche nach Vergnügen oder Schmerz – tragischerweise verschwimmt für viele Betroffene die Grenze zwischen den beiden Dingen. Es ist nicht ungewöhnlich, dass emotional instabile Persönlichkeiten sich Schmerzen zufügen: Sie ritzen sich, verbrennen sich mit Zigaretten, kratzen Wunden immer wieder auf, reißen sich Haare aus oder schlagen sogar mit dem Kopf gegen eine Wand, um irgendetwas zu fühlen oder ein anderes Gefühl zu überdecken.

Immer wieder berichten sie von Langeweile und dem Gefühl innerer Leere. Marilyn Monroe etwa klagte gegenüber ihren verschiedenen Therapeuten und Freunden immer wieder über diese Leere, die niemand füllen konnte, nicht ihre zahllosen Bewunderer, nicht ihre Liebhaber, nicht ihre Ehemänner.[4]

Dann gibt es noch die Typen, die gewohnheitsmäßig Streit suchen. Man spürt, dass sie tatsächlich Vergnügen daraus beziehen, sich mit anderen zu streiten oder gar zu prügeln. Manche Kliniker sehen darin ein pathologisch sadistisches Bedürfnis zu verletzen, gepaart mit einem masochistischen Bedürfnis, an einem Kreislauf von Streit und Verbitterung teilzunehmen, um irgendetwas zu fühlen. Ich fragte eine solche streitsüchtige Frau: »Warum behandeln Sie Ihren Mann so?« Ihre Antwort sprach Bände: »Weil ich ihn nur so aus der Reserve locken kann. Nur wenn wir streiten, wird er richtig lebendig.« Und sie sagte das mit einem Lächeln.

Worte, die die emotional instabile Persönlichkeit beschreiben

Über die Jahre hinweg habe ich Formulierungen von Menschen gesammelt, die mit emotional instabilen Persönlichkeiten zusammengelebt oder -gearbeitet haben oder ihre Opfer wurden. Das sind ihre unzensierten Worte, nicht meine. Vielleicht klingt das eine oder andere ja vertraut, vielleicht beschreibt es jemanden, den Sie kennen:
abgedreht, abgekoppelt, am Boden zerstört, angespannt, ängstlich, anormal, anspruchsvoll, anstrengend, anziehend, anzüglich, Arsch, Arschloch, aufbrausend, aufregend, aus der Balance geraten, bedrohlich, bedrückt, beleidigend, bemitleidenswert, besonders, bestrickend, beunruhigend, Blödmann, Borderliner, bösartig, boshaft, böswillig, Chamäleon, chaotisch, depressiv, desillusioniert, destruktiv, distanziert, Diva, dramatisch, durcheinander, durchgeknallt, emotionales Auf und Ab, entmenschlichend, entnervend, ermüdend, erschreckend, erstickend, explosiv, fies, flatterhaft, flirtet zwanghaft, frustrierend, frustriert, gefährlich, geil, gemein, gequält, gestört, gewalttätig, grausam, hemmungslos, hinterhältig, hysterisch, impulsiv, intrigant, irrational, kalt, katastrophal, klammert, kocht innerlich, kokett,

Konflikt, Königin, konsternierend, kontrollsüchtig, krank, krank machend, kritisch, kritisiert, launisch, lebendig, leer, leidenschaftlich, lieblos, Lügner, lüstern, masochistisch, Miesmacher, misstrauisch, morbid, nachlässig, nachtragend, neidisch, neurotisch, niedergeschlagen, Nörgler, nymphoman, Opfer, pflichtvergessen, Quälgeist, rachsüchtig, reizbar, reizt andere, riskant, sadistisch, sarkastisch, Schlampe, schmerzhaft, schnell gekränkt, schrecklich, schwierig, selbstmörderisch, seltsam, Sexbombe, sexy, sprunghaft, Stalker, störrisch, stürmisch, temperamentvoll, theatralisch, tobsüchtig, tödlich, trübselig, turbulent, unangemessen, unberechenbar, undankbar, undurchschaubar, unerbittlich, unglaublich, unglücklich, unheimlich, unmöglich, unnahbar, unvernünftig, unvollständig, unvorhersehbar, verantwortungslos, verbittert, Verführerin, verführerisch, verhängnisvoll, verlogen, verrückt, verschlagen, verunglimpfend, verwirrend, verzagt, verzweifelt, vielschichtig, Wahnvorstellungen, Wirbelwind, wollüstig, Wut, wütend, zerrissen, Zugunglück.

Ihr Effekt auf Sie

Ja, anfangs kann die emotional instabile Persönlichkeit enorm verführerisch wirken: Sie verehrt Sie als Helden und braucht Sie unbedingt. Aber sehr bald haben die emotionalen Höhen und Tiefen, die ständigen Manipulationsversuche, die ewigen Szenen Sie völlig ausgelaugt. Wenn dieser Mensch niedergeschlagen ist, richten Sie ihn wieder auf. Wenn er durch riskantes Verhalten in Schwierigkeiten geraten ist, retten Sie ihn. Dann sind Sie sein Schatz, sein Retter. Doch wehe, Sie enttäuschen ihn nur ein einziges Mal und geben ihm nicht, was er braucht! Dann richtet er seinen ganzen Zorn auf Sie. Je näher Sie ihm stehen, desto eher geraten Sie in seine Schusslinie; am liebsten fällt er genau über die Menschen her, die er angeblich liebt.

Geld kann er atemberaubend schnell durchbringen; er verjubelt es beim Shoppen, mit Drogen, für Sex oder am Spieltisch. Auch für Anwälte muss er einiges ausgeben, weil oft gleich mehrere Verfahren (etwa wegen Trunkenheit am Steuer, Schlägereien oder Drogendelikten) gegen ihn laufen. Er ist gut darin, sich Geld von anderen zu borgen, »bis er wieder auf die Beine gekommen ist«. Oder er stiehlt Ihr Geld gleich und verjubelt es. Sollte er reich sein, kann man später nachlesen, wie er seine Millionen durchgebracht hat. Wenn er nicht reich ist, müssen Sie und ich ihn finanzieren.

Menschen, die mit emotional instabilen Persönlichkeiten zu tun haben, stehen ständig unter Spannung; selbst die guten Phasen können sie nicht genießen, weil sie sich schon vor dem nächsten Tief fürchten. Sie leben kein eigenes Leben, sondern in ständiger Furcht vor den Stimmungsschwankungen des anderen. Was könnte ihn aufregen? Tickt er wieder aus? Schlägt er mich für die Mathe-Fünf? Beklaut er wieder jemanden? Flirtet sie wieder schamlos? Menschen, die mit emotional instabilen Persönlichkeiten zusammenleben, berichten, dass sie ständig auf der Hut sein müssen, jederzeit bereit, sich selbst, das Verhalten des anderen und schließlich ihr Selbstwertgefühl zu verteidigen.

Wer in einer Familie mit so jemandem zusammenlebt, entwickelt oft körperliche Symptome von Angst und chronischem Stress. Bald schwankt die eigene Stimmung ebenso sehr wie die des instabilen Menschen. Es kostet unendlich viel Kraft, den ewigen Manipulationsversuchen zu widerstehen und seine Grenzen zu verteidigen. Viele Opfer berichten von Schlafstörungen, Depressionen und ganz untypisch heftigen Streitigkeiten.

Die Wut des emotional instabilen Menschen kann sich in Beschimpfungen, aber auch in Gewalt gegen Sachen und Menschen äußern. Er wirft mit Dingen um sich, zerstört Gegenstände, schlägt seinen Partner oder seine Kinder. Eine Frau erzählte mir, ihr Mutter habe sie früher fast täglich mit dem Kochlöffel geschlagen. Dann gab es noch den Manager, der am Abend heimkam und feststellen musste, dass seine Frau all seine Anzüge mit einem Teppichmesser zerfetzt hatte. Sie war wegen eines Streits am Vorabend noch wütend gewesen. Oder was halten Sie von einem Topf Nudelsoße, der an die Wand flog? Andere Opfer berichten, dass geliebte Erinnerungsgegenstände, Geschenke oder sogar Messer durch die Gegend flogen. Man kann sich kaum vorstellen, dass so etwas wirklich vorkommt, aber so ist es. Und dann gibt es natürlich noch die Fälle, wo die Messer nicht nur fliegen … Jeder Polizist weiß, dass Einsätze wegen »häuslicher Gewalt« deswegen so heikel sind, weil man es oft mit emotional instabilen, teilweise noch durch Drogen oder Alkohol enthemmten Personen zu tun bekommt.

Inzwischen weiß man, wie grausam die Filmdiva Joan Crawford ihre Adoptivtochter Christina behandelt hat. Sollten Sie Christinas Buch *Meine liebe Rabenmutter* nicht gelesen haben, kann ich die Lektüre nur wärmstens empfehlen – lesen Sie es aber nicht am Abend, sonst bekommen Sie Albträume. So sieht das Leben mit einer instabilen Persönlichkeit aus.

Mit ihrer emotionalen Instabilität kann diese Person ihr ganzes Umfeld terrorisieren, da niemand in der Familie, in der Mannschaft oder im Büro zum Ziel ihrer Schimpfkanonaden werden will. Alle schleichen wie auf Zehenspitzen, fürchten sich, ihr zu widersprechen oder schlechte Nachrichten zu überbringen.

Gibt man dazu noch Testosteron, liegt Gewalt in der Luft. Nur zu oft sind das die Typen, die am Wochenende oder nach Feierabend ihre Frau schlagen. Polizeibeamte kennen diese Fälle häuslicher Gewalt. Die Szenen ähneln sich meistens, ebenso wie die Protagonisten: emotional instabile Persönlichkeiten, die Streit suchen und regelmäßig ihre Partner schlagen, stoßen, würgen, fesseln, quälen. Dabei fühlen sie sich irgendwie gut – das ist die sadistische Seite dieser Persönlichkeit.

Kann der Umgang mit einem emotional instabilen Typen lebensgefährlich sein? Ja. Vergessen Sie nie, er hat grässliche Angst, verlassen zu werden. Wenn er Sie nicht haben kann, sorgt er vielleicht dafür, dass auch sonst niemand Sie bekommt. Betrachten Sie nur Jodi Arias, gegen die Alex Forrest in *Eine verhängnisvolle Affäre* geradezu bieder wirkte. Jodi Arias, eine hochgradig emotional instabile Person, ermordete im Jahr 2008 Travis Alexander, weil sie es nicht ertrug, verlassen zu werden. Sie brachte ihm zahlreiche Stichwunden bei, schlitzte ihm den Hals auf und schoss ihm zur Sicherheit noch in den Kopf.[5]

Die emotional instabile Persönlichkeit in Beziehungen

Wie der Narzisst geht auch die emotional instabile Person unheimlich schnell neue Beziehungen ein. Doch während der Narzisst das tut, um zu beherrschen, sehnt sich die instabile Persönlichkeit nach Geborgenheit und dem emotionalen Kick, verehrt zu werden. Sie wünscht sich, dass dieses Gefühl ewig anhält, und drängt mitunter massiv auf eine Heirat.

Doch selbst wenn sie bekommt, was sie will, bleibt eine Leere in ihr, die offenbar nichts und niemand füllen kann.

In ihrem verzweifelten Versuch, einen Partner zu finden, missachtet sie mitunter alle Anstandsregeln. Sie flirtet schamlos oder lügt, dass sich die Balken biegen. Ein Mann erzählte, eine Kollegin habe ihm bei der ersten Begegnung im Büro erklärt: »Du ahnst nicht, wie viel du mir bedeutest.« Er erzählte weiter: »Sie wollte meine Hand gar nicht mehr loslassen, lehnte sich fast an mich und beschämte mich vor anderen, indem sie öffentlich sagte, wie ›besonders‹ ich in ihren Augen sei und dass sie später ›von mir träumen‹ würde.« Der Mann war natürlich entsetzt.

Angesichts ihrer Bedürftigkeit verwundert es nicht, wenn emotional instabile Persönlichkeiten daherreden wie verliebte Siebtklässler. Was allerdings verwundern muss, ist, wie viele Leute auf diese Masche hereinfallen. Die emotional instabile Persönlichkeit weiß das und nutzt es aus. Leider ahnen die Adressaten dieser übertriebenen Liebeserklärungen nicht, dass sie sich bald erdrückt vorkommen und verzweifelt versuchen werden, sich von dieser klammernden Person zu befreien.

Am Anfang mögen toller Sex und Vergötterung stehen, aber der Absturz ist unausweichlich, und es folgen Gereiztheit und endloser Streit. Versuchen Sie aber, sich von der instabilen Persönlichkeit zu trennen, kämpft sie buchstäblich mit allen Mitteln um Sie – während sie Sie gleichzeitig beschimpft und runterputzt. Sie schreckt auch nicht davor zurück, an Ihren Arbeitsplatz zu kommen und dort eine Szene zu machen, Dutzende Male in der Stunde anzurufen, Ihr Auto zu zerkratzen oder Ihren Chef anzurufen und ihm zu sagen, Sie seien ein »Schwein« bzw. eine »Schlampe«. Was für ein absurdes Theater: Die instabile Persönlichkeit brüllt, schreit, beleidigt Sie – will aber nicht, dass Sie sie verlassen.

Selbst wenn Sie es schaffen, die Beziehung zu beenden, fordert die emotional instabile Persönlichkeit weiter Treue. Möglicherweise verfolgt sie Sie, öffnet Ihre Post, bedroht Sie, schlägt Sie zusammen, bricht bei Ihnen ein, durchwühlt Ihre Sachen oder bedroht Ihren neuen Partner. All das passierte Nicole Brown Simpson, der Exfrau von O. J. Simpson. Sie ging über Jahre hinweg immer wieder zur Polizei, doch kaum etwas passierte – bis sie umgebracht wurde. Nicole zufolge konnte ihr Ex sie einfach nicht loslassen. Die Polizeifotos von ihren Verletzungen im Gesicht zeugen von der gewalttätigen Seite eines instabilen Psychopathen.[6]

Ihr instabiler Expartner wird Ihnen möglicherweise über Ihre Eltern, Freunde oder soziale Medien nachstellen. Hat er Nackt- oder sonstwie peinliche Fotos von Ihnen, wird er die gegen Sie verwenden. Er wird alles tun, was Sie sich überhaupt nur ausmalen können. Eine Frau berichtete, ihr Ex hinterlasse bei ihren neuen Freunden Botschaften unter dem Scheibenwischer, in denen sie als »Hure und Schlampe« bezeichnet wird.

Frauen, die mit solchen Männern zusammen sind, hoffen vielleicht »er bessert sich«, »das ist das letzte Mal« oder »ich kann ihm das abgewöhnen«.[7] Können sie aber nicht, und höchstwahrscheinlich ändern sich diese Typen auch nie. Eine Polizeibeamtin erzählte mir, sie habe fast drei Jahre gebraucht, um sich von einem gewalttätigen Partner zu trennen. Selbst diese ausgebildete Vertreterin von Gesetz und Ordnung ging in die emotionale Falle, schämte sich, Hilfe zu suchen, und blieb bei jemandem, den sie ändern zu können glaubte. Lassen Sie mich wiederholen: Solche Dingen bessern sich nie.

Sollten Sie Kinder haben und mit einer emotional instabilen Persönlichkeit eine Beziehung anfangen, gefährden Sie nicht nur sich, sondern setzen möglicherweise auch Ihre Kinder dem Risiko seelischer oder sogar körperlicher Misshandlung aus. Ich spreche hier aus meiner Erfahrung als Polizist, wenn ich sage, dass die emotional instabile Persönlichkeit von ihrer Natur her für Kinder, insbesondere die Kinder anderer Menschen, eine beträchtliche Gefahr darstellt.

Ich erwähnte bereits die Mutter, die ihre Tochter regelmäßig mit dem Kochlöffel schlug. Hinterher jammerte sie: »Siehst du, wozu du mich getrieben hast? Jetzt komm her und gib mir einen Kuss!« Leider hörte ich eine derart kranke Geschichte nicht zum ersten Mal – Erwachsene schrieben mir aus aller Welt und berichteten, wie ihre Mutter sie aus geringstem Anlass mit einem Kochlöffel, einem Besen oder einem Gürtel geschlagen hatte und hinterher vom misshandelten Kind getröstet werden wollte. Man muss kein Psychiater sein, um zu ahnen, welchen Schaden Eltern mit so einem Verhalten anrichten.

Wenn Kinder zeigen, dass sie verletzt oder bestürzt sind, bekommen sie oft zu hören: »Hör auf, so schlimm war's doch gar nicht« oder »Reiß dich zusammen. Du überlebst das schon.« Verlangen Kinder nach einer Umarmung oder Aufmerksamkeit, sagt der ichfixierte Elternteil gern Dinge wie: »Erst wenn du aufhörst, dich so zu benehmen« oder »Siehst du nicht, dass ich beschäftigt bin?« In den Kindern hinterlässt das eine klaffende Leere, über die sie nie ganz hinwegkommen. So wird die Instabilität eines Elternteils in die nächste Generation weitergetragen.

Die Kinder solcher Eltern wachsen mit psychischen Schäden heran. Es macht mich schon traurig, wenn ich nur aufschreibe, was sie in ihrem Elternhaus fürs Leben lernen: Unterdrücke deine Gefühle, vernachlässige deine Bedürfnisse, erwarte, dass man dir wehtut, sag niemals Nein, mach keine Mucken, du zählst nicht, und vor allem tröste mich. Die Kinder lernen, ihre Gefühle zu verstecken, oder sie führen sich auf, um wahrgenommen zu werden. Oder aber sie lernen zu lügen, experimentieren mit Drogen oder suchen sich wahllos Menschen, die ihnen Aufmerksamkeit schenken. Manchmal werden sie zu Schulhof-Tyrannen, nach dem Motto, »schlag zu, bevor sie dich schlagen«. Und sie sind ständig auf der Hut, wie Wachleute; seit frühester Jugend achten sie furchtsam noch auf die kleinsten Anzeichen, in welcher Stimmung der Elternteil sich befindet und wie er sich verhalten wird. So darf kein Kind aufwachsen!

Stellen Sie sich vor, wie diese Kinder sich fühlen, wenn sie sehen, dass Kinder in anderen Familien geliebt werden, während sie selbst nur toleriert oder gar gequält werden. Eine Frau sagte mir kürzlich: »Ich wollte doch nur geliebt werden. Ist das so schwer? Sie können sich nicht vorstellen, wie es ist, von seiner Mutter nicht geliebt zu werden. Ich bin erleichtert, wenn sie stirbt.«

Wenn Sie mit einem emotional instabilen Partner Kinder haben, liegt es in Ihrer Verantwortung, ihnen Sicherheit und Zuflucht zu gewähren. Leider unterlassen das nach meiner Erfahrung die meisten gesunden Elternteile, aus Angst vor den vulkanischen Ausbrüchen ihres Partners. Damit lassen sie ihre unschuldigen, ohnmächtigen Kinder auf schreckliche Weise im Stich. Besteht keine Möglichkeit, die Beziehung zu beenden und das Sorgerecht für die Kinder zu bekommen, sollte alles Machbare getan werden, um Grenzen zum Schutz des Kindes zu errichten und Fluchtmöglichkeiten zu eröffnen. Fördern Sie zum Beispiel alles, was das Kind gern macht – Hobbys, Sport, Lesen, Musik, Kunst –, um es vom schädlichen Elternteil fernzuhalten. Aber ich muss hier ehrlich sein, vielleicht ehrlicher, als Ihr Therapeut es ist: Die langfristigen Perspektiven sind finster. Schützen Sie Ihr Kind und gehen Sie mit ihm weg. Bitte! Ihm, aber auch sich selbst zuliebe.

Begegnungen mit der instabilen Persönlichkeit

Dieser Typ trägt oft eine Maske, die es ihm erlaubt, in der Gesellschaft zu funktionieren, aber nicht immer. Um ihn zu beschreiben, verwenden Menschen oft euphemistische Ausdrücke wie »mein Nachbar ist leicht reizbar«, »Ihre Hoheit haben einen Anfall«, »mein Kollege neigt zu Ausbrüchen« oder »hier wird gern dramatisiert«. Ich finde, wir sollten derart gefährliche Dinge nicht schönreden. Emotional instabile Menschen vergiften durch ihr Verhalten jedwedes Zusammenleben. Sie bringen Menschen auf die Palme und provozieren unnötigen Streit.

Ein verräterisches Anzeichen im Geschäftsleben ist, wenn Menschen fast alles tun, um einem Kollegen aus dem Weg zu gehen. Seine Eigenheit spricht sich schnell herum, und manche sagen dann Dinge wie: »Macht soundso auch bei dem Projekt mit? Dann steige ich aus.« Menschen vermeiden, mit diesem Typen zu telefonieren, zu sprechen, Zeit zu verbringen, zu arbeiten; sie wollen nicht einmal neben ihn sitzen – was dazu führt, dass alle Informationen an ihm vorbeilaufen.

In dem Film *Der Teufel trägt Prada* beschreibt eine Untergebene ihre schreckliche Chefin (bestürzend gut gespielt von Meryl Streep): »Miranda Priestly ist unmöglich. War sie immer, wird sie immer sein. Dein Job ist nicht, es ihr recht zu machen. Er ist, sie zu überleben.«[8] Das ist die perfekte Beschreibung des Lebens unter einem emotional instabilen Chef, Trainer, Manager oder Anführer. Schlechte Nachrichten zu überbringen oder zu sagen, dass etwas nicht geht, kommt einem Affront gleich und wird entsprechend geahndet. Doch auch wenn man sich zu Tode schuftet – Anerkennung gibt es nie.

Manchmal haben diese Typen die Fähigkeit, viele Dinge erledigt zu bekommen, und nach außen (auf das höhere Management, auf den Vorgesetzten, auf die Wähler) wirkt alles prima. Aber reden Sie nur mit den Untergebenen, und Sie hören Klagen darüber, wie Menschen runtergeputzt, mit grausamen Worten verletzt, gezielt gegeneinander aufgehetzt werden. Vielleicht bekommen diese Typen Dinge erledigt – aber zu welchem Preis? Die Verluste durch die Abwanderung guter Leute, durch Fehlzeiten und Krankheiten-sind beträchtlich.

Viele Berühmtheiten wiesen typische Merkmale emotional instabiler Persönlichkeiten auf, darunter Marilyn Monroe, Joan Crawford, Anna

Nicole Smith, Leona Helmsley, Elizabeth Taylor und selbst Abraham Lincolns Frau, Mary Todd Lincoln. Auch die jung verstorbene Sängerin und Songschreiberin Amy Winehouse gehörte möglicherweise zum Club. Aber wir müssen uns hüten, vorschnell Urteile zu fällen. Schlagzeilen allein sagen noch nicht viel. Vielleicht waren die oben genannten Promis instabile Persönlichkeiten, vielleicht nicht, auf jeden Fall zeigten sie viele Charakteristika dieses Persönlichkeitstyps. Ihre Biografien sollten uns warnen: Wenn wir Menschen (Politiker, Schauspieler oder auch Nachbarn) betrachten, in deren Leben es drunter und drüber geht, haben wir es vielleicht mit instabilen Persönlichkeiten zu tun.

Wie bei den meisten anderen gefährlichen Persönlichkeitstypen in diesem Buch nimmt die Öffentlichkeit auch vom instabilen Typen nur wenig Notiz – außer er macht etwas derart Groteskes oder Kriminelles, dass er verhaftet wird. Der Schaden, den er bis dahin anrichtet, gilt als Privatsache. Natürlich gibt es die Stars, deren turbulentes Liebesleben von den Medien breitgetreten wird, aber in aller Regel erdulden wir instabile Persönlichkeiten strikt privat. Am häufigsten hörte ich von Betroffenen, die es mit einer instabilen Persönlichkeit zu tun hatten: »Ich litt alleine.«

Trotzdem schlägt mein Radar an, wenn ich erfahre, dass jemand wiederholt soziale Grenzen verletzt hat, schnell an die Decke geht, »hochfahrend« ist, andere Menschen herabsetzt, demütigt oder Streit zu genießen scheint. Dann suche ich nach weiteren Hinweisen darauf, dass ich es mit einer instabilen Persönlichkeit zu tun habe. Falls ich sie finde, kann ich Schritte unternehmen, um mich und meine Familie zu schützen. Das sollten Sie auch tun.

Checkliste: Hinweise auf instabile Persönlichkeiten

Anhand der folgenden Checkliste können Sie ermessen, ob Sie es mit einem instabilen Menschen zu tun haben und wie stark dieser Zug ausgeprägt ist. Dieses Wissen darum, wie schädlich oder gar gefährlich die Person ist, hilft Ihnen dabei, Verhaltensstrategien im Umgang mit ihr zu entwickeln.

Emotional Instabilität tritt in den verschiedensten Ausprägungen auf, anhand dieser Liste werden Sie einordnen können, ob jemand nur nervig und melodramatisch ist, ätzend oder launenhaft oder gar bedrohlich oder gefährlich. Wie die Checkliste zu nutzen ist, wird in Kapitel 1 auf Seite 54 erklärt.

- ☐ In Gegenwart dieser Person fühlen Sie sich ständig in der Defensive.
- ☐ Heftige Wutausbrüche und Anfälle stehen in keinem Verhältnis zur Geringfügigkeit der Anlässe.
- ☐ Seit Sie diese Person kennen oder mit ihr eine Beziehung haben, sind Sie weniger glücklich, selbstbewusst oder selbstsicher.
- ☐ Beziehungen sind eine Achterbahnfahrt aus Höhen und Tiefen.
- ☐ Ist unfähig, die Wirkung und Folgen seiner Worte und Handlungen auf andere abzuschätzen.
- ☐ Verhält sich gelegentlich »unangemessen« oder gar »abscheulich«.
- ☐ Dreht bei Stress regelmäßig völlig durch.
- ☐ Streitigkeiten, die nach Minuten beendet sein sollten, ziehen sich stunden- und tagelang hin, ohne dass er einen Versuch macht, auf den anderen zuzugehen oder den Streit zu beenden.
- ☐ Spielt offenbar regelmäßig die Rollen des »Opfers« bzw. des »Prinzen«.
- ☐ Hasst es, allein zu sein, und sucht ständig Gesellschaft.
- ☐ Hat mit Selbstmord gedroht.
- ☐ Zeigt oft offen Panik, Angst, Gereiztheit, Trauer oder Zorn.
- ☐ Fühlt sich (nach eigener Aussage) oft leer; langweilt sich schnell, braucht Aufregung.
- ☐ Zeigt auch in Gegenwart Außenstehender heftigen Zorn gegenüber Familienmitgliedern.
- ☐ Streitet oder kämpft oft mit anderen.
- ☐ Scheint verbale Auseinandersetzungen zu genießen.
- ☐ In Gegenwart dieser Person können Sie sich nicht entspannen.

- ☐ Spricht oft davon, dass Einzelpersonen oder Gruppen etwas gegen ihn haben und sich gegen ihn verschworen haben.
- ☐ Kollegen beschreiben ihn als »schwierig«, »nervtötend« oder »unmöglich« oder sagen, er »macht Ärger«.
- ☐ In seiner Gegenwart fühlen Sie sich emotional und sogar körperlich ausgelaugt.
- ☐ Nach ein paar Stunden mit ihm fühlen Sie sich, als stünde Ihre Welt Kopf. Vielleicht fragen Sie sich: »Was ist denn da passiert?«
- ☐ Sein engstes Umfeld (z. B. Sie, Familie, Kinder, Partner) wacht ständig darüber, in welcher Stimmung er sich befindet.
- ☐ Wehrt sich »wie besessen« gegen reale oder eingebildete Versuche von Freunden oder Partnern, ihn zu verlassen.
- ☐ Benimmt sich gelegentlich übertrieben melodramatisch.
- ☐ Streitet erbittert, flucht und beleidigt.
- ☐ Verlangt von anderen überaus viel: Gefälligkeiten, Zeit, Aufmerksamkeit oder Geld.
- ☐ Hat aus Wut oder Missbilligung Dinge herumgeworfen oder kaputt gemacht.
- ☐ Hat mit Selbstmord gedroht, um nicht verlassen zu werden.
- ☐ Anstatt sich zu entschuldigen oder Streitigkeiten zu beenden, suhlt er sich gerne in ausgiebigem Streit und bitterem Hader.
- ☐ Wird von anderen als »sprunghaft«, »unzuverlässig« oder »instabil« bezeichnet.
- ☐ Stürzt sich »zu schnell« und »zu heftig« in neue Beziehungen.
- ☐ Lässt sich gern tätowieren, um »etwas zu fühlen«.
- ☐ Ist dafür bekannt, extrem nachtragend zu sein.
- ☐ Kanzelt andere ab oder kritisiert sie, wodurch er sie erniedrigt oder beschämt.
- ☐ Behauptet zu vergeben, tut es aber nie: Er merkt sich alle Kränkungen und Ungerechtigkeiten und führt sie in späteren Streitigkeiten wieder an.

- ☐ Geht »schnell an die Decke« und hat eine sehr niedrige Frustrationsschwelle.
- ☐ Scheint unfähig zu beständiger Empathie, Fürsorge oder Liebe.
- ☐ Es ist nicht ungewöhnlich, dass andere Menschen Gespräche mit ihm mit den Worten »Reg dich nicht auf, aber ...« einleiten.
- ☐ Es gibt Hinweise darauf, dass seine Beziehungen immer »stürmisch« sind.
- ☐ Seine Ehe war geprägt von Streit und Verbitterung.
- ☐ Scheint sich immer »zu den falschen Leuten« hingezogen zu fühlen: Gaunern, Drogensüchtigen, gefahrensüchtigen oder verantwortungslosen Menschen.
- ☐ Es scheint ihm egal zu sein, wenn er andere mit seinem Verhalten kränkt.
- ☐ Fühlt sich in seiner Haut nicht wohl; wäre gern ein anderer.
- ☐ Macht bei riskanten Unternehmungen mit, die entweder verboten sind oder andere Menschen gefährden.
- ☐ Ist sehr empfindlich dafür, wie andere über ihn denken oder sprechen. Reagiert auf Kritik gern mit Beschimpfungen.
- ☐ Änderungen im Plan regen ihn fürchterlich auf, verängstigen oder reizen ihn.
- ☐ Hat sich selbst verletzt: durch Ritzen, Kratzen, Beißen, Piercen, Brennen oder das Ausreißen von Haaren.
- ☐ Reagiert erbost oder entrüstet, wenn er keine Sonderbehandlung bekommt.
- ☐ Verhält sich, als wollte er im Zentrum der Aufmerksamkeit stehen – mag das Gefühl nicht, außen vor gelassen zu werden.
- ☐ Lügt, ohne mit der Wimper zu zucken, wenn er davon profitiert.
- ☐ Sie haben gezögert, etwas zu sagen oder zu tun, weil Sie sich vor seiner Reaktion fürchteten oder weil Sie Angst hatten, er könnte sich etwas antun.
- ☐ Ist dafür bekannt, Mitleid zu heischen (etwa indem er vorgibt, krank zu sein).

☐ Seine Qualen, Krankheiten oder Verletzungen sind immer schlimmer als die der anderen.

☐ Fordert enorm viel Zeit und Aufmerksamkeit von anderen Menschen.

☐ Verlangt im Gegenzug für seine Fürsorge Aufmerksamkeit und Ergebenheit.

☐ Hat Kinder speziell dafür adoptiert, damit er »im Alter versorgt ist«.

☐ Versteht keine altruistische Liebe und kann auch keine geben.

☐ Sie fühlen sich von ihm irgendwie »gefangen«.

☐ Seine Gefühle scheinen immer so intensiv.

☐ Ist bekannt für stürmische, aber kurze Affären.

☐ Hat wiederholt geklagt, er fühle sich minderwertig.

☐ Macht nichts für andere Menschen, ohne eine Gegenleistung zu erwarten oder Bedingungen zu stellen.

☐ Hat bereits eine längere Depression bzw. Angststörung oder mehrere kurze Episoden hinter sich.

☐ Ändert seine Loyalitäten schnell, was Sie oder seine Freunde verwirrt und erbost.

☐ Wirkt sehr unsicher und versucht verzweifelt, das zu überkompensieren.

☐ Hat zugegeben, »alle möglichen Drogen« ausprobiert oder genommen zu haben.

☐ Hat erzählt, emotional »außer Kontrolle geraten« zu sein, kann aber nicht erklären, warum.

☐ Hat gedroht, sich Leid anzutun, nur um andere damit zu manipulieren.

☐ Ihr Selbstwertgefühl leidet darunter, dass Sie mit dieser Person Umgang haben.

☐ Fürchtet sich davor, dass Menschen ihm zu nahe kommen oder hält Menschen davon ab.

☐ Hat über eine hartnäckige, nicht näher spezifizierte Krankheit geklagt, die seine Stimmung beeinträchtigt oder ihm seine Energie raubt.

- ☐ Seine Affären sind heiß, aber kurzlebig.
- ☐ Scheint sich selbst oft nicht zu mögen (er mag nicht, wer er ist, wie er aussieht oder wie sein Leben läuft).
- ☐ Hat ein überwältigendes Bedürfnis, dass ein Mensch ihn liebt, vergöttert und sich ausschließlich um ihn kümmert.
- ☐ Behauptet, unter Migräne, Fibromyalgie, Magengeschwüren, Kolitis, einem Reizdarm oder häufigen Kopfschmerzen zu leiden.
- ☐ Seine erwachsenen Kinder haben den Kontakt zu ihm abgebrochen.
- ☐ Ist sehr gut darin, anderen die Schuld zuzuschieben, wenn etwas schiefgeht.
- ☐ Antwortet auf jede Kritik mit Gegenkritik, auch wenn sie unlogisch oder völlig ungerechtfertigt ist.
- ☐ Befindet sich in einem ständigen Machtkampf mit Ihnen und anderen.
- ☐ Ist stur und streitsüchtig; scheint immer das letzte Wort haben zu müssen.
- ☐ Erweist sich oft als extrem schlechter Planer (vergisst etwa, etwas zu essen oder zu trinken für die Kinder mitzunehmen), als hätte er überhaupt keinen Sinn für Prioritäten.
- ☐ Schwankt zwischen den Extremen, andere Menschen zu vergöttern und sie abgrundtief zu hassen.
- ☐ Scheint nur im Jetzt zu leben; macht kaum Pläne für seine finanzielle oder berufliche Zukunft.
- ☐ Scheint nicht aus früheren Beziehungen oder aus Lebenserfahrung zu lernen.
- ☐ Wünscht sich eine Beziehung mit einem »Idealmenschen«, der sich ausschließlich um ihn kümmert, ihm alles gibt und immer verfügbar ist – wobei es solche Menschen in der Realität gar nicht gibt.
- ☐ Ist zutiefst enttäuscht und macht andere herunter, wenn er nicht bekommt, was er will.
- ☐ Ist auf mehreren Gebieten impulsiv: wechselt häufig die Sexualpartner, gibt ungehemmt Geld aus, nimmt Drogen, fährt rücksichtslos,

hat Fressanfälle, zockt, säuft oder geht ganz allgemein gewaltige Risiken ein.

- ☐ Selbst bei einer kurzen Begegnung schafft er es, dass Sie oder andere sich ängstlich, aufgewühlt, zornig oder »stinkwütend« fühlen.
- ☐ Sucht ständig nach Entschuldigungen oder Intrigen, die erklären sollen, warum er die ihm zustehende Beförderung oder Anerkennung nicht bekommen hat.
- ☐ Sucht sich für Affären gezielt Partner, die schon verheiratet oder gebunden sind.
- ☐ Rendezvous-Partner haben schon nach einem kurzen Treffen erklärt, sie hätten ein übles Gefühl bekommen, irgendetwas habe da nicht gestimmt.
- ☐ Sie oder andere haben ihn mit den Ausdrücken »durchgeknallt« oder »verrückt« beschrieben.
- ☐ Wirkt launisch und scheint ohne ersichtlichen Grund an die Decke gehen zu können.
- ☐ Hat sich ohne vernünftigen Grund spektakulär gegen geliebte Menschen gewendet.
- ☐ Falls er sich in Therapie befindet: Hat sich mit dem Therapeuten zerstritten, obwohl er ihn zuvor in den höchsten Tönen gepriesen hatte.
- ☐ Liebt das unbelastete Leben »auf der Überholspur« oder verhält sich gern verantwortungslos.
- ☐ Vergisst wichtige Pflichten, etwa Heizöl zu besorgen, Rechnungen zu begleichen oder Steuern zu bezahlen, obwohl er das Geld dazu hätte.
- ☐ Seine Kinder scheinen ihm eher eine Last als eine Freude zu sein.
- ☐ Setzt Erniedrigung als Strafe ein.
- ☐ Hat seine Kinder allein zurückgelassen, um mit Freunden auszugehen oder zu feiern.
- ☐ War schon mit sehr vielen Männern zusammen, oft mit miesen Typen.
- ☐ Kinder klagen darüber, daheim ignoriert, gedemütigt oder sogar misshandelt worden zu sein.

- ☐ Wirkt emotional distanziert, selbst wenn er sich Mühe gibt.
- ☐ Er hat wiederholt Ihnen die Schuld für seine Probleme und seine Unzufriedenheit gegeben.
- ☐ Fühlt sich in Gruppen geborgen und glücklich; mag es nicht, allein zu sein.
- ☐ In seinem Leben scheint es immer Spannungen zu geben (fast alles wird negativ aufgefasst).
- ☐ Wirkt dünnhäutig.
- ☐ Hat von Ihnen verlangt, sich in einem Konflikt auf seine Seite zu stellen.
- ☐ Wirkt völlig gleichgültig gegenüber freundlichen oder großzügigen Taten von Menschen, die sich sorgen oder helfen wollen.
- ☐ Ist extrem empfindlich für Signale, dass jemand ihn verlassen will.
- ☐ Hat wiederholt über Angstzustände oder Depressionen geklagt.
- ☐ Hat jemanden aus seiner Vergangenheit wiederholt verfolgt oder bedrängt.
- ☐ Lässt Wunden auf seiner Haut nicht vernarben und kratzt sogar in der Öffentlichkeit am Schorf. Ritzt sich mit scharfen Gegenständen, wenn er sich gestresst fühlt.
- ☐ Scheint seine Ausbrüche von Wut und Feindseligkeit nicht kontrollieren zu können.
- ☐ Bei ihm wurde Anorexie oder Bulimia nervosa diagnostiziert.
- ☐ Mindestens zwei der folgenden Ausdrücke wurden verwendet, um ihn zu beschreiben: »schrecklich«, »zickig«, »durchgeknallt«, »unmöglich«, »verrückt«, »durchgedreht«.
- ☐ Hat sich einer Sekte angeschlossen oder schwärmt von einem »Guru«, Meister oder Trainer, dem er bedingungslos folgt.
- ☐ Sie haben das Gefühl, in seiner Gegenwart wie auf Eiern gehen zu müssen.
- ☐ Leidet bekanntermaßen an einer histrionischen, paranoiden, Borderline-Persönlichkeitsstörung o. Ä.
- ☐ Hat im Zorn mehr als einmal einen Partner geschlagen.

- ☐ Bei ihm wurde eine bipolare (früher: manisch-depressive) Störung diagnostiziert, oder er leidet unter starken Stimmungsschwankungen.
- ☐ Hat laut von Rache fantasiert oder sie tatsächlich genommen (z. B. Reifen zerstochen, Auto mit einem Schlüssel zerkratzt, Hassbriefe verschickt).
- ☐ Hat gewaltige Anstrengungen, enorme Kosten oder eine weite Reise auf sich genommen, um jemanden zu verfolgen, zu überwachen oder zu belästigen.
- ☐ Hat am Arbeitsplatz große Wut auf seine Kollegen geäußert.
- ☐ Hat das Eigentum eines Exkollegen, -freundes, -zimmergenossen, -partners oder eines Familienmitglieds beschädigt oder zerstört.

Auswertung:

15 bis 35 Kreuzchen: Dieser Mensch kostet andere gelegentlich Nerven; es kann schwierig sein, ihn als Partner oder Kollegen zu haben.

36 bis 65 Kreuzchen: Der Betreffende zeigt alle Anzeichen und Verhaltensweisen einer emotional instabilen Persönlichkeit. Er benötigt Hilfe und wird im Leben aller Menschen, die ihm nahestehen, Unheil anrichten.

66 und mehr Kreuzchen: Dieser Mensch ist massiv emotional instabil und stellt eine Gefahr für die Gefühle, die Psyche, die Finanzen und sogar die körperliche Gesundheit anderer Menschen dar.

Sofortmaßnahmen

Wenn Sie es mit einer emotional instabilen Persönlichkeit zu tun haben, müssen Sie sich zuallererst klarmachen, dass sie professionelle Hilfe von Spezialisten braucht, die mit solch komplexen und zerrissenen Persönlichkeiten umzugehen gelernt haben. Die Therapie wird lang und intensiv, aber sie kann durchaus helfen – wenn die Person sich denn überhaupt helfen lassen will, denn die Therapie erfordert auch von den psychisch Kranken eine große Anstrengung.

Sollten Sie versuchen, diese Person zu einer Therapie zu bewegen, springt diese Ihnen dafür wahrscheinlich ins Gesicht. Wenn das Zusammenleben mit diesem Menschen Sie reizbar, wütend, traurig oder deprimiert gemacht hat, wenn dieser Mensch Sie durch sein Verhalten zum Opfer gemacht hat, brauchen Sie möglicherweise selbst professionelle Hilfe. Diese Typen sind derart zerstörerisch, dass sie Ihnen tiefe Wunden beibringen können, ohne Sie auch nur anzurühren.

Setzen Sie strikte Grenzen, welches Verhalten Sie noch dulden. Das führt anfänglich zu Konflikten, sorgt aber, wenn Sie auf diesen Grenzen bestehen, zumindest eine Zeit lang für Stabilität. Verletzt die emotional instabile Persönlichkeit Ihre Grenzen wiederholt oder traumatisiert sie Sie weiter, bestätigt Ihnen das, dass Sie es mit einer ernsthaft gestörten Person zu tun haben und sich von ihr distanzieren müssen. Niemand kann von Ihnen verlangen, dass Sie sich misshandeln oder zum Opfer machen lassen. Sollten Sie gegen diesen Rat handeln und sich weiter mit dieser Person abgeben, dürfen Sie sich nicht wundern, wenn sie weitermacht wie bisher und Ihr ganzes Leben auf den Kopf stellt.

Wenn diese Person laut darüber nachdenkt oder androht, sich Leid anzutun, müssen Sie den Notruf wählen. Für Probleme dieser Art sind Profis zuständig. Wenn Sie Kinder haben: Bedenken Sie, dass die Kinder sich gegen diese Person nicht wehren können und Ihren Schutz brauchen. Unternehmen Sie Schritte, um sich und die von Ihnen geliebten Menschen zu schützen. Sie haben eine moralische Verpflichtung, Kindern den Zorn dieser Personen zu ersparen. Weitere Strategien finden Sie in Kapitel sechs.

Anmerkungen:

[1] Kashner/Schoenberger, 2010

[2] Spoto, 1993; Taraborelli, 2009

[3] Guinn, 2013

[4] Spoto, 1993; Taraborelli, 2009

[5] Coscarelli, 2013; Van Horn, 2013

[6] de Becker, 1997, S. 235f.; Bugliosi, 2008

[7] Dickinson, 2012

[8] Hedges, 2005

DRITTES KAPITEL

»Trau niemandem, dann kann niemand dir wehtun.«

Die paranoide Persönlichkeit

Im Film *American Beauty* von 1999 spielte Chris Cooper brillant die Rolle des Nachbarn Colonel Frank Fitts, einen ehemaligen Marine-Soldaten. Allein an den nonverbalen Signalen können wir schnell erkennen, dass in dieser Familie etwas nicht stimmt. Fitts' Frau bewegt sich roboterhaft und wagt nicht zu sprechen. Wenn es an der Tür klingelt, erstarren alle. Fitts reagiert, wie er es immer macht: Statt zur Tür zu gehen, verhört er Frau und Sohn, wer an der Tür sein könnte.

Fitts fürchtet Fremde und neugierige Nachbarn, im Haus sperrt er alles weg. In seinen Augen verkommt die Welt, und er gehört zu den wenigen, die das begreifen. Zum Glück kennt er auch die Lösung für alle Probleme: Die Schwulen, Fremden, Schwarzen und sogar sein unvollkommener Sohn sind schuld. Er misstraut seiner Familie und versichert sich immer wieder der Treue seiner Angehörigen. Im Haushalt der Fitts' gibt es weder Gelächter noch Romantik. Seit Jahren sind keine Freunde mehr zu Besuch gekommen. Alles muss auf Franks Art gemacht werden. Frau und Sohn bewegen sich vorsichtig, um nur ja nichts zu tun, das Franks Verdacht erregen oder seinen Zorn wecken könnte.

Starrköpfig, reizbar und ständig moralisierend macht Frank allen das Leben sauer, die mit ihm in Kontakt kommen, insbesondere seiner Familie. Frank ist eine paranoide Persönlichkeit.

Und glauben Sie bloß nicht, in Wirklichkeit verhalte sich niemand so. Dort draußen laufen Millionen mehr oder weniger paranoide Menschen herum. Einer davon lebte einmal neben uns.

Mr. »P.«, mein Nachbar während meiner Kindheit in Miami, verließ nur selten das Haus. Wenn überhaupt, dann nur, um die Kinder anzubrüllen, die in der Nachbarschaft spielten. Er war Rentner, saß am Fenster und beobachtete alle Passanten. Seine Frau hatte keine Freunde und verließ ebenfalls kaum je das Haus. Einmal begrüßten wir sie, sie winkte zurück – und er brüllte sie dafür an. Er vergiftete mehrere Tiere, die auf sein Grundstück gestreunt waren, und gab vor uns sogar noch damit an: zur Warnung.

Ich habe P. nie lächeln oder lachen gesehen, er war völlig verbiestert. Als einmal ein Vertreter mit zwei Musterkoffern an unser Haus kam, rief P. die Polizei. Warum, ist mir bis heute schleierhaft, aber ich weiß, dass meine Mutter wegen der Sache von der Arbeit kommen musste. Das war nur eine Belästigung von vielen, die über die Jahre zusammenkamen.

Die Kinder in der Nachbarschaft hielten ihn einfach für »seltsam«. Wir fanden es schräg, dass seine Frau nicht mit den anderen Hausfrauen reden durfte. Der eine oder andere sagte, P. sei »exzentrisch«. Niemand erkannte oder sagte uns, dass wir es mit einem Paranoiker zu tun hatten. Hätten wir das gewusst, hätten wir P. vielleicht den Raum gelassen, den er brauchte, und meine Eltern hätten sich die Demütigung erspart, einen freundlichen Plausch mit ihm zu versuchen und dafür rüde angeblafft zu werden.

Die paranoide Persönlichkeit wird von irrationalen Ängsten verzehrt und traut niemandem. Ihr Misstrauen kennt keinerlei Grenzen. Von ihren festgefügten Ideen lässt sie sich auch durch logische Argumente nicht abbringen. Sie ist wertend, voreingenommen und nervös. Sie sieht nur den Tunnel, nicht das Licht am anderen Ende. Ist man nett zu ihr, wittert sie Hintergedanken. An Altruismus glaubt sie nicht.

Wir alle verfügen über einen inneren Alarm, der uns vor Gefahren warnt. Bei paranoiden Persönlichkeiten scheint dieses System überaktiv zu sein und vor allem und jedem zu warnen: vor mir, vor dir, vor Nachbarn, Kollegen, Fremden, der Regierung und so weiter und so fort. Dieses manische Misstrauen bestimmt ihr gesamtes Leben und möglicherweise auch dasjenige ihres Umfelds.

Wenn ich Vorträge halte, bitte ich das Publikum oft, mir per Handzeichen anzuzeigen, ob sie so jemanden kennen. Anfangs werden nur ein paar Arme gehoben. Doch nachdem ich die wichtigsten Charaktermerkmale beschrieben habe – ist schnell beleidigt, streitsüchtig, eifersüchtig und nachtragend; wittert immer einen egoistischen Grund für das Verhalten anderer; lehnt sich gegen Regeln auf; fürchtet oder hasst alle, die anders sind –, sieht man direkt, wie den Menschen die sprichwörtlichen Lichter aufgehen. Immer mehr Hände gehen nach oben. So mancher kichert oder verdreht die Augen, weil er in der Beschreibung einen Kollegen wiedererkennt, dem alle anderen aus dem Weg zu gehen gelernt haben. Andere wiederum schließen die Augen und zeigen den betroffenen Gesichtsausdruck von Menschen, die schwer verletzt wurden.

In meinen Jahren bei Polizei und FBI bekamen wir unzählige Male mit den Schäden zu tun, die diese Typen anrichten. Doch selbst wir nannten ihr Verhalten nicht beim Namen, selbst wir verstanden ihre Störung nicht richtig. Was gelegentlich tödliche Folgen hatte:

Jerry Kane und sein Sohn Joseph aus Little Rock (Arkansas) waren beide schwer paranoid, extrem misstrauisch gegenüber Regierung und Polizei. Sie glaubten, das Recht gelte für sie nicht. Als zwei Polizisten sie wegen eines kleineren Verkehrsdelikts stoppten, diskutierten sie deswegen auch nicht lange: Vater und Sohn Kane zogen automatische Waffen und erschossen die Beamten. Der Vorfall wurde von der Kamera auf dem Armaturenbrett des Streifenwagens gefilmt und kann noch immer auf YouTube angesehen werden. Hätten diese Beamten gewusst, dass sie es nicht mit »seltsamen« oder »exzentrischen« Bürgern, sondern mit paranoiden Persönlichkeiten zu tun hatten, würden sie vielleicht heute noch leben.

Sehen Sie sich nur um, dann entdecken auch Sie einige paranoide Persönlichkeiten:

- Den Autofahrer, der sich von Ihnen geschnitten fühlt und der Sie deshalb verfolgt, mit wildem Hupen, Lichthupe, obszönen Gesten und Flüchen. Möglicherweise folgt er Ihnen bis zu Ihnen nach Hause.

- Den Mann, der glaubt, alle würden seine Freundin oder Frau anmachen. Auf Partys steckt er seine Nase in alle Gespräche seiner Partnerin (speziell die mit Männern) und sorgt dafür, dass niemand lange bleibt.
- Den grässlichen Verehrer, der Sie bei der ersten Verabredung volltextet, alles besser weiß, allem widerspricht, was Sie sagen, oder Ihre Ideen als Unfug abtut. (Wenig überrascht stellen Sie fest, dass er keine Freunde hat.)
- Den Verwandten, der Sie ständig von irgendeinem pseudowissenschaftlichen Heilmittel überzeugen will oder wieder mal einen Guru gefunden hat, der die Welt genauso sieht wie er selbst.
- Den Kollegen, der sich häufig beschwert, dass andere Beförderungen oder Boni bekommen.
- Den Querulanten, der fast wöchentlich auf einer Amtsstube erscheint und sich beschwert oder mit Klagen droht.
- Den anonymen Verfasser eines ätzenden Online-Angriffs auf Sie, der Ihnen vorwirft, einen heimlichen Plan zu verfolgen, und zu wissen behauptet, was Sie »wirklich meinten«.
- Den einsiedlerischen Nachbar, der Ihnen ständig was von der neuen »Weltordnung« erzählen will, von »Verschwörungen« und Geheimbünden, die die Regierung kontrollieren.
- Den Exkollegen oder -partner, der wutentbrannt im Büro auftaucht, unangemeldet und bewaffnet.
- Den brillanten Wissenschaftler, dem niemand zuhört und der sich deshalb in eine miefige Hütte in Montana zurückzieht und (insgesamt 16) Briefbomben verschickt, um vor den Gefahren der Technik zu warnen. Auf diese Weise tötete der »Unabomber« Ted Kaczynski, denn von ihm ist hier die Rede, drei Menschen und verletzte 23.

Diese Menschen sind nicht nur schrullig. Sie werden von irrationalen Ängsten und Misstrauen getrieben. Sie sind dünnhäutig und reagieren überaus schnell und extrem. Wenn man sie verärgert, zurückweist oder bloßstellt, schlagen sie zurück und können äußerst gefährlich werden.

Kombiniert man Narzissmus und Paranoia, kommt Gewalt heraus, im Kleinen wie im Großen, vom Kleinganoven über den Sektenanführer bis hin zum Diktator, der nach seinen eigenen Regeln lebt, andere Menschen dämonisiert und alles vernichtet, was sich ihm in den Weg stellt. Es reicht schon ein winziger, unvorhersagbarer Auslöser, und Leute wie der Expolizist Christopher Dorner ticken völlig aus. Dorner war überempfindlich, fühlte sich zurückgesetzt und war unfähig, seine Ängste zu überwinden. Also griff er 2013 seinen Exarbeitgeber an, tötete zwei Polizisten und verwickelte weitere in ein Feuergefecht.

Trotz der Gefahr, die von dieser Persönlichkeitsstörung ausgeht, ist sie relativ schlecht erforscht. Paranoia lässt sich auch deswegen so schwer behandeln, weil die Betroffenen nicht wahrhaben, dass ihnen etwas fehlt. Außerdem hinterfragen sie die Motive aller Menschen, die ihnen helfen wollen. Nur zu oft sind sie ihrer Störung ausgeliefert - und wir auch.

Grundzüge der paranoiden Persönlichkeit

Jeder FBI Special Agent, der je (wie ich) Beschwerdedienst hatte, kennt diese Typen, die ständig persönlich vorstellig werden oder anrufen. Dauernd jammern sie über Bedrohungen, Feinde, Verschwörungen, Intrigen oder die Untätigkeit der Regierung, die einfach nicht auf ihre Hinweise reagiert.

Gelegentlich saßen während ihrer endlosen Vorträge die jeweiligen Ehepartner stumm daneben, das Gesicht zerfurcht von der Qual, mit so einem Menschen zusammenleben zu müssen. Andere Bürger baten uns zu vermitteln, weil ihr Partner (meistens der Mann) ein Vermögen für Waffen, Bunker, Nahrungsmittelvorräte und Wasseraufbereitungsanlagen ausgegeben hatte.

Der Beschwerdeschalter des FBI war für sie der letzte Ausweg, nachdem alle anderen Familienmitglieder aufgegeben hatten - und natürlich war kein Geld mehr für einen Psychologen übrig.

Da mich während meiner Ausbildung niemand über das Wesen des Paranoikers aufgeklärt hatte, verschwendete ich wertvolle Stunden im Versuch, diese Personen mit logischen Argumenten von ihrem Irrtum zu überzeugen - Stunden, in denen ich auch Verbrechen hätte aufklären können. Mit der Zeit lernte ich, einfach zuzuhören, nicht zu widersprechen oder Gegenargumente anzuführen. Die paranoide Persönlichkeit will sich lediglich in ihren Ansichten bestätigt sehen, und dafür braucht sie ein williges Publikum.

Aus Film und Fernsehen kennt man den Paranoiker als durchgedrehte Type mit irrem Blick, etwa den von Jack Nicholson gespielten Jack Torrance im Horrorfilm *Shining*. Aber das ist Showbusiness. Die Wirklichkeit sieht ganz anders aus, weitaus differenzierter.

Manche Paranoiker sind still und zurückhaltend, fast schüchtern, trotzdem blicken sie mit eisernem Misstrauen auf die Welt. Andere wiederum sind melodramatisch, lautstark, sogar kämpferisch. Unterhaltungen mit ihnen werden schnell verbissen, weil sie Auseinandersetzungen lieben. Bei Demonstrationen fallen sie oft auf, weil es ihnen nicht reicht, ihren Standpunkt zu verkünden. Nein, sie werden ausfallend, sie randalieren, schubsen andere herum, blockieren Autos, zerstören Eigentum. Sie bewegen sich nah am Rand zur emotionalen Instabilität – fehlt nur noch ein Auslöser.

Manche Paranoiker sind geistige Federgewichte, andere ausgesprochen clever und tüchtig. Ted Kaczynski ist ein außerordentlich kluger Mensch (Doktor der Mathematik), gewitzt darin, Bomben zu basteln und seine Spuren zu verwischen. Der Milliardär Howard Hughes war klug, aber sehr paranoid, zog sich die letzten zehn Jahre seines Lebens in Hotelzimmer zurück und starb 1976 isoliert von der Welt. Jimmy Lee Dykes war für seine Verdienste in der Navy mit Orden ausgezeichnet worden, bedrohte aber zu Hause seine Nachbarn. Das ganze Dorf zitterte vor dem seltsamen Typen, der nachts auf seinem Anwesen bewaffnet Wache lief, fremde Hunde erschoss, die auf sein Grundstück streunten und Nachbarn mitunter mit der Waffe bedrohte. Kurz vor einem Gerichtstermin erschoss er 2013 einen Schulbusfahrer, kidnappte einen fünfjährigen Buben und verschleppte ihn in seinen Bunker. Nach sechstägiger Belagerung befreite die Geiselrettungseinheit des FBI den Jungen und erschoss Dykes dabei.

Sein Verhalten wurde, typisch für den Paranoiker, nicht vom Verstand gesteuert, sondern von seiner irrationalen Angst.

Egal, ob zu Hause oder bei der Arbeit – irgendetwas erregt immer den Verdacht dieser Person. Vielleicht ein Nachbar, spielende Kinder, Flugzeuge am Himmel oder die Stromleitungen, die in der Nähe des Hauses vorbeiführen. Paranoide Menschen brauchen Platz, Einsamkeit und Abstand, das mildert ihre Ängste. Aber die Angst verschwindet nie ganz, denn Paranoia kommt ja von innen. Manche grenzen sich in der Schule, auf der Arbeit oder sogar innerhalb ihrer Familien ab – sie werden zu »Einzelgängern«. Einige gehen noch weiter und ziehen sich in die Wildnis zurück, etwa in die Wüsten des amerikanischen Südwestens, in die Weiten Idahos, Montanas oder Alaskas, um endlich allein sein zu können oder um sich auf ein apokalyptisches Ereignis vorzubereiten. Gelegentlich finden sie in Vereinigungen oder Sekten Zuflucht, die ebenso denken wie sie. Dort müssen sie den anderen ihre Ängste oder Verschwörungstheorien nicht groß erklären.

Und dann gibt es die wahren Exzentriker. Sie kleiden sich merkwürdig, um ihre Mitmenschen einzuschüchtern oder zu beleidigen. Vielleicht tragen sie Kampfanzug und Kampfmesser, vielleicht laufen sie auch mit Hakenkreuzbinde herum. Natürlich nimmt ihr Umfeld diese Merkwürdigkeiten wahr und kommentiert sie. Das wiederum bekräftigt den Paranoiden in seinem Glauben, die anderen redeten über ihn.

Manchmal treibt die Paranoia Menschen in rassistische Vereinigungen. Sie hören sich deren Radiosendungen an, gehen auf deren Demos, übernehmen Embleme, Zeichen, Kleidung und Hass-Tätowierungen. Das sind die Gefährlichen: diejenigen, die gleichgesinnte »wahre Gläubige« suchen, wie Hoffer uns in seinem bemerkenswerten Buch *Der Fanatiker* warnte. Sie treten dem Ku-Klux-Klan bei, den Skinheads, Aryan Nations und anderen Rassistenbanden, um gemeinsam zu hassen und Minderheiten zu verfolgen. Ihren leidenschaftlichen Hass und ihre Verunsicherung mit anderen teilen zu können gibt manchen ansonsten ziellosen Menschen einen Lebenssinn und eine Aufgabe.[1]

Manchmal tun sich auch nur zwei paranoide Menschen zusammen, die ähnlich ticken, und richten gemeinsam Unheil an. Der Bombenanschlag auf den Boston Marathon 2013 etwa wurde von den Gebrüdern Tsarnaev verübt. Auch Timothy McVeigh, der das Alfred P. Murrah Federal Building in Oklahoma in die Luft sprengte, fand in Terry Nichols einen Komplizen.

Und wenn sie keinen Gesinnungsgenossen finden, handeln sie allein, wie Anders Behring Breivik, ein rassistischer Spinner, der die Überflutung Norwegens durch Fremde fürchtete. Also zog er 2011 los und brachte 77 Menschen um, überwiegend Jugendliche.

Wie Sie sehen können, äußern sich paranoide Persönlichkeitsstörungen sehr unterschiedlich; die Spanne geht von nervig über unausstehlich bis hin zu extrem reizbar und gefährlich. Doch in gewissem Umfang haben alle paranoiden Menschen die nachfolgend beschriebenen Merkmale gemeinsam.

Extrem misstrauisch, angsterfüllt, geheimniskrämerisch

Ihr krankhafter Argwohn treibt diese Menschen dazu, anderen unweigerlich böse Absichten oder egoistische Motive zu unterstellen. Selbst unabsichtliche Kränkungen nehmen sie als gezielten Affront wahr. Sie verhalten sich oft geheimniskrämerisch und verraten möglichst wenig von sich. Sie lügen, um ihre wahren Ansichten, Absichten oder sogar ihren Aufenthaltsort zu verschleiern. Selbst zu Hause schließen sie oft Dinge vor ihren Partnern und Kindern weg. Nicht selten haben sie einen absperrbaren Schrank oder ein Zimmer, das sonst niemand betreten darf. Wenn man nicht mal mehr seiner eigenen Familie vertraut, ist man paranoid, punktum. Mit dem verständlichen Wunsch nach Privatsphäre lässt sich solches Verhalten nicht mehr erklären.

Es gibt fast nichts und niemanden, vor dem sich paranoide Menschen nicht zuweilen fürchten: vor Türken, Farbigen, Katholiken, Juden, Mormonen, Baptisten, Nicht-Muttersprachlern, Stromleitungen, Mobilfunkmasten, dem Zusammenbruch der Nahrungsmittelversorgung, Fluor im Trinkwasser, Nachbarn, Flugzeugen über ihren Köpfen, Abtreibungskliniken, Tierversuchen, Pharmafirmen, der neuen Weltordnung, Menschen mit blauem Beret, Ausländern, Mikrofonen, der Regierung, dem Finanzamt, Asiaten, Technik und so weiter und so fort. Ach, und nicht zu vergessen: Sie fürchten sich auch vor dem Kollegen am nächsten Schreibtisch, dem Chef, dem Management, der Personalabteilung, dem Computersystem, der Versicherungsgesellschaft, dem E-Mail-System im Büro und möglicherweise sogar vor Ihnen. Jedes dieser Individuen hat seine eigenen Ängste und Spleens, die sie unweigerlich auch äußern, wenn man länger Kontakt mit ihnen hat.

Manche Paranoide sind derart misstrauisch, dass sie Listen über das Kommen und Gehen von Kollegen, Nachbarn, Familienmitgliedern, Fremden oder sämtlichen Passanten anlegen. Ted Kaczynski machte genau das in seiner entlegenen Hütte in Montana. Präsident Richard Nixon führte eine Liste von Feinden und redete oft davon, dass er »niemandem trauen« könne.[2]

Voreingenommen, diskussionsfreudig, zu Hass neigend

Anpassungsfähigkeit ist das Markenzeichen gesunder Menschen. Wir übernehmen neue Ideen und reagieren auf sich verändernde Umstände. An manchen Überzeugungen halten wir zwar unerschütterlich fest (etwa an religiösen oder politischen Ansichten), akzeptieren aber, wenn andere Menschen andere Ansichten haben. Für die paranoide Persönlichkeit gilt das nicht. Sie hält ihre extreme Empfindlichkeit für Scharfsichtigkeit, deshalb erübrigt sich jede Debatte mit ihr. Logische Argumente oder solide Beweise bedeuten ihr nichts. Es reicht schon, ihr zu widersprechen, um als Beteiligter an der Verschwörung gegen sie oder sogar als Feind eingestuft zu werden.

Die paranoide Persönlichkeit verdreht die Geschichte, pickt sich Passendes heraus, verknüpft völlig unzusammenhängende Ereignisse und Ideen, bis sie ihre Ansichten bestätigt und ihre Handlungen gerechtfertigt sieht, etwa die Ermordung von Abtreibungsärzten.[3] Im Jahr 1994 lauerte Paul Jennings Hill einem Abtreibungsarzt, Dr. John Britton, und dessen Freund und Bodyguard James Barrett auf und tötete sie. In seinem paranoiden Wahn hielt Hill diesen Doppelmord für gerechtfertigt. So ist das Denken der paranoiden Persönlichkeit: verzerrt, starr, unnachgiebig – um ungeborenes Leben zu schützen, darf man bereits lebende Menschen töten.

Die paranoide Persönlichkeit weiß oft extrem viel über einen winzigen Bereich und schießt sich total auf Kleinigkeiten ein – eine Bibelstelle, ein einzelnes soziales oder politisches Problem, das der Normalbürger für ziemlich nebensächlich hält. Timothy McVeigh etwa war ganz besessen von der Militarisierung polizeilicher Überfallkommandos in den 1990er-Jahren und ihrem Vorgehen 1992 gegen Randy Weaver und seine Familie in Ruby Ridge. Als Protest dagegen (und aus einem allgemeinen Hass gegen die Regierung) sprengte er in Oklahoma ein Verwaltungsgebäude und tötete dabei 168 Unschuldige, darunter auch Kinder.

Die paranoide Persönlichkeit ist für Logik und empirische Beweise nicht sehr empfänglich. Ihre Theorien untermauert sie gern mit zweifelhaften oder obskuren Beispielen aus der Geschichte, mit fragwürdigen Beweisen und Zitaten aus esoterischen Werken unbekannter Autoren.

Aus den Zutaten starres Denken, fixe Ideologie, selektives Gedächtnis und irrationale Angst lässt sich eine ätzende Suppe des Hasses brauen. Ich rede hier nicht von Abneigung, wie Sie und ich sie auch kennen, sondern von blindem, entmenschlichendem Hass. Fügt man zu dieser Mischung noch Narzissmus hinzu, bekommt man Psychopathen, die bereit und fähig sind, ihren Hass mit schrecklicher Grausamkeit auszuleben: Schüler, die in Klassenräume schlendern und ihre kreischenden, Deckung suchenden Mitschüler abknallen, wie es 1999 an der Columbine Highschool passiert ist. Die Täter: zwei paranoide Teenager, die sich für etwas Besonderes hielten.

Viele paranoide Persönlichkeiten sehen Gewalt als die einzige Möglichkeit, ihre völlig überzogenen Ziele überhaupt oder schnell genug zu erreichen. Ihr magisches Denken geht in etwa so:

»Wenn ich nur genug Forscher töte, stoppe ich den Fortschritt der Wissenschaft.« (»Unabomber« Ted Kaczynski; drei Tote, 23 Verletzte)

»Wenn ich ein Gebäude sprenge, stoppe ich das FBI und verhindere Überfallkommandos.« (Timothy McVeigh, Attentäter von Oklahoma; 168 Tote, mehr als 800 Verletzte)

»Wenn ich während der Olympischen Spiele in Atlanta eine Bombe zünde, werden zukünftig in Amerika keine Abtreibungen mehr durchgeführt.« (Eric Rudolph, Olympiaattentäter 1996; zwei Tote, 111 Verletzte)

»Wenn ich genügend Amerikaner töte, ziehen sich die USA aus dem Nahen Osten zurück.« (Osama bin Laden, der Kopf hinter den Anschlägen vom 11. September 2001; fast 3000 Tote, geschätzt 6000 Verletzte)

»Wenn ich nur genügend Menschen töte, wird die Regierung meine Warnungen vor einer Überfremdung Norwegens endlich ernst nehmen.« (Anders Behring Breivik, 77 Tote)

Jedem – außer ihnen selbst – ist sonnenklar, dass die Taten nicht zum erwünschten Effekt führen werden. Ihr Denken ist nicht magisch, es ist schlicht krank. Mit Gewalt lässt sich nicht erreichen, was sie gerne ändern würden, aber so denken schwer paranoide Menschen mitunter.

Sammelt Verletzungen, hegt Groll

Ähnlich wie die emotional instabile Persönlichkeit, nur noch penibler, »sammelt« auch die paranoide Persönlichkeit Verletzungen. Jeder winzige Fehler, jedes wahrgenommene Unrecht, absichtlich begangen oder nicht, wird als schwarzer Fleck auf Ihrem Charakter und als Zeichen Ihrer Treulosigkeit vermerkt. Kein – realer oder nur eingebildeter – Fehltritt wird vergessen oder vergeben. Und zählt ein Paranoiker Sie erst einmal zu seinen Feinden, fühlt er sich berechtigt, Maßnahmen gegen Sie zu ergreifen: Sie zu schneiden, Ihnen in den Rücken zu fallen, gegen Sie zu intrigieren, Ihr Eigentum zu beschädigen oder zu zerstören und in extremen Fällen sogar, Sie zu töten.

Die Geschichte kennt unzählige paranoide Sammler von Verletzungen. Osama bin Laden rechtfertigte seine Anschläge auf das World Trade Center als Rache für die Kreuzzüge im 11. Jahrhundert. Ted Kaczynski sammelte Verletzungen aus der Zeit der industriellen Revolution, während Timothy McVeighs Wut über die Regierung mit den Geschehnissen von Ruby Ridge (1992) und dem Sturm des Davidianer-Anwesens in Waco (1993) begann. Für die paranoide Persönlichkeit ist das Sammeln von Verletzungen eine Notwendigkeit; sie braucht das ihr angeblich angetane Unrecht, um ihre Handlungen zu rechtfertigen. Dabei geht sie bei Bedarf beliebig weit in die Vergangenheit zurück oder wirft ihr Netz fast beliebig weit aus.

Paranoide Menschen haben ein sagenhaftes Gedächtnis für alte Feindschaften, historische Ungerechtigkeiten und gesellschaftliche Herabsetzungen. Mit diesen gesammelten Verletzungen rechtfertigen sie ihre Paranoia, ihren Hass und ihre Taten. Hitlers *Mein Kampf* ist eine einzige wirre, weitschweifige Aufzählung von Verletzungen, hauptsächlich zugefügt durch Juden in den letzten 2000 Jahren.

Worte, die den Paranoiden beschreiben

Hier die politisch nicht korrekten, unzensierten Ausdrücke, mit denen Opfer die paranoide Persönlichkeit beschrieben haben: abstoßend, allein, angespannt, anspruchsvoll, alarmistisch, Apokalyptiker, argwöhnisch, arrogant, aufgeregt, aufsässig, ausweichend, barsch, bedrohlich, beleidigend, berechnend, berührt, bescheuert, besessen, besorgt, besserwisserisch, bestürzt, Betonkopf, bewaffnet, bigott, Bluffer, borniert, defensiv, dickfellig, dünnhäutig, durchgedreht, durchgeknallt, Eiferer, eifersüchtig, Eigenbrötler, einseitig, Einsiedler, einzelgängerisch, engstirnig, erbarmungslos, ermüdend, erschreckend, extremistisch, Exzentriker, exzentrisch, Fanatiker, feindselig, fies, fixiert, furchtsam, gemein, glaubt an ein baldiges Ende der Welt, grausam, größenwahnsinnig, großmäulig, hasserfüllt, hat die Wahrheit gepachtet, heimlichtuerisch, hinterfragt alles, hochgradig nervös, Hybris, immer auf der Hut, instabil, intolerant, irrational, Irrer, isoliert, kalt, kleinkrämerisch, kompromisslos, Kontrollfreak, kontrollsüchtig, krank, kratzbürstig, kritisch, leicht entflammbar, leicht zu beeindrucken, leichtgläubig, Lügner, mürrisch, nachtragend, neidisch, neurotisch, nicht ganz dicht, nicht gastfreundlich, nonkonformistisch, Nörgler, obszön, Opfer, pessimistisch, pingelig, provokativ, prozesssüchtig, Querulant, rachsüchtig, Radikaler, Rebell, rechthaberisch, reizbar, reserviert, schwierig, Schwachkopf, seltsam, skeptisch, Sonderling, sorgfältig, Spinner, spröde, steif, streitlustig, streitsüchtig, strikt, stur, Survival-Freak, traut niemandem, überempfindlich, übellaunig, überempfindlich, überkritisch, umsichtig, unausgeglichen, unberechenbar, unflexibel, unheimlich, unmöglich, unnachgiebig, unnahbar, unromantisch, verfolgt, verletzt, Verräter, verrückt, verschlossen, verspannt, verstockt, verwirrend, verwirrt, voller Verachtung, voller Vorurteile, von Angst zerfressen, voreingenommen, vorsichtig, wählerisch, Wahnsinniger, wichtigtuerisch, widerspenstig, widerspricht dauernd, wie vernagelt, Wirrkopf, wütend, zänkisch, zweifelt an allem.

Ihr Effekt auf Sie

Bei meiner Arbeit im Beschwerdedienst des FBI erkannte ich, wie die paranoide Persönlichkeit allmählich jeden in ihrem Umfeld verprellt. Langsam, aber sicher erschöpft sie den guten Willen, die Geduld und die Nächstenliebe aller Menschen um sie.

Ich erinnere mich noch sehr gut an den Besuch eines Paranoikers mit seiner Frau, weil es mich schmerzte, wie traurig sie neben ihrem Mann wirkte, während dieser endlos über dies und jenes schwadronierte, immer wieder zum »Beweis« Zeitungsausschnitte aus einem Schuhkarton zog und mit Anschuldigungen gegen die Regierung und die Vereinten Nationen nur so um sich warf. Ich konnte nichts für ihn tun, weshalb sie nach etwa einer Stunde wieder abzogen. Später rief sie von einem Münztelefon an, um sich zu entschuldigen und mir für meine Geduld zu danken. Sie erklärte, dieses Verhalten habe nach dem Vietnamkrieg angefangen und werde nun Jahr für Jahr schlimmer. Ihre Kinder kämen schon gar nicht mehr zu Besuch, und sein Wahn, die Regierung sei an allem schuld, verdränge allmählich alles andere.

Ich sagte ihr, sie müsse sich nicht entschuldigen. Dann fragte ich, ob sie selbst noch klarkomme. Ihre bestürzende Antwort: »Nein, tue ich nicht.« Mit Tränen kämpfend erzählte sie: »Er macht mir das Leben zur Hölle, aber was soll ich tun? Ich bin gefangen.« Dann hängte sie auf. Die Ausbildung zum Polizisten bereitet einen auf so etwas nicht vor. Ich sehe noch heute vor mir, wie traurig sie dasaß.

Und genau deswegen habe ich die paranoide Persönlichkeit in dieses Buch aufgenommen: Sie richtet großen Schaden in der Psyche ihr nahestehender Menschen an. Angehörige erzählen mir oft, das Zusammenleben mit einem Paranoiker habe sie »emotional zerrüttet«. Das sind harte Worte, und sie müssen entsprechende Folgen haben.

Die paranoide Persönlichkeit kann einem die ganze Lebensfreude aussaugen. Sie sorgt dafür, dass man selbst angespannt, nervös und reizbar wird. Sie nötigt einen, ihre Feindbilder zu übernehmen. Tut man das nicht, macht man sich verdächtig. Neben ihr kann man sich nie entspannen, und wenn sie einen als treulos wahrnimmt, lässt sie ihren ganzen Zorn, ihre ganze Verachtung an einem aus. Bald werden Sie feststellen, dass Ihre eigenen Wünsche oder Träume nichts zählen, denn das paranoide Gehirn ist von einem einzigen Gedanken besessen.

Ist die Paranoia ausgeprägt, dringt niemand mehr zu dem Menschen durch oder erlangt sein Vertrauen. Niemand – weder die eigene Mutter noch Therapeuten oder Polizeibeamte. Die paranoide Persönlichkeit möchte nur noch über das eine, sie beherrschende Thema reden: am Arbeitsplatz, im Urlaub, bei jeder sich bietenden Gelegenheit. Aus Unterhaltungen werden Predigten. Selbst mit einem Kompliment kann man ihr Misstrauen erregen. Das erlebte mein Vater, nachdem er das Auto von Mr. P., unserem Nachbarn, bewundert hatte: Danach war P. noch misstrauischer ihm gegenüber.

Ein paranoider Partner zwingt Sie dazu, Ihren Lebensstil zu ändern; ständig muss man sich an ihn anpassen. Er verliert seinen Arbeitsplatz, weil er sich mit Chefs und Kollegen überworfen hat – und Sie müssen dann Extraschichten arbeiten, um den Einkommensverlust irgendwie wieder auszugleichen. Er streitet sich mit dem Nachbarn – und Sie müssen hinterher Frieden schlichten. Auch Ihre täglichen Abläufe müssen Sie an ihn anpassen, denn der paranoide Mensch zieht sich meist zurück und verlangt das Gleiche auch von Ihnen. Außerdem erwartet er, dass Sie seine fixen Ideen übernehmen und die Welt auf seine verquere Art zu sehen lernen, ob Ihnen das nun passt oder nicht.

Die schlimmsten Paranoiker packen ihre gesamte Familie ein und ziehen mit ihr ans Ende der Welt. Randy Weavers Frau tat das, weil sie glaubte, ein apokalyptisches Ereignis stehe unmittelbar bevor. Ihre Familienmitglieder mussten nicht nur die Entbehrungen ertragen, sondern auch noch den Spott der Umwelt.

Die Gründe für solche Aktionen sind einem normalen Hirn unbegreiflich. Ich persönlich finde die Fälle am traurigsten, in denen sich paranoide Eltern mitsamt ihren Kindern einer Sekte anschließen. Betrachten Sie nur diejenigen, die Jim Jones in seine Siedlung in Guyana folgten. Nicht nur, dass sie ihre Kinder in den Dschungel mitnahmen, in ein Camp, in dem das Dengue-Fieber wütete und das von einem narzisstischen Größenwahnsinnigen geführt wurde. Am Ende brachten sie ihre eigenen Kinder und sich selbst mit Zyanid um. 918 Menschen starben an jenem Tag des Jahres 1978. Auch wer sich in den 1980er- und frühen 1990er-Jahren David Koresh und seiner Sekte anschloss, begab sich in Lebensgefahr, denn Koresh hielt sich tatsächlich für göttlich und allwissend, außerdem glaubte er an einen unmittelbar bevorstehenden Weltuntergang. Wie Jim Jones verlangte er blinden Gehorsam, wie Jim Jones schwadronierte er von einer unmittelbar bevorstehenden Apokalypse. Und wehe dem, der ihm widersprach! Vergessen Sie nie: Wer nicht auf der Seite des Paranoiden steht, gehört zu seinen Feinden.

Die paranoide Persönlichkeit in Beziehungen

Angesichts von überall drohenden Gefahren hat ein Paranoiker natürlich keine Muße für traute Zweisamkeit. Vielleicht sorgt er auf seine ganz eigene Art für Sie, aber er macht sich viel zu viele Gedanken darum, was andere Menschen denken, und er ist viel zu vorsichtig, um sich Partnern oder Freunden zu öffnen. Gespräche mit ihm laufen oft in den immer gleichen Gleisen und kehren immer wieder zu seinem Lieblingsthema zurück. Eigentlich interessiert er sich für nichts anderes als seine fixe Idee. Entsprechend kühl und eindimensional sind seine Beziehungen.

Da er jede Meinungsverschiedenheit als Angriff wertet, kann er mit dem normalen Auf und Ab von Beziehungen nicht umgehen. Ihnen bleibt nichts anderes übrig, als sich ständig mit ihm zu zanken – oder sich in alles zu fügen. Tatsächlich werden viele Partner akut paranoider Menschen wie die Frau von Colonel Fitts in *American Beauty*: gefühllose Roboter, ständig auf der Hut.

Dabei prüft eine paranoide Persönlichkeit schon bei den ersten Verabredungen genau, ob ihr potenzieller Partner wohl gefügig und für ihre Ideen empfänglich sein wird. Sollte das nicht der Fall sein, verschwendet der paranoide Mensch keine weitere Zeit mit diesem Kandidaten, sondern sucht sich jemand Willfährigeren. Gezielt sucht er sich unkritische, gehorsame Partner, die sein Handeln nicht hinterfragen. Das Problem dabei: Die meisten von uns merken das gar nicht, weil niemand uns gewarnt hat. Und wenn man sich erst einmal gebunden hat, kann es zu spät sein.

Frauen und Freundinnen paranoider Männer klagen oft über die völlig unbegründete Eifersucht ihrer Partner. Ständig ruft der Mann seine Partnerin an oder kommt unangekündigt zu ihr in die Arbeit oder nach Hause – aber nicht, weil er sie vermisst hat, sondern um sie zu kontrollieren.

Er geht durch Adressbücher, Anruflisten und E-Mails. Eine Frau erzählte mir, sie habe die Rechnung einer Detektei gefunden, die ihr Mann mit ihrer Überwachung beauftragt hatte – dabei hatte die Frau nur eine Freundin in einer anderen Stadt besucht.

Die paranoide Persönlichkeit versucht mit aller Macht, Sie sozial zu isolieren, sodass Ihr Kontakt zu Freunden und Verwandten über kurz oder lang abreißt. Warum? Weil man niemandem trauen darf. Selbst ihre eigenen Verwandten wenden sich irgendwann ab, der ewigen Verdächtigungen und Unterstellungen leid. An den Freunden Ihres Partners – wenn er denn welche hat – werden Sie auch keine Freude haben, denn paranoide Persönlichkeiten suchen die Gesellschaft von ihresgleichen: von seltsamen, exzentrischen Menschen, die sich kleiden wie sie, verhalten wie sie und den gleichen Unfug glauben – anderen Fanatikern eben.

Die verbohrte Weltsicht des Paranoiden bestimmt das gesamte Leben der Familie. Oft überwacht oder kontrolliert er die Kommunikation, etwa indem er seiner Familie verbietet, Handys und ähnliche Geräte zu benutzen. Vielleicht installiert er auch ein spezielles Programm auf dem Computer, das alle Tastatureingaben registriert. So versucht er herauszubekommen, was Sie wirklich denken oder planen, und Sie davor zu bewahren, von der Welt da draußen »verdorben« zu werden. Gerne verbietet er seinen heranwachsenden Kindern, auf Verabredungen oder Tanzveranstaltungen zu gehen; manchmal dreht er schon durch, wenn eine Tochter sich schminkt. Wie er reagiert, wenn er herausfindet, dass sein Kind homosexuell ist, mag man sich gar nicht vorstellen.

Eine Frau wandte sich ratsuchend ans FBI, weil ihr Mann die Kinder aus der öffentlichen Schule nehmen wollte. Außerdem machte er Kreidemarkierungen an die Reifen des Autos, um sicherzustellen, dass es in seiner Abwesenheit nicht bewegt wurde. Was soll man dazu sagen? So sieht das Leben mit einer paranoiden Persönlichkeit aus.

Paranoia kann überdies ansteckend sein. JoAnn McGuckin zog mit ihrem Mann und sieben Kindern ins ländliche Idaho. Nach dem Tod des Vaters wandte sich die älteste Tochter wegen der Zustände zu Hause an die Behörden: Es gab kaum Lebensmittel, kein fließend Wasser und keine Heizung. JoAnn wurde wegen Vernachlässigung ihrer Kinder verhaftet.

Als die Polizei später wiederkam, um die übrigen Kinder in Verwahrung zu nehmen, freuten die sich nicht, aus Dreck und Not befreit zu werden, sondern gingen nach Art paranoider Persönlichkeiten auf Gefechtsstation. Sie jagten über 20 bissige Hunde auf die Beamten und brüllten: »Zu den Waffen!« Über eine Woche lang hielten sie der Belagerung durch die Polizei stand. JoAnn und ihr Mann hatten ihre Kinder zur Paranoia erzogen. Ereignisse wie diese wühlen die Angehörigen schrecklich auf – von den Kosten für den tagelangen Einsatz von Polizei, Feuerwehr, Krankenwagen und Sozialarbeitern ganz zu schweigen.

Ähnliches passierte in Waco, als die Polizei versuchte, David Koresh zu verhaften, den Anführer der Branch Davidians. Die Aktion wurde als Angriff auf das gesamte Kollektiv aufgefasst. Als die Polizei versuchte, die Kinder aus dem Anwesen zu retten, zündeten die Davidianer selbst ihre Gebäude an – lieber verbrennen, als aus der Gemeinschaft gerissen zu werden. 76 Menschen starben. Auch hier war die Paranoia stärker als die Liebe zu den eigenen Kindern, genau wie in Jonestown, Guyana.[4]

Begegnungen mit der paranoiden Persönlichkeit

Mehrere Psychiater verrieten mir: Man sieht diese Typen überall, in allen Unternehmen und Organisationen, und sie funktionieren einigermaßen, aber sie machen ihrem Umfeld das Leben schwer.

In der Schule wären sie zwar vielleicht klug genug, aber sie tun sich dennoch oft schwer, weil ihnen das soziale Talent für das Leben in Gemeinschaft fehlt. Sie legen sich mit Mitschülern an und mit Lehrern, die ihnen keine guten Noten geben wollen – was in ihren Augen nur den Verdacht beweist, dass ihre Umwelt will, dass sie scheitern.

Manchmal kommen paranoide Persönlichkeiten mit ungekämmten Haaren oder in unangemessener Kleidung zur Arbeit. Oder sie laufen bewaffnet und in Kampfuniform herum, um bedrohlich zu wirken. Oder sie kultivieren ein abschreckendes Image, etwa durch auffällige Tätowierungen, Irokesenschnitt oder eine Skinhead-Glatze.

Die meisten von ihnen finden Arbeit, doch sie misstrauen ihren Vorgesetzten, kritteln an Entscheidungen herum und können nicht akzeptieren, wenn sie nicht befördert wurden. Sie sind die ewig Unzufriedenen, die entweder ganz offen herummeckern oder still in ihrem Kabäuschen vor sich hin grummeln. Beides ist für das Betriebsklima natürlich Gift.

Dann gibt es noch die Saboteure, die absichtlich Sand ins Getriebe ihres Unternehmens werfen, indem sie Berichte und Lieferungen verzögern, Autos zerkratzen, Kunden ignorieren oder Rechnungen verschwinden lassen. Besonders gern tun sie das, wenn die Dinge nicht nach ihrem Geschmack laufen. Die paranoide Persönlichkeit setzt also passive und weniger passive Aggression ein, um ihren Mitmenschen zu schaden – besonders denen, die sie für ihre Feinde hält.

Selbst wenn sie ihren Job erledigt, nervt sie am Arbeitsplatz gewaltig, durch rasenden Ehrgeiz oder durch endloses Widersprechen, Meckern und Mosern. Wenn ein paar Kollegen zusammenstehen und sich leise unterhalten, glaubt sie sofort, man lästere über sie. Gelegentlich sieht man, wie sie vor sich hin brummelt, wodurch sie natürlich seltsam wirkt. Redet jemand in einer Fremdsprache, beschwert sie sich, man tratsche heimlich über sie.

Die paranoide Persönlichkeit überschätzt sich gern, hält sich für klüger als Kollegen und Vorgesetzte und fühlt sich bei Beförderungen absichtlich übergangen. Es kann sehr anstrengend sein, mit ihr über irgendetwas zu verhandeln, weil sie so misstrauisch ist. Die paranoide Persönlichkeit ist berüchtigt dafür, sich mit dem Chef zu streiten, die Motive der Unternehmensleitung anzuzweifeln, Gerüchte zu verbreiten, Abläufe zu hinterfragen, überall Günstlingswirtschaft zu wittern und wegen läppischer Dinge zu prozessieren. Mitunter bombardiert sie Vorgesetzte mit Beschwerdebriefen, gelegentlich wendet sie sich mit ihren Klagen an die Behörden.

An dieser Stelle sei erwähnt, dass es sehr erfolgreiche paranoide Geschäftsleute gibt. Aber auch sie benehmen sich seltsam, wie es dem Persönlichkeitstyp entspricht. Der Milliardär Howard Hughes litt unter einer Zwangsstörung, aber eben auch unter massiver Paranoia. Er lebte völlig zurückgezogen, hasste es schließlich, Menschen zu treffen, und umgab sich schließlich mit einem kleinen Zirkel von Vertrauten (seiner »Mormonen-Mafia«). Er misstraute auch Telefonen; er hielt sie alle für verwanzt.[5]

Mitunter schieben Unternehmen »problematische Mitarbeiter« zwischen den Abteilungen hin und her. Das ist aber keine gute Idee, denn paranoide Persönlichkeiten können von einer Sekunde auf die andere völlig austicken, und niemand kennt den Auslöser. Also lässt man sie besser in ihrem bekannten Umfeld. Selbst Polizeibeamte (die, wie gesagt, nicht für den Umgang mit Paranoiden geschult werden) lassen sich gelegentlich von der Heftigkeit ihrer Reaktionen überrumpeln, etwa wenn sie Verkehrskontrollen durchführen, Gerichtsbeschlüsse überbringen oder in häusliche Streitigkeiten eingreifen. Das Gewaltpotenzial steigt noch weiter, wenn der paranoide Mensch unter dem Einfluss von Alkohol oder Drogen wie Kokain, Amphetamin oder Methamphetamin steht.

Nachrichten von Amokläufen erschüttern uns, sind uns aber auch schaurig vertraut geworden. Erstaunlicherweise erwähnen die Medien in diesem Zusammenhang kaum je das Wort »Paranoia«, obwohl genau sie hinter den meisten massiven Gewaltausbrüchen steht. Lehrer, Mitschüler oder Kollegen beobachten zwar »seltsame« oder »sprunghafte« Verhaltensweisen, erkennen darin aber nicht die Warnzeichen, dass hier eine paranoide Persönlichkeit kurz vor der Explosion steht.

Wenn Paranoiker an die Macht kommen, können sie unfassbare Schäden anrichten. Einige der schlimmsten Grausamkeiten der Geschichte wurden aufgrund des extremen Misstrauens, der Angst und des Hasses paranoider Persönlichkeiten begangen. Josef Stalin, Adolf Hitler und der kambodschanische Diktator Pol Pot waren akut paranoid. Sie fürchteten sich vor imaginären Feinden und verlangten von ihren Anhängern, das ebenfalls zu tun. Die Zahl ihrer Opfer ist derart gewaltig, dass Worte ihre Verbrechen gar nicht mehr erfassen können. Ein Todesfall ist eine Tragödie; wie soll man dann die Ermordung von 1,2 Millionen (Pol Pot), fünf bis sieben Millionen (Hitler) oder 30 bis 40 Millionen (Stalin) Menschen beschreiben? Solche Zahlen entziehen sich schlicht unserem Vorstellungsvermögen. Aber nennen wir das Kind ruhig beim Namen: Wenn eine paranoide Persönlichkeit ganz nach oben gelangt, kommt es zur Katastrophe.[6]

Den hartnäckigsten Schaden richtet die Paranoia übrigens dadurch an, dass sie soziale Bindungen zersetzt. Sie untergräbt Vertrauen, Harmonie und Zusammenhalt in Beziehungen, Familien, Unternehmen, Organisationen, Gemeinden und zwischen Nationen. Das ist das gefährliche, tragische Erbe der pathologisch paranoiden Persönlichkeit.

Checkliste: Hinweise auf paranoide Persönlichkeiten

Anhand der folgenden Checkliste können Sie ermessen, ob Sie es mit einem paranoiden Menschen zu tun haben und wie stark dieser Zug ausgeprägt ist. Dieses Wissen darum, wie schädlich oder gar gefährlich die Person ist, hilft Ihnen dabei, Verhaltensstrategien im Umgang mit ihr zu entwickeln.

Paranoia tritt in den verschiedensten Ausprägungen auf. Anhand dieser Liste werden Sie einordnen können, ob jemand nur engstirnig, streitsüchtig und in seinem Denken festgefahren ist oder nervtötend misstrauisch, inquisitorisch und eine echte Landplage. Am extremen Ende des Spektrums finden sich die hochgradig instabilen, explosiven und möglicherweise gefährlichen Typen. Manche radikalisieren sich und werden zu gewalttätigen Extremisten. Diese Checkliste wird Ihnen helfen abzuschätzen, welche Gefahr wohl von einer Person ausgeht.

Wie die Checkliste zu nutzen ist, wird in Kapitel 1 auf Seite 54 erklärt.

- ☐ Glaubt, andere wollten ihn irgendwie ausnützen oder ihm schaden.
- ☐ Ist besessen von ungerechtfertigten Zweifeln an der Loyalität anderer.
- ☐ Traut anderen nur ungern, hält sie für verräterisch.
- ☐ Fürchtet zu Unrecht, dass andere böswillig Informationen gegen ihn verwenden.
- ☐ Empfindet noch die wohlmeinendsten Menschen als bedrohlich oder glaubt, sie würden schlecht über ihn reden.
- ☐ Ist extrem nachtragend und vergibt Kränkungen selbst nach vielen Jahren nicht.
- ☐ Ist sehr empfindlich, wie andere ihn sehen.
- ☐ Reagiert auf kleinste Kränkungen wütend – wittert immer einen Plan dahinter.
- ☐ Hinterfragt oft grundlos die Treue seiner Partnerin.
- ☐ Sieht das Leben pessimistisch, weil er sich für verfolgt hält.

- ☐ Zweifelt regelmäßig an den guten Absichten anderer, selbst seiner Partnerin, enger Verwandter, seiner Kinder oder Kollegen.
- ☐ Misstraut grundlos Menschen, Veranstaltungen, Dingen oder Fremden.
- ☐ Regt sich schnell auf oder wurde mit den Worten beschrieben »geht schnell an die Decke«.
- ☐ Ist bei geringstem oder ganz ohne Anlass eifersüchtig.
- ☐ Misstraut anderen, insbesondere Ausländern und Minderheiten.
- ☐ Sein Leben scheint von Angst geprägt zu sein.
- ☐ Hat das Bedürfnis, sich geheimniskrämerisch, verschlagen und intrigant zu verhalten, oder glaubt, alle um ihn herum verhielten sich so.
- ☐ Ist unwillig, andere Ansichten ernsthaft in Erwägung zu ziehen, tut sie gern ab.
- ☐ Glaubt, dass Witze verborgene Bedeutungen haben und eigentlich auf ihn zielen.
- ☐ Ist in seinen Gedanken und Ideen total unflexibel – bleibt stur bei seinen Ansichten.
- ☐ Scheint auf winzigen Gebieten eine Menge zu wissen und argumentiert mit obskuren Informationen, die alle anderen kaum interessieren.
- ☐ Hält sich für einen scharfen Denker, in Wirklichkeit ist seine Logik aber gelegentlich löchrig oder verquer.
- ☐ Streitet oft oder provoziert regelmäßig Streit.
- ☐ Übertreibt Schwierigkeiten und nimmt sie persönlich.
- ☐ Sieht sich als Opfer des Lebens, der Gesellschaft, der Regierung, seiner Verwandtschaft, von Kollegen, Verschwörungen, Intrigen o. Ä.
- ☐ Sammelt und merkt sich gezielt soziale Kränkungen und Unrecht, das ihm angetan wurde.
- ☐ Steht im Ruf, gern »aus einer Mücke einen Elefanten« zu machen. Glaubt immer ans Schlimmste und bläst Dinge grotesk auf.
- ☐ Kann sich nicht entspannen und wirkt ständig auf der Hut, bierernst, humorlos.

- ☐ Unfähig zu romantischer Leidenschaft oder Zärtlichkeit; alles regt ihn auf und scheint ihm bedrohlich.
- ☐ Ist ständig feindselig, stur oder defensiv.
- ☐ Sehnt sich nach Macht und versucht, sie durch Tricks, Betrug oder illegales Vorgehen zu erlangen.
- ☐ Ist unfähig, etwas Nettes über andere zu sagen.
- ☐ Ist unwillig, sich anderen anzuvertrauen oder Dinge von sich preiszugeben.
- ☐ Raum ist sehr wichtig für ihn; er hasst es, wenn Sie ihm zu nahe kommen.
- ☐ Mag es nicht, wenn Leute sein Haus oder sein Auto ansehen, und fängt dann oft zu schimpfen an.
- ☐ Spricht oft von Wut oder gar Hass auf Autoritäten.
- ☐ Reagiert selbst auf weit entfernte Menschen, als wären sie ihm zu nahe getreten.
- ☐ Trägt oder zeigt Embleme, Tätowierungen oder Zeichen, die darauf hinweisen, dass er andere Menschen fürchtet oder hasst.
- ☐ Wirkt stets auf der Hut in allem, was er tut oder plant.
- ☐ Hat sehr wenige oder keine Freunde.
- ☐ Hält immer nach Hinweisen darauf Ausschau, dass andere sich gegen ihn verschworen haben oder etwas gegen ihn planen.
- ☐ Verhält sich exzentrisch oder seltsam bzw. steht in diesem Ruf.
- ☐ Glaubt, dass Institutionen (Regierung, Finanzamt, Arbeitgeber, Kirche, Schule) es auf ihn abgesehen haben oder ihn kleinhalten wollen.
- ☐ Gibt stets anderen die Schuld, wenn Projekte schiefgehen oder Beziehungen scheitern.
- ☐ Behauptet, sich perfekt an Begebenheiten zu erinnern, und argumentiert bei Streitigkeiten gern damit, dabei erinnert er sich oft falsch oder verzerrt.
- ☐ Ist starr und unflexibel in seinen Gedanken, Ansichten und Vorurteilen – reagiert trotzig, wenn man ihn mit Gegenargumenten konfrontiert.

- ☐ Ist oder war Mitglied einer rassistischen oder intoleranten Vereinigung.
- ☐ Schimpft über die Beförderung von Kollegen, sie sei nur aufgrund von Intrigen oder Verschwörungen zustande gekommen oder gehöre zum Gesamtplan, ihn zu bestrafen oder kleinzuhalten.
- ☐ Misstraut allen – selbst denen, die er kennt.
- ☐ Ist extrem wichtigtuerisch oder hält sich für unfehlbar.
- ☐ Hat Wege gefunden, sich von den anderen abzusondern, sei es in der Schule, in der Arbeit oder selbst in einer großen Stadt – gilt als »Einzelgänger«.
- ☐ Glaubt fest daran, dass andere ihn letztlich enttäuschen oder übervorteilen wollen, und ist deshalb immer auf der Hut.
- ☐ Verdächtigt selbst freundliche Menschen, irgendwann ihr »wahres Gesicht« oder ihre wahren Gefühle zu zeigen.
- ☐ Weigert sich, die Kinder in die Schule zu schicken – fürchtet, dort würden sie negativ beeinflusst oder »versaut«.
- ☐ In seinem Leben scheint immer eine gewisse Grundangst oder -sorge vorzuherrschen.
- ☐ Versucht zu kontrollieren, was andere denken.
- ☐ Hat ständig das unbestimmte Gefühl, eine Katastrophe stehe unmittelbar bevor.
- ☐ Betrachtet die Welt generell als Hort von Lug und Betrug.
- ☐ Vermeidet Arztbesuche aus Misstrauen gegenüber Ärzten, medizinischen Instrumenten oder dem Arztberuf ganz allgemein.
- ☐ Ist intolerant gegenüber Meinungen anderer.
- ☐ Seine Partnerin oder Kinder sorgen sich, wenn er aus dem Haus geht; sie befürchten immer, dass er Streit anfängt oder eine Szene macht.
- ☐ Hat wiederholt mit Vorgesetzten gestritten.
- ☐ Glaubt, die Schule, das Schulsystem oder Lehrer hätten sich gegen ihn (bzw. seine Kinder) verschworen.
- ☐ Zeigt wenig Respekt gegenüber Vorgesetzten und scheint sich für überlegen zu halten.

- ☐ Zitiert verschiedenste Ereignisse der Geschichte als Beleg dafür, dass die Dinge sich gegen ihn oder andere verschworen haben.
- ☐ Braucht mehr Raum um sich als andere Menschen; wenn jemand zu nahe bei ihm steht, reagiert er extrem ängstlich, reizbar oder wütend.
- ☐ Hat sich eine Waffe besorgt oder hält sie bereit, weil er befürchtet, durch eine Person oder eine Organisation angegriffen zu werden.
- ☐ Ist schon oft mit dem Gesetz in Konflikt geraten.
- ☐ Misstraut Fremden, sogar wenn er sie selbst anspricht.
- ☐ Führt buchstäblich Tabellen darüber, wie vertrauenswürdig Menschen sind.
- ☐ Fürchtet sich vor Institutionen, Technik, Wissenschaftlern, Nahrungsmitteln oder einem nicht näher definierten Gebilde.
- ☐ Sammelt Artikel, Zeitungsausschnitte, Bilder oder registriert Nummernschilder von Menschen oder Institutionen, die gegen ihn konspirieren oder denen er misstraut.
- ☐ Man weiß von ihm, dass er Kokain, Amphetamin (»Speed«) oder Methamphetamin nimmt.
- ☐ Glaubt, Telefonanrufe würden belauscht oder das Zimmer sei verwanzt.
- ☐ Glaubt, dass Ärzte mehr schaden als nützen, und misstraut moderner Medizin oder Pharmaunternehmen.
- ☐ Hält sich für über dem Gesetz stehend oder für einen »souveränen Bürger«, der keine Steuern zahlen muss und nicht mal einen Führerschein oder ein Nummernschild zum Autofahren braucht.
- ☐ Hat das Bedürfnis, Familienmitglieder strikt zu kontrollieren.
- ☐ Dreht völlig durch, wenn Menschen versehentlich sein Grundstück betreten.
- ☐ Steckt gewohnheitsmäßig die Nase in die Angelegenheiten anderer, speziell seiner Familienmitglieder.
- ☐ Versucht die Ansichten anderer zu kontrollieren und besteht darauf, dass andere seine Meinung übernehmen.

- ☐ Denkt oft extrem einschichtig immer wieder über einen einzigen Umstand nach.
- ☐ Hat seine Partnerin schon bedroht, weil sie Dritten gegenüber Persönliches über ihn verraten hat.
- ☐ Führt »Notfall-« oder »Evakuierungsübungen« durch, als Vorbereitung auf Angriffe, die Apokalypse oder eine andere Megakatastrophe.
- ☐ Verbietet Familienmitgliedern, mit anderen zu reden, selbst mit dem Briefträger.
- ☐ Regt sich auf, wenn Familienmitglieder zu lange mit Freunden telefonieren.
- ☐ Hat sich eine Waffe verschafft oder eine Bombe gebastelt, um andere zu bestrafen oder sich zu rächen.
- ☐ Ist hochgradig moralisierend und verurteilend.
- ☐ Wenn Frau und Kinder heimkommen, verhört er sie ausgiebig, wo sie waren und was sie getan haben.
- ☐ Die Handys von Frau und Kindern werden regelmäßig kontrolliert. Wen haben sie angerufen? Wer hat sie angerufen? Wie lange haben sie geredet? Usw.
- ☐ Ist seiner Frau gefolgt oder hat einen Peilsender an ihrem Auto befestigt.
- ☐ Hat die Nummern von Anrufern notiert oder sich bei Frau und Kindern erkundigt, wer angerufen habe und warum.
- ☐ Erlaubt Frau und Kindern keinen Zugang zu Handys, Computern oder anderen elektronischen Geräten, damit sie nicht mit anderen kommunizieren können oder um »schädliche« Einflüsse von ihnen fernzuhalten.
- ☐ Regt sich fürchterlich auf, wenn Sie seinen Ansichten widersprechen oder sich über seine Meinung, sein Denken, seine Logik oder seine Beispiele lustig machen.
- ☐ Hat andere als »Narren« oder »naiv« bezeichnet, weil sie die Gefahr einfach nicht erkennen.
- ☐ Verbietet Frau oder Kindern Unternehmungen, bei denen sie mit Fremden, Ungläubigen oder Andersdenkenden in Kontakt kämen.

- ☐ Nur er erkennt wirklich, welche Bedrohungen dort draußen lauern.
- ☐ Tendiert dazu, anspruchsvoll und arrogant zu sein.
- ☐ Hat schon Jobs verloren, weil er mit Chefs und Kollegen stritt.
- ☐ Ist hochgradig moralisierend und sieht die Welt nur in Schwarz und Weiß – es gibt keine Grauzone, keine Flexibilität im Denken.
- ☐ Tendiert dazu, unromantisch zu sein. Ist in seinen Beziehungen wenig zärtlich und einfühlsam.
- ☐ Wurde von jemandem übervorteilt, der angeblich dachte wie er.
- ☐ Ist rücksichtslos gegenüber anderen oder gilt als grob.
- ☐ Fürchtet, dass Ärzte seinen Körper für Experimente missbrauchen oder ihm Geräte einpflanzen.
- ☐ Sucht in Büchern, im Radio, im Internet o. Ä. unablässig nach Belegen für seine Ansichten oder Ängste.
- ☐ Seine Partnerin muss oft als Puffer zwischen ihm und anderen herhalten oder sein Verhalten entschuldigen.
- ☐ Hat sich gegenüber anderen wiederholt so geäußert, dass diese sich bedroht fühlten oder sich um ihre Sicherheit sorgten.
- ☐ Hat fremde Haustiere getötet oder zu vergiften versucht, die auf sein Grundstück streunten.
- ☐ Beschwert sich oft bei Behörden über Kleinigkeiten.
- ☐ Im gesellschaftlichen Umgang mit ihm scheint es nur die Möglichkeiten zu geben, für ihn oder gegen ihn zu sein.
- ☐ Hat zumindest ein Familienmitglied mit seinen Ansichten oder seinem Wahn, ständig diskutieren, anklagen oder herausfordern zu müssen, entfremdet.
- ☐ In seinen Briefen, E-Mails o. Ä. greift er immer irgendetwas an.
- ☐ Glaubt, dass Flugzeuge oder Hubschrauber ihn verfolgen.
- ☐ Sucht die Gesellschaft von Menschen, die ebenfalls misstrauisch sind.
- ☐ Hat gesagt, dass er »niemandem traut« außer sich selbst.
- ☐ Mag es nicht, wenn Leute hinter ihm stehen – er fühlt sich dann unbehaglich, wird reizbar oder nervös.

- ☐ Ist am liebsten in Gesellschaft von Menschen, die seine seltsamen, verworrenen, radikalen Ansichten teilen.
- ☐ Scheint nie glücklich zu sein – wirkt meistens angespannt oder gereizt.
- ☐ Wirkt wie jemand, den ständig irgendetwas sorgt.
- ☐ Hat zu Hause oder im Büro einen geheimen Ort, zu dem niemand außer ihm Zugang hat.
- ☐ Hat davon geredet, aufs Land zu ziehen, weg von allen anderen, weil er Menschen nicht traut, oder ist tatsächlich aufs Land gezogen.
- ☐ Hat sich eine Gruppe, Organisation oder Sekte angesehen, die seine Ansichten teilt, oder ist ihr beigetreten.
- ☐ Interessiert sich überhaupt nicht für Kunst oder Musik – außer sie bestätigt seine Ansichten.
- ☐ Übt regelmäßig mit Waffen, um für jede Bedrohung gerüstet zu sein.
- ☐ Beäugt Fahrzeuge ganz genau und macht sogar Listen von Autos, die er häufig sieht, weil er glaubt, sie würden ihn überwachen.
- ☐ Unterhält eine Liste von Feinden, die er für verdächtig hält.
- ☐ Ist nachts oder zu ungewöhnlichen Zeiten hinausgegangen, um auf seinem Grundstück nach dem Rechten zu sehen, die Nachbarn zu überwachen oder jemanden zu überprüfen, den er für verdächtig hält oder als Bedrohung empfindet.
- ☐ Wirkt rastlos, immer auf dem Sprung; bleibt nie lang in einem Job.
- ☐ Fürchtet ständig eine bevorstehende Katastrophe oder die Apokalypse.
- ☐ Ist bei anderen als Querulant, Hetzer oder Motzki bekannt.
- ☐ Wurde von anderen ausgegrenzt, weil sie ihn seltsam, exzentrisch oder stur fanden.

Auswertung:

20 bis 25 Kreuzchen: Dieser Mensch kostet andere gelegentlich Nerven; es kann schwierig sein, ihn als Partner oder Kollegen zu haben.

26 bis 60 Kreuzchen: Der Betreffende zeigt alle Anzeichen und Verhaltensweisen einer paranoiden Persönlichkeit. Er benötigt Hilfe und wird im Leben seines Umfelds Unheil anrichten.

61 und mehr Kreuzchen: Dieser Mensch hat eine ausgeprägte Paranoia und stellt eine Gefahr für die Gefühle, die Psyche, die Finanzen und die körperliche Gesundheit anderer Menschen und seiner selbst dar.

Sofortmaßnahmen

Erfüllt Ihr Partner die meisten Kriterien für Paranoia? Dann haben Sie eine harte Zeit vor sich. Selbst wenn die Paranoia nur schwach ausgeprägt ist, kostet das ewige Misstrauen, auch Ihnen gegenüber, unheimlich viel Kraft. Im Lauf der Zeit verschlimmern sich die Symptome oft, die paranoide Persönlichkeit wird noch misstrauischer, sturer, unbeirrbarer, starrer in ihrem Denken. Das ist für jede Partnerschaft oder Familie eine gewaltige Herausforderung.

Fällt Ihr Partner sogar ins extreme Ende des Spektrums, kann er extrem schwierig, streitsüchtig, argwöhnisch oder schlicht gefährlich sein. Ein Problem liegt darin, dass niemand sein Verhalten vorhersagen kann, niemand weiß, was seine Wut- oder gar Gewaltausbrüche auslöst. Wir wissen nur: Je mehr Kriterien der Paranoia erfüllt sind, desto größer die Instabilität; es besteht die reale Gefahr, dass die Person sich radikalisiert und sich oder anderen Menschen Schaden zufügt, wie etwa der »Unabomber« Ted Kaczynski.

Normalerweise bringt es gar nichts, mit diesen Menschen zu diskutieren – ganz im Gegenteil kann das nach hinten losgehen. Denn wer ihre Meinung nicht teilt oder die Dinge nicht sieht wie sie selbst, gilt ihnen schnell als Feind.

Vermutlich wird es auch nicht einfach, professionelle Hilfe zu organisieren. Paranoide Persönlichkeiten, egal, wo sie sich auf dem Spektrum befinden, erkennen schlicht nicht, dass bei ihnen etwas nicht stimmt. Deswegen nehmen sie kaum je Hilfe in Anspruch. Diese Hürde allein ist fast oder gar nicht überwindbar.

Das Einverständnis des Betroffenen vorausgesetzt, können Sie versuchen, professionelle Hilfe zu besorgen, aber passen Sie bitte auf. Da er allen anderen misstraut und Kränkungen nie vergisst, könnten Ihre Bemühungen gegen Sie verwendet werden. Dann würde er noch misstrauischer Ihnen gegenüber, vielleicht sogar gewalttätig.

Im Beruf stören diese Menschen oft das Betriebsklima, weil sie alles hinterfragen. Sie stiften Streit zwischen Kollegen und treiben Keile zwischen Mitarbeiter, die sich eigentlich gut verstanden hätten. Die meisten Vorgesetzten haben es bald satt, alle Entscheidungen erklären oder rechtfertigen zu müssen, weshalb sie die störenden Mitarbeiter ins Abseits drängen.

Paranoide Mitarbeiter sind für jedes Unternehmen eine Belastung, nicht nur, weil sie Streit säen, sondern auch wegen der Szenen, die sie nach gefühlten Kränkungen machen. Menschen mit stark ausgeprägter Paranoia müssen immer auf Anzeichen für Aggressivität überwacht werden, insbesondere, wenn sie einen Rüffel oder eine Abmahnung bekommen haben, degradiert oder gar gefeuert wurden.

Auch wenn der Partner einer Mitarbeiterin alle Merkmale der paranoiden Persönlichkeit aufweist, besteht Gefahr; nämlich dass ein häuslicher Streit, Eifersucht oder paranoider Wahn auf den Arbeitsplatz übergreift. Wenn ich lese, dass ein Exmann am Arbeitsplatz seiner geschiedenen Frau Amok läuft, frage ich mich immer, ob hier ein akut paranoider Mensch am Werk war.

Gefahr droht Ihnen möglicherweise auch, wenn Sie bei einem Arbeitgeber beschäftigt sind, der manchen Menschen ein Dorn im Auge ist oder der von Radikalen verteufelt wird (Beispiele: Abtreibungsklinik, Pharmaforschung, Chemie, Holzindustrie, Bauwirtschaft, Atomenergie, Kohleabbau, Energieversorgung usw.). Die Gefahr von Attentaten lässt sich dann nie ganz ausschließen.

Besondere Vorsicht ist im Umgang mit einem paranoiden Menschen geboten, wenn er früher bereits Gewalt ausgeübt oder gar zur Waffe gegriffen hat. Da man nie sagen kann, was bei ihm letztlich gewalttätiges Verhalten auslöst, muss man sich seine Vergangenheit ansehen, anhand der Checkliste überschlagen, wie stark seine Paranoia ausgeprägt ist, mit einbeziehen, ob es aktuell besondere Stressfaktoren in seinem Leben gibt (Scheidung, Trennung, Degradierung, Jobverlust, vermehrter Konsum von Drogen oder Alkohol usw.) und ob er Zugang zu Waffen hat. Im schlimmsten Fall ergibt das Ganze eine sehr gefährliche Mischung – erinnern Sie sich nur an den Fall Jimmy Lee Dykes, der völlig durchdrehte, als er eine Vorladung vor Gericht bekam. Zwar wimmelt es in der Geschichte von paranoiden Persönlichkeiten, die großes Unheil anrichteten, doch den größten Schaden verursachen diese Typen im zwischenmenschlichen Bereich, zu Hause oder in der Arbeit. Daher fällt uns die Verantwortung zu, andere zu warnen, wenn wir festgestellt haben, dass jemand die Merkmale einer paranoiden Persönlichkeit erfüllt – vielleicht ersparen wir den Gewarnten eine Menge Schmerz.

Für die Begegnung mit diesen Menschen gilt in allererster Linie: Machen Sie sich bewusst, mit wem Sie es zu tun haben, versuchen Sie nicht, mit ihm zu diskutieren oder ihn von etwas zu überzeugen. Sollte er irgendwie bedrohlich wirken oder Sie auffordern, bei einer gefährlichen oder illegalen Tat mitzuwirken, distanzieren Sie sich am besten von ihm und warnen andere, wenn möglich.

Wird sein Verhalten für Sie einfach unerträglich – wenn er Sie völlig ausgelaugt hat, Ihnen Ihre Persönlichkeit nimmt (passiert in Sekten oft) oder alles Glück aus Ihrem Leben saugt –, rate ich Ihnen dringend, sich abzusetzen. Sie müssen sich das nicht gefallen lassen. Sollten Sie sich fürs Bleiben entscheiden, betrachten Sie sich als gewarnt. Sie wissen, was Sie erwarten dürfen, also wundern Sie sich nicht, wenn nichts besser wird. Enden Sie nicht wie die Frau von Colonel Frank Fitts in *American Beauty* oder die Frau unseres Nachbarn in Miami: leer, resigniert, apathisch.

Aber passen Sie auf: Wenn diese Typen sich zurückziehen und in der Isolation immer weiter radikalisieren, können sie extrem gewalttätig werden. Weitere Strategien finden Sie im sechsten Kapitel.

Anmerkungen:

[1] Hoffer, 1965

[2] Robins/Post, 2002, S. 47ff.

[3] Kantor, 2008

[4] Kilduf/Javers, 1978, 83–127

[5] Kantor, 2008

[6] Robins/Post, 2002, S. 22

VIERTES KAPITEL

»Meines ist Meines – und Deines ist auch Meines.«

Die dissoziale Persönlichkeit

Ohne jedes Zwinkern fixierten mich reptilienhaft kalte Augen. Mir war, als hörte ich ein leises, gefahrverkündendes Klappern.

Doch ich stand keiner Schlange gegenüber, sondern einem Einbrecher, den ich gerade verhaftet hatte. Das war in den 1970er-Jahren, ich war ein junger Polizeibeamter. Er leistete keinen Widerstand, und ich konnte ihm ohne weitere Zwischenfälle Handschellen anlegen. Doch obwohl ich 1,85 Meter groß bin und der Verdächtige gefesselt war, schauderte ich unter seinem Blick. In ihm lag etwas, das ich noch nie zuvor gesehen hatte. Ich hörte, wie die Patronen in meinem Dienstrevolver klapperten, während mein Gehirn und mein Körper instinktiv erkannten, dass ich mich in Gegenwart eines menschlichen Raubtiers befand. Auf der Wache bestätigte sich mein Instinkt: Der Mann war bereits wegen zahlreicher Gewalttaten verurteilt und gerade erst aus der Haft entlassen worden. Die Wissenschaft spricht von einer dissozialen Persönlichkeitsstörung, doch mir gefällt der Ausdruck »Raubtier« für diese Menschen besser.

Man kann Leute vor dem Bösen warnen, man kann gruselige Filme machen, man kann über gefährliche Persönlichkeiten schreiben. Aber man kennt das Böse nicht, solange man es nicht mit eigenen Augen gesehen hat. Bei jener Verhaftung spürte ich einfach, dass ich es nicht mit einem gewöhnlichen Verbrecher zu tun hatte. Das war mir eine wichtige Lektion: dass unser Unterbewusstsein uns vor diesen Raubtieren warnt.

Irgendwann begegnen wir alle einem menschlichen Raubtier: einem Typen, der ohne mit der Wimper zu zucken Verbrechen begeht und anderen Menschen Leid zufügt.

Von allen gefährlichen Persönlichkeiten richtet das Raubtier den größten Schaden an. Glaubt man dem Psychologen Dr. Robert Hare, laufen dort draußen Millionen von ihnen herum. Daher meine Annahme, dass Sie irgendwann im Leben auch so jemandem begegnet sind oder begegnen werden.

Das Raubtier kennt nur ein Ziel: Beute zu machen. Was wir uns gar nicht vorstellen können, macht es ganz selbstverständlich und ständig. Es lebt, um zu plündern, zu rauben, zu schikanieren oder zu zerstören. Während die meisten von uns ihr Leben um persönliche Beziehungen und die Arbeit herum organisieren, sucht das Raubtier nur nach der nächsten Gelegenheit, Menschen oder Situationen auszunutzen. Diese Einstellung prägt sein Verhalten.

Das Raubtier denkt nicht wie wir. Es kann andere Menschen nicht leiden, auch wenn es vielleicht so tut. Wir Normalbürger betrachten andere Menschen als gleichberechtigt. Das Raubtier sieht andere Menschen als potenzielle Opfer oder als Hindernis bei der Erfüllung seiner Bedürfnisse. Braucht es ein Auto, stiehlt es eines. Will es Sex, vergewaltigt es jemanden. Braucht es Geld, plündert es das Bankkonto einer arglosen Oma. Selbst wenn Sie die Begegnung mit einem solchen Typen überleben, stirbt doch ein Teil in Ihnen: das Vertrauen in Ihre Mitmenschen, Ihr Selbstwertgefühl, Ihre Würde.

Wir sind dem Raubtier gegenüber im Nachteil, weil wir anderen Menschen erst einmal vertrauen, es sich aber weder von emotionalen Bindungen, von Gewissen, Moral oder Gesetz bremsen lässt. Für das Raubtier gibt es im Leben keine Stoppschilder. Gesetze, Regelungen, Beschränkungen, Schlösser oder Zäune sind ihm lästige Hindernisse, die man umgehen muss. Gesetzestreue Normalbürger verachtet das Raubtier als Weicheier und Versager, die es nur verdient haben, entwürdigt, verspottet, beschimpft oder sogar ermordet zu werden.

Während wir uns ehrlich anstrengen, um Erfolg zu haben, sind Raubtiere sogar stolz darauf, wenn sie ohne eigene Leistung zu etwas gekommen sind, etwa durch Raub oder Betrug. Sie haben einen unheimlich scharfen Blick für Verletzlichkeit und wählen sich gezielt die Schwachen, die Verletzten, die in Schwierigkeiten Steckenden, die Leichtgläubigen, die Vertrauensseligen, die Jungen und Wehrlosen als Opfer. Und dann schlagen sie zu – mal gerissen, mal mit raubtierhafter Brutalität.

Das Raubtier erkennt mögliche Opfer schon am Aussehen und ihren Bewegungen. Sie suchen sich den hilfsbereiten Passanten, den man mit der Bitte um eine Wegbeschreibung an ein Auto locken kann. Die schwer mit Lebensmitteltüten beladene Hausfrau. Das Kind, das einem fremden Erwachsenen vertraut. Den einsamem Teenager, der eine Abkürzung nimmt. Das naive Rentnerpaar. Die Hausfrau, die einem Fremden die Tür öffnet. Das Raubtier erkennt sich bietende Gelegenheiten, ohne groß nachdenken zu müssen. Es ist, als liefe im Hintergrund ein Computerprogramm zum Aufspüren von Gelegenheiten und Schwächen.

Es weiß, in welchen Chaträumen man Kinder findet, die man umgarnen und zu sich locken kann. Es weiß, wie man die Krankenversicherung betrügt, welche Banken am einfachsten auszurauben sind, in welchen Läden man gut klauen kann. Es versteht, sich in angesehenen Institutionen zu verstecken – etwa einem Krankenhaus, einem Sportverein, einer wohltätigen Organisation, einer Polizeiwache, Schule oder Kirche –, und unter dem Deckmantel eines angesehenen Berufs sowohl Zugang zu seinen Opfern als auch Schutz vor Verdächtigungen zu finden.

Raubtiere wie Ted Bundy, John Wayne Gacy und Jeffrey Dahmer sind als Serienmörder berüchtigt geworden, doch diese Monster machen nur einen winzigen Teil des Gesamtbildes aus.

Jeder Serienvergewaltiger, Zuhälter, Kinderschänder, Menschenhändler und Mafioso ist ein Raubtier. Ebenso jeder, der sich gezielt ältere Menschen oder Kinder als Opfer wählt. Von manchen erfahren wir aus der Zeitung, manche treiben es so wild, dass sie in Büchern und Filmen verewigt werden. Der Bankräuber Jesse James, Butch Cassidy, Jack the Ripper, John Dillinger, Al Capone, Pablo Escobar, Ian Brady, James »Whitey« Bulger und John Gotti zum Beispiel sind alle Raubtiere gewesen. Sie unterscheiden sich lediglich in ihrer »Arbeitsweise« und ihren »Spezialgebieten«.

Die Gefängnisse sind voll von diesen Leuten, aber noch mehr von ihnen laufen frei herum. Ein Raubtier muss nicht unbedingt verletzen, vergewaltigen oder morden. Es kann auch seine Frau schlagen, Patienten misshandeln, Untergebene terrorisieren, Geld unterschlagen, Gläubige ausnehmen, sich im Amt bestechen lassen oder, als Staatsoberhaupt, seine Untertanen ausrotten. Raubtiere haben Aktentaschen, Laptops, Tagesrucksäcke, Bibeln, Fußbälle oder Babys. Sie haben aber auch Messer, Pistolen, Macheten, Eispickel, Gift oder Seile. Jeder könnte ein Raubtier sein: Ihr Chef, Ihr Pfarrer, Ihr Schreibtischnachbar, Ihr Finanzberater, der Jugendbetreuer im Feriencamp, der Pfleger Ihrer Mutter, Ihr Babysitter, Ihr nächster Sexualpartner oder Ihr Nachbar.

George J. Trepal, ein Mensa-Mitglied und ausgebildeter Chemiker, hasste die Kinder seiner Nachbarin Peggy Carr, weil sie so laut spielten. Also drang er in ihre Wohnung ein und versetze ihre Cola mit Thallium. Peggy starb, die Kinder überlebten knapp. Problem gelöst, schnell und effektiv. So schockierend herzlos handelt das Raubtier.

Als John Lyons anhielt, um den gestrandeten Autofahrern Gary Tison und Randy Greenawalt zu helfen, dankten sie es ihm, indem sie ihn und seine Familie umbrachten. Warum? Wie Trepal suchten sie nach einer schnellen Lösung für ihr Problem, schließlich waren sie gerade aus dem Gefängnis ausgebrochen und wollten nicht erwischt werden.

Die Patienten von Dr. Harold Shipman in Hyde (England) glaubten sich im Krankenhaus gut aufgehoben, doch da täuschten sie sich: Zwischen 1971 und 1998 tötete er mindestens 200 Menschen, um an ihr Geld, ihren Schmuck oder über gefälschte Testamente an ihr Vermögen zu kommen.

Zwei Jahrzehnte lang hielt man Tim und Waneta Hoyt für arme Teufel, weil ihre Babys am plötzlichen Kindstod gestorben waren – bis die Ermittler näher hinschauten und feststellten, dass Waneta sie umgebracht hatte. Diese Kinder hatten sich, wie Dr. Shipmans Patienten, zwar an einem sicheren Ort befunden, aber zusammen mit einer gefährlichen Person.

Daran sieht man, dass unsere Sicherheit nicht vom Ort (Nachbarschaft, Autobahn, Krankenhaus oder Zuhause) abhängt, sondern davon, ob ein Raubtier sich dort herumtreibt. Wenn Sie ihm ausgesetzt sind, steigt die Gefahr, dass Sie sein Opfer werden. Ob es dazu kommt, ob er Sie quält oder überfällt, ob Sie leben oder sterben, entscheidet er in der ihm eigenen Kaltblütigkeit.

Diese Lektion musste auch die Schriftstellerin Ann Rule lernen, die in den 1970er-Jahren für eine Krisen-Hotline arbeitete – neben einem Raubtier, wie sich später herausstellte. Und zwar nicht neben irgendeinem, sondern neben dem berüchtigten Serienmörder Ted Bundy. Rule schrieb später ein faszinierendes Buch über ihn, *The Stranger Beside Me* (Der Fremde neben mir). Sie überlebte die Begegnung mit ihm nur, weil er sie nicht ins Visier nahm.

Stellen Sie sich einen Wirbelsturm vor, wenn Sie an ein Raubtier denken – eine Urgewalt, die ein riesiges Trümmerfeld menschlichen Leids hinterlassen kann. Denn auf jedes direkte Opfer kommen etliche Menschen, die indirekt leiden: Angehörige, Ehepartner, Kinder, Freunde des Opfers. Von einem Raubtier missbrauchte Kinder werden fürs Leben traumatisiert und oft selbst zu Kinderschändern. So wird Missbrauch von einer Generation zur nächsten vererbt. Familie und Freunde des Raubtiers können an den Pranger geraten, sind dem Zorn der Leute ausgesetzt und tragen oft die finanziellen Folgen. Nach der Verurteilung Bernard Madoffs wegen Anlagebetrugs wurde seine Frau verhöhnt, bespuckt und ausgegrenzt. Zwei Jahre nach Madoffs Verhaftung erhängte sich sein Sohn Mark; er ertrug die Qual nicht mehr, an die Taten seines Vaters zu denken und möglicherweise auch selbst angeklagt zu werden.[1]

Schauen Sie nur an, wie viele Gläubige nach den diversen Missbrauchsskandalen das Vertrauen in die katholische Kirche verloren haben. Viertel, in denen sich ein Raubtier herumtreibt, werden zu Gefahrenzonen, in denen sich die Menschen aus Angst vor Überfällen und Einbrüchen daheim verschanzen. New York ist heute deutlich sicherer als Anfang der 1980er-Jahre, als ich dort Dienst schob, weil der Bürgermeister Rudolph Giuliani und die städtische Polizei Raubtieren auf allen Ebenen den Kampf ansagten. Kaum waren sie entfernt – sogar diejenigen, die bloß nervten, etwa durch aggressives Betteln oder chronisches Graffiti-Sprayen –, holten die ehrlichen Bürger sich ihre Straßen wieder zurück.

Ich hoffe, Sie bekommen es nie mit einem Raubtier zu tun, aber die Gefahr besteht. Und mit ein bisschen Wissen gelingt es Ihnen eher, diese gefährlichen Persönlichkeiten zu erkennen, die kaltschnäuzig über unsere Zukunft entscheiden, ohne dass wir mitreden könnten. Ich schreibe das hier nicht, um Sie zu erschrecken, sondern um Ihren Blick für sie zu schärfen. Denn sie haben Sie bestimmt im Blick. Wer weiß, wie sie sind und wie sie sich verhalten, kann ihnen eher aus dem Weg gehen.

Grundzüge der dissozialen Persönlichkeit

Raubtiere können ganz unterschiedlich und schwer zu entdecken sein, solange man nicht weiß, worauf man achten muss. Vielleicht sind sie intelligent, freundlich, attraktiv, vielleicht verschlossen, vielleicht offen kriminell, vielleicht sogar mehreres gleichzeitig. Nur weil jemand Erfolg und Freunde hat oder hohen Status genießt, heißt das nicht, dass dieser Mensch nicht auch ein Raubtier sein kann. Diese Lektion lernten die Mitarbeiter, die Sportler und Schüler der Penn State Universit, nachdem der Startrainer Jerry Sandusky für den massenhaften Missbrauch von Kindern verurteilt worden war. Ebenso erging es den Freunden und Kollegen Bernie Madoffs, als dessen kolossaler Anlageschwindel aufflog.

Diese Typen sind berechnend, manipulativ und raubtierhaft aggressiv. Wenn Sie lesen, dass jemand ein Verbrechen minutiös geplant und ausgeführt, sein Opfer beschattet und überwacht, seine Verbrechen über lange Zeiträume hinweg und in großem geografischem Radius begangen oder ein ausgetüfteltes Pyramidensystem aufgezogen hat, ist von Raubtieren die Rede. Aber auch wenn Sie hören, dass jemand ständig Ärger mit der Polizei hat, schon mehrere Sexualstraftaten begangen hat, ständig rückfällig wird oder Pläne spinnt, wie er andere um ihr Geld betrügen kann, geht es um ein Raubtier.

Für Raubtiere typisch ist, dass sie oft den Job wechseln, ihre Pläne ändern, Kredite nicht zurückzahlen, Beziehungen ruinieren oder beenden, andere enttäuschen und sich vor Verantwortung drücken. Sie brechen das Gesetz, hintergehen Menschen, nehmen sich, was ihnen nicht gehört, und hinterlassen eine Schneise der Verwüstung aus geschädigten, verletzten oder getöteten Opfern. So sind sie. Glauben Sie nicht, dass so jemand sich jemals bessert oder ausgerechnet Sie verschonen wird. Wir wissen, dass er anderen Leid zufügen wird. Wir wissen nur nicht, wem.

Raubtiere kennen sich in vielen Bereichen oberflächlich betrachtet gut aus; dieses Wissen setzen sie ein, um ihre Opfer zu beeindrucken oder in die Falle zu locken. Sie lieben es, Menschen wie Marionetten zu kontrollieren: Kinder mit Spielsachen und Süßigkeiten zu bezaubern, Frauen online zu einem Date zu verführen, junge Mädchen oder Buben dazu zu bringen, ihnen zu »helfen«, oder Menschen dazu zu überreden, ihnen ihr Geld anzuvertrauen. Sie sind Experten darin, sich das Vertrauen anderer Menschen zu erschleichen.

Auch die dissoziale Persönlichkeitsstörung zeigt sich, wie die narzisstische, die emotional instabile und die paranoide Störung, in verschieden starken Ausprägungen. In harmloseren Fällen tun Menschen nur riskante Dinge und übertreten vielleicht gewohnheitsmäßig Regeln und Vorschriften. Vielleicht sind sie hinterlistig. Oder sie geraten wegen Kleindelikten ständig mit der Polizei aneinander.

Und dann gibt es am anderen Ende des Spektrums die völlig kranken Fälle, die vor nichts zurückschrecken, um ihre Bedürfnisse zu erfüllen. John Edward Robinson ist in diesem Sinne ein wahrer Renaissancemensch, verurteilt wegen Betrugs, Unterschlagung, Fälschung, Entführung und Mordes. Robinson gilt als der erste Serienmörder, der seine (mindestens drei) Opfer über das Internet fand. Er ist das Paradebeispiel für ein Raubtier, eine wahrhaft gefährliche Persönlichkeit.

Von solchen extremen Fällen erfahren wir aus den Medien, doch die meisten Raubtiere bleiben unentdeckt, weil sie ihre Spuren gut verwischen oder gar nicht erst angezeigt werden. Denn egal, wo sie sich auf dem Spektrum befinden, eines haben sie mit uns gemeinsam: Sie lernen aus ihren Erfahrungen und Fehlern und trauen sich immer mehr zu. Ein Beispiel dafür ist Julian (Name geändert), dessen »Karriere« ich verfolgen konnte, weil seine Mutter eine Freundin unserer Familie ist.

Offenbar begann Julian schon als Kind damit, seinen Eltern Geld zu stehlen. Mit der Zeit bediente er sich immer öfter und kräftiger. Seine Eltern stellten ihn zur Rede, er entschuldigte sich – und machte weiter, jedes Mal ein bisschen erfahrener. Weil seine Eltern jetzt besser aufpassten, begann er seine Freunde und deren Eltern zu bestehlen.

Später fing Julian an, Wein und Wodka zu mopsen; rezeptpflichtige Medikamente hielten nie lange vor, verschwanden spurlos und wurden in mindestens einem Fall durch Aspirin ersetzt. Auf Vorwürfe reagierte Julian immer gewitzter. Seine Eltern sahen lieber weg, glaubten seinen Beteuerungen zu bereitwillig, nahmen ihm seine Erklärungen ab oder wollten ihn einfach nicht dauernd beschuldigen. Nach eigener Aussage hofften sie, dieses Verhalten werde sich mit der Zeit schon geben.

Kaum durfte er fahren, fing der Ärger mit der Polizei an. Das Auto kriegte etliche Beulen und Kratzer ab. Eines Tages kam er ohne Stoßstange heim. Etwa eine Stunde später fuhr die Polizei vor. Es hatte einen Unfall mit Verletzten gegeben, der Fahrer war geflüchtet. Natürlich stritt Julian alles ab. Das war seine erste Straftat. Es folgten weitere, aber vor Gericht kam er immer glimpflich davon.

Im Alter von 21 beherrschte Julian die Kunst, sich am Geldautomaten oder mit Schecks mit gefälschter Unterschrift vom Konto seiner Eltern zu bedienen. Er stahl immer größere Summen, und seine inzwischen älter gewordenen Eltern hatten keine Energie mehr, sich dagegenzustemmen. Es hatte sie einfach ausgelaugt, dass ihr eigener Sohn ein Raubtier, ein Dieb, ein Lügner, ein Betrüger, ein Drogensüchtiger, kurz eine Gefahr für sie und für die Gesellschaft war.

Das Fass zum Überlaufen brachte Julian, als er das Auto seines Vaters stahl und zum Ausschlachten verkaufte. Einfach so. In der gleichen Woche nahm er das letzte Geld, das seine Eltern im Haus hatten, und behauptete, Ratten müssten es wohl gefressen haben (es war im Dachstuhl versteckt). Meine Eltern erzählten mir, Julians Vater sei von all dem körperlich und seelisch so mitgenommen gewesen, dass er wenige Monate später als »gebrochener« Mann starb. Mir wurde erzählt, dass Julian sich bei der Beerdigung erkundigte, ob er die Uhr seines Vaters haben könne, um sie zu versetzen, und ob »noch Geld zu erben war«.

Wo endet diese Geschichte? Noch nicht hier. Julian zwang seine Mutter, ihm Zugang zu ihrem Rentenfonds zu geben, den er dann leer räumte. Im Alter von über 70 Jahren musste sie wieder arbeiten gehen. Auch ihr Haus war gepfändet worden – denn da waren noch »andere Dinge«, die er gemacht hatte.

Das meine ich, wenn ich von »Kielwasser menschlichen Leids« spreche. Julian hat meines Wissens niemanden umgebracht, aber er hat mindestens eine Familie ruiniert: seine eigene. Gegen ihn wurde oft ermittelt, doch irgendwie kam er immer davon. Im Lauf der Zeit hat er seine Vorgehensweise verfeinert, aber sie folgt immer noch dem gleichen Schema: Er lügt charmant, betrügt und stiehlt, um wie ein Parasit von der Arbeit anderer Menschen leben zu können. Wenn Sie ihm begegnen, wird er Sie anlächeln. Warum auch nicht? Andere Menschen haben ihm ihr Leben geopfert. Vielleicht tun Sie es auch bald.

Raubtiere unterscheiden sich natürlich in vielen Dingen, aber ein paar Merkmale haben sie alle gemein: Sie nehmen, aber sie geben nicht, sie setzen andere der Gefahr aus, sie sind kaltschnäuzig und voller Verachtung, sie nehmen auf niemanden Rücksicht, nicht mal auf die geliebten Menschen.

Mitleids-, reu- und gewissenlos

Wenn man sich die Aufnahme ansieht, in der Dennis Rader, der BTK-Serienmörder, davon erzählt, wie er seine Opfer fesselte, quälte und tötete, fällt auf, wie offenkundig ungerührt er wirkt. Trocken und nüchtern, wie unbeteiligt, erzählt er von seinen schrecklichen Taten – ganz typisch für Raubtiere.

Raubtiere kennen keine Emotionen im üblichen Sinne. Sie nehmen das Leid anderer Menschen nicht wahr, sie haben keinerlei Einfühlungsvermögen. Nur ihre eigenen Gefühle zählen für sie. Julians Beispiel zeigt, wie sie ohne mit der Wimper zu zucken Menschen schädigen, die sie lieben, beschützen und versorgen. Unsere Gutgläubigkeit oder unsere Schwäche ist ihre Chance. Eine unglückliche geschiedene Frau oder eine trauernde Witwe sind in ihren Augen goldene Gelegenheiten. Ein zutrauliches oder unbehütetes Kind ist ein Sexspielzeug, das man mit Süßigkeiten und Spielsachen ködern kann. Touristen kann man leicht beklauen, illegale Einwanderer erpressen; beide Opfergruppen können sich kaum wehren. Jeder, der naiv genug ist oder in Schwierigkeiten steckt, trägt quasi ein »Nütz mich aus«-Schild um den Hals. Auch eine Naturkatastrophe bietet tolle Gelegenheiten, zum Beispiel kann man eine »Spendenseite« im Internet aufziehen, von der man einzig selbst profitiert. Die Liste ist endlos.

Diese Typen kennen den Unterschied zwischen Gut und Böse durchaus, und trotzdem tun sie das Böse. Ein Beispiel: Josef Fritzl sperrte seine 18-jährige Tochter in den Keller und vergewaltigte sie dann über die nächsten 24 Jahre über 3000 Mal. Dabei zeugte er weitere sieben Kinder. Kein einziges Mal ging er mit ihnen zum Arzt. Einem Psychiater soll er gesagt haben: »Ich habe eine bösartige Ader.«[2] Er wusste ganz genau, dass er sich falsch verhielt, und mehr als 8000 Tage lang hätte er damit aufhören können. Aber er bevorzugte schlicht weiterzumachen.

Schuldig fühlen sich Raubtiere höchstens kurzfristig und vage; nie hält ihr Schuldgefühl sie von ihrem Tun ab, denn sie lernen nicht aus dem Leid, das sie anrichten – sie kennen keine Reue. Um Schuldgefühle haben zu können muss man die Verantwortung für seine eigenen Taten übernehmen. Aber das macht das Raubtier nicht. Alles andere ist schuld an seinem Verhalten, nur die dissoziale Persönlichkeit nicht: die Kindheit, schlechte Chefs, Pech, Pornografie usw. Als Ausrede ist ihr alles recht. Selbst dem Opfer gibt sie mitunter die Schuld. Jodi Arias etwa sagte, ihr Freund habe sie dazu getrieben, ihn zu verfolgen, ständig anzurufen, mit dem Messer auf ihn einzustechen, ihn zu erschießen und seinen Kopf fast abzutrennen. Es konnte einfach nicht daran liegen, dass sie ein egoistisches, emotional instabiles Raubtier war, das nicht ertragen konnte, verlassen zu werden.

Glücklicherweise kauften die Geschworenen ihr diese Lügen nicht ab.

Kalt, kaltschnäuzig, kalkulierend, kontrollierend

Raubtiere sind kaltschnäuzig. Deswegen vergleicht man sie so oft mit Reptilien, deswegen wirken sie vor Gericht so unbeteiligt, selbst wenn sie mit dem Leid der Angehörigen konfrontiert werden. Der berüchtigte Serienmörder Henry Lee Lucas formulierte es so: »Jemanden umzubringen ist, wie einen Spaziergang zu machen. Wenn ich ein Opfer brauchte, ging ich los und holte mir eins.« Nur Raubtiere denken so.

Für Raubtiere ist das Leben ein Spiel, das sich um die Frage dreht: »Womit komme ich noch durch?« Und so planen und täuschen sie. John Wayne Gacy engagierte sich in der Kommunalpolitik und unterhielt als »Pogo der Clown« die Kinder der Nachbarschaft, aber er lockte in den 1970er-Jahren auch Jungen geschickt in sein Haus, wo er sie auf sadistische Weise umbrachte, insgesamt 33. Sie bettelten um ihr Leben, doch er tötete sie kaltschnäuzig.[3]

Harold Shipman, der beliebte und angesehene Arzt in Hyde, beging seine Taten über Jahre hinweg, cool wie sonst was. Kaltschnäuzig tötete er wehrlose Menschen, um sich an ihnen zu bereichern. Erst als allzu viele seiner Patienten starben, flog die Sache auf. Sonst hätte er einfach weitergemacht.

Die kalkulierte Lüge gehört naturgegeben zum Leben des Raubtiers. Wir verwenden Worte, um zu kommunizieren, doch das Raubtier setzt Worte ein, um zu manipulieren, zu zwingen oder zu täuschen. Es weiß, wie man mit Worten bestrickt, überzeugt, verführt, sich herausredet und sich entschuldigt. Es geht mit Worten um wie ein Handwerker mit seinen Werkzeugen oder ein Musiker mit seinem Instrument. Seine Schwüre, er werde nie wieder betrügen, stehlen oder schlagen, sind leere Phrasen. Seine Worte sind wertlos, und doch lassen sich selbst die Profis in Polizei und Justiz immer wieder davon einwickeln. Und so bekommen die Betreffenden immer noch einmal eine Chance. Deswegen sind die Rückfallquoten von Raubtieren auch so hoch: Sie versprechen, sich zu benehmen, um aus dem Gefängnis zu kommen, machen aber in Freiheit sofort wieder mit ihren Straftaten weiter.

Jack Henry Abbott, der wegen Fälschung und der Ermordung eines Mitgefangenen einsaß, wurde mit dem Buch über seine Erfahrungen hinter Gittern (*Mitteilungen aus dem Bauch der Hölle*) zum Liebling des Literaturbetriebs. Er beschwatzte sogar den berühmten Schriftsteller Norman Mailer, sich für seine vorzeitige Entlassung einzusetzen. Die Bewährungskommission ließ sich von Mailers Auftritt beeindrucken und erließ Abbott den Rest der Strafe. Sechs Wochen nach seiner Entlassung erstach Abbott einen Mann in einem Café, weil dieser ihn »angestarrt« habe. All diejenigen, die sich für Abbotts vorzeitige Entlassung eingesetzt hatten, waren erschüttert, dass jemand, der so brillant mit Worten umging, auch töten konnte. Sie hätten aber nicht erstaunt sein dürfen.

Geschickt gesetzte Worte, kombiniert mit netten Taten, können unheimlich verführerisch wirken. Jerry Sandusky lockte seine Opfer genau mit dieser Kombination und seinem freundlichen Lächeln in die Falle. Doch wenn er dann seinen Penis in den Anus dieser Kinder rammte (denn genau das tat dieser verehrte Trainer/Kinderschänder seinen Opfern an), tat er das mit kaltschnäuziger Gleichgültigkeit gegenüber der Seele dieser Kinder.

Raubtiere wissen auch, mit welchen Worten man einschüchtert. Ein Wort von berüchtigten Gangstern wie John Gotti oder James »Whitey«

Bulger reichte, und Menschen zahlten Schutzgeld oder wurden getötet. Während meiner Zeit beim FBI verhörte ich einmal einen Mafioso, der erzählte, um Schutzgeld zu bekommen, habe er sich mit Ladeninhabern nur »unterhalten« müssen. Denn, »wer weiß«, es könnten ja teure Schaufenster über Nacht kaputtgehen. Solche Unterhaltungen kommen nicht nur in Filmen wie *Die Sopranos* vor, sondern gehören tatsächlich zum Alltag.

Selbst aus dem Todestrakt heraus manipulierte Ted Bundy die Ermittler noch, indem er nicht alle Namen seiner Opfer preisgab. Stunden vor seiner Hinrichtung verriet er einen weiteren, um einen neuerlichen Aufschub zu bekommen (den er aber nicht mehr bekam; er hatte schon zu lange mit dem Justizsystem gespielt). Es handelte sich um Susan Curtis, das Mädchen, von dem am Anfang dieses Buches die Rede war.

Der Serienmörder Clifford Olson brachte die kanadische Regierung sogar dazu, ihm für jeden Namen eines seiner Opfer 10.000 Dollar zu bezahlen – dafür bekam sie auch den Ort verraten, an dem es lag. Als Ergebnis seiner Kooperation erhielt seine Frau 100.000 Dollar. Das elfte Opfer verriet er gratis.[4] Was für ein Gentleman!

Eines der berüchtigtsten Raubtiere der Geschichte, Reichsmarschall Hermann Göring, manipulierte nach seiner Verhaftung die amerikanischen Strafverfolger ebenfalls wiederholt, während er auf den Nürnberger Prozess wartete. Im Austausch gegen Gefälligkeiten gab er Autogramme oder ließ sich fotografieren. Mindestens einen der Gefängniswärter brachte er sogar dazu, ihm aus seinem Gepäck ein Giftfläschchen zu besorgen, mit dem Göring sich umbrachte, bevor das Todesurteil an ihm vollzogen werden konnte.[5]

Viele Raubtiere berauschen sich an der gottähnlichen Macht, Gewalt über andere zu haben. Ted Bundy sprach über dieses Allmachtsgefühl, wenn man darüber entscheidet, wer lebt und wer stirbt. Israel Keyes, den die Behörden verdächtigen, bis zu elf Frauen getötet zu haben, erwürgte seine Opfer gern mit bloßen Händen, weil es ihm »gefiel, sie im Todeskampf leiden zu sehen«, ganz nahe, Aug in Auge, in seiner selbst gewählten Rolle als Richter über ihr Leben.

Nichts könnte die Kaltblütigkeit dieser Typen besser illustrieren als ein Video, das irgendwann in den 1980er-Jahren entstand. Darin sieht man, wie Charles Ng eine entführte Frau in einer selbst ausgebauten Folterkammer quält. Gelassen sagt er: »Du kannst schreien und so, wie alle anderen, aber das nützt dir nichts. Wir sind sozusagen – ha, ha – ziemlich kaltherzig.« Charles Ng und sein Komplize Leonard Lake sollen bis zu 25 Menschen ermordet haben; elf Morde wurden Ng nachgewiesen.

Unreflektiert, mit schlechter Impulskontrolle

Diese Typen lieben es zwar, andere zu kontrollieren, verfügen aber über wenig Selbstkontrolle und können impulsiv und absurd risikofreudig sein. Clyde Chestnut Barrow, berühmt geworden als Teil von Bonnie und Clyde, war genau so: ein rücksichtslos nach Abenteuern dürstender Mensch, der zum Bankräuber und Mörder wurde. Auch heute sind viele Bankräuber, notorische Ladendiebe und Räuber genau von diesem Typ. Sie genießen den Thrill der Tat selbst – und bekommen dafür sogar noch eine materielle Belohnung, die Beute. Wunderbare Welt!

Das Leben des Raubtiers wird geleitet durch sein völlig rücksichtsloses Streben nach Bedürfniserfüllung. Nushawn Williams etwa wusste von seiner HIV-Infektion und steckte wissentlich mindestens 13 Frauen an. Der Berufsverbrecher hatte nach Ansicht der Gerichte das Leben anderer Menschen absichtlich gefährdet; ebenso gut hätte er mit den Frauen auch russisches Roulette spielen können. Er wurde zu zwölf Jahren verurteilt, die er bis zum letzten Tag absaß. Auch Anthony E. Whitfield war, in den Worten seines Anwalts, eine »methamphetaminsüchtige Sexmaschine, der sich von Frau zu Frau hangelte, immer auf der Suche nach Unterkunft, Geld und Sex«. Bei seiner Verhaftung hatte er mindestens 17 Frauen mit dem HI-Virus angesteckt. Er zeigte keinerlei Reue und entschuldigte sich nie.

Wie narzisstische Persönlichkeiten können auch Raubtiere extrem empfindlich auf geringste Provokationen oder wahrgenommene Kränkungen reagieren. Oft fehlt ihnen jede Hemmung oder Selbstkontrolle. Im Gefängnis lernen Raubtiere, einander nicht einmal anzusehen, weil sie genau wissen, dass ein als aggressiv empfundener Blick schon als Anlass für einen Streit oder einen Mord reicht.

Während ich das schreibe, fällt mir Joe Pescis denkwürdige Darstellung von Tommy DeVito im Film *Goodfellas* ein – hochfahrend, überempfindlich gegenüber Kränkungen, nachtragend und gewissenlos. Sie glauben, das gibt es nur im Film? Von wegen! Richard Leonard »The Iceman« Kuklinski, ein Auftragskiller der Mafia, war unheimlich jähzornig, und wenn man ihn beleidigte, drehte er völlig durch. Nach seiner Verhaftung sagte er aus, leider habe er den Überblick über die Zahl seiner Opfer verloren. Vielleicht 200? Er tötete zuerst, dann stellte er Fragen. Im Vergleich zu ihm wirkt Tommy DeVito wie ein Unschuldsengel.

Raubtiere trinken oft große Mengen Alkohol oder nehmen Drogen, was sie noch reizbarer, enthemmter und gefährlicher macht. Oder sie setzen Alkohol und Drogen ein, um gezielt ihre Hemmungen abzubauen oder um andere zu verführen. Beim FBI untersuchte ich viele Fälle, in denen Männer ihren minderjährigen Stieftöchtern oder sogar Töchtern Alkohol oder Drogen gaben und sie dann missbrauchten. John Wayne Gacy machte seine Opfer mit Alkohol gefügiger, bevor er sie vergewaltigte und sadistisch ermordete.

Auch wenn Raubtiere oft triebgesteuert handeln und behaupten, sie hätten nicht anders gekonnt, gibt es keinerlei Entschuldigung für ihre Taten. Bereuen tun sie bei ihren Taten nur die Fehler – und machen es beim nächsten Mal besser. Erwarten Sie von einem Raubtier nie Reue oder gar den Vorsatz, sich zu bessern. Das liegt einfach nicht in seiner Natur.

Worte, die das Raubtier beschreiben

Hier eine Aufstellung der Ausdrücke, mit denen Opfer das Raubtier beschrieben haben. Es fällt auf, wie viele davon auch auf die narzisstische Persönlichkeit passen – und doch unterscheidet sich die dissoziale Persönlichkeit fundamental von ihr.

aalglatt, Abenteurer, abwertend, aggressiv, amoralisch, angsteinflößend, anormal, ärgerlich, arrogant, Arsch, asozial, aufbrausend, Aufreißer, ausbeuterisch, Barbar, Bastard, beleidigend, berechnend, besitzergreifend, Bestie, bestrickend, Betrüger, betrügerisch, Biker, Blutsauger, böse, böser Junge, böswillig, Brandstifter, charismatisch, destruktiv, dickhäutig, Dieb, distanziert, dominierend, doppelzüngig, durchgeknallt, egoistisch, egozentrisch, einschüchternd, elektrisierend, empfindlich, entartet, erschreckend, Fälscher, faszinierend, fies, furchterregend, Gangster, Gauner, gefährlich, gefühllos, gemein, Gesetzesbrecher, gewalttätig, Gigolo, gleichgültig, gottlos, grausam, grob, herabsetzend, herzlos, hinterlistig, Hochstapler, impulsiv, inhuman, intensiv, interessant, kaltschnäuzig, Kleptomane, kontrollierend, korrumpierend, korrupt, kriminell, launisch, leer, lieblos, machiavellistisch, Mafioso, manipulativ, missbrauchend, mitleidlos, Monster, Mörder, Müll, narzisstisch, nervig, niederträchtig, nomadisch, notorisch, oberflächlich, obszön, Pädophiler, Parasit, peinlich, pervers, promisk, Puppenspieler, quecksilbrig, rachsüchtig, Räuber, reizbar, risikofreudig, rücksichtslos, ruinös, rüpelhaft, Sadist, sarkastisch, schädlich, schamlos, Scheißkerl, schmierig, schnell, schwarze Witwe, Schwindler, seltsam, skrupellos, sprunghaft, streitlustig, taktlos, teuflisch, Tier, Tyrann, unaufrichtig, Unbehagen erregend, unehrlich, unersättlich, ungehobelt, unmenschlich, untreu, unverbesserlich, unzuverlässig, Vandale, verantwortungslos, Verbrecher, verdorben, Verführer, Verführerin, Vergewaltiger, verkommen, verlogen, vernichtend, verrückt, verschlagen, verstörend, verwirrend, voller Verachtung, vulgär, wählerisch, widerlich, wild, windig, witzig, wortgewandt, Zecke, ziellos, zügellos, Zuhälter.

Ihr Effekt auf Sie

Wenn ein Raubtier zuschlägt, stellt es Ihr Leben auf den Kopf; all Ihre Pläne und Hoffnungen zerschlagen sich, denn das Raubtier interessiert sich nur für sich selbst und mag es nicht, wenn Leute sich ihm in den Weg stellen. Anfänglich wirkt es mitunter intelligent, charmant und interessant, aber der Schock und der Schmerz sind unbeschreiblich, wenn Sie erfahren, was es getan hat – oder wenn es sich gegen Sie wendet, was jederzeit passieren kann.

Raubtiere sind enorm ermüdend, weil man allzeit auf der Hut sein muss, weil man verstecken muss, was einem teuer ist, weil man ständig versucht, sie nicht zu reizen, oder weil man um sein Leben fürchtet. Das Raubtier denkt sich nichts dabei, Sie bis ins Grab zu quälen – erinnern Sie sich nur an Julian und seinen Vater.

Eleanor, eine sehr nette Frau, der ich auf Profiler-Konferenzen immer wieder begegnete, war seit Jahren vor ihrem Sohn auf der Hut gewesen, aber umsonst. Als ich das letzte Mal von ihr hörte, erzählte sie mir, ihr 40-jähriger, noch zu Hause lebender »nichtsnutziger« Sohn habe all ihr Geld gestohlen. Sie war völlig erschöpft von dem Versuch, »diesem Bengel immer einen Schritt voraus zu sein«. Ihr Sohn, das Raubtier, das sie aus reiner Güte weiter unterstützt hatte, hatte sie komplett ausgeplündert. Die fast 60-jährige Mutter, eine Krankenschwester, musste zwei Jobs gleichzeitig machen, um ihre finanziellen Verpflichtungen erfüllen zu können. Sie hat keinerlei Vertrauen mehr in ihren Sohn.

Manche Raubtiere überreden Familienangehörige und Freunde, für ihre Kredite zu bürgen oder in bescheuerte Projekte zu investieren. Es schert sie einfach nicht, welchen Schaden sie damit anrichten. Solange sie kein eigenes Geld verlieren, ist ihnen alles egal. Fragen Sie nur ein Kautionsbüro, wie oft Berufsverbrecher von ihren Familien das Geld für die Kaution zusammenbetteln – und dann sofort untertauchen, sobald sie auf Kaution entlassen sind. Dass das Geld dann weg ist, oft Zehntausende Dollar, juckt sie nicht. Es ist erschütternd.

Die gefährliche Persönlichkeit denkt sich überhaupt nichts dabei, wenn Sie durch ihr Verhalten in Gefahr geraten. Das Raubtier bringt es fertig, sich Ihr Auto auszuleihen und es für einen Bankraub herzunehmen. Oder Sie zu bitten, es zum Haus eines Freundes zu fahren. Was Sie nicht wissen: Sein Rucksack ist voll mit Drogen. Oder Sie zu bitten zu lügen, um kriminelle Handlungen zu vertuschen oder gar ein Alibi zu liefern. Und plötzlich haben Sie Scherereien mit der Polizei.

Sein stechender Blick, seine bohrenden Fragen, die schiere Anwesenheit des Raubtiers bewirkt, dass Sie sich beklommen fühlen. Es geht uns auf die Nerven, indem es sich an uns ranwirft und eine Vertrautheit vorspielt, die es nicht gibt. Im Film *Der talentierte Mr. Ripley* spielt Matt Damon die Rolle eines Raubtiers, das sich an ein Opfer hängt und nicht loslässt, bis es bekommen hat, was es wollte. Auch in der Wirklichkeit stellen Raubtiere Forderungen an uns, die wir eigentlich nicht erfüllen wollen, sie kommen uns zu nahe, ohne Rücksicht auf unsere Wünsche und Bedürfnisse. Das geschieht nicht versehentlich, sondern in voller Absicht.

Bei manchen Raubtieren werden Sie sogar eine körperliche Reaktion spüren. Vielleicht schaudert es Sie, vielleicht stellen sich Ihnen die Haare auf, wie es mir passierte. Der renommierte Wissenschaftler und Autor Dr. J. Reid Meloy fand heraus, dass selbst ausgebildete Profis auf Räuber instinktiv körperlich reagieren.[6] Auch Gavin de Becker beschreibt in seinem Buch *Mut zur Angst*, dass wir auf unterbewusster Ebene (im limbischen System) auf diese Typen reagieren – eine Art Alarmsystem, das sich mit der Zeit herausgebildet hat, um uns vor Gefahr zu schützen. Leider redet die Gesellschaft uns ein, dieses Alarmsignal zu übersehen und bei allen Menschen erst mal anzunehmen, sie seien gut und wohlmeinend. Während Sie sich also noch bemühen, ihm zu vertrauen, checkt das Raubtier Sie schon auf Schwächen ab, die es ausnützen kann. Es wird Ihr Wohlwollen, Ihre Tugend, Ihre Großzügigkeit voraussetzen – so funktionieren Raubtiere.

Nur mit dem Zurückgeben haben sie es nicht so. Michael Chadd Boysens Familie freute sich 2013 schon auf seine Entlassung nach einer Haftstrafe, die er für einen Einbruch bekommen hatte. Seine Großeltern richteten ein Schlafzimmer für ihn her, holten ihn vom Gefängnis ab, besorgten mit ihm einen neuen Ausweis und fuhren ihn sogar zur ersten Sitzung mit seinem Bewährungshelfer, damit auch garantiert nichts schiefgehen konnte. Später am Tag brachte Boysen sie um. So zahlte er ihnen ihre Liebe heim.

Wenn wir diesen Typen nachgeben oder helfen (oder sogar mitmachen), ermöglichen wir ihnen nur, ermutigen wir sie nur, uns oder andere noch weiter auszunehmen. Zu glauben, irgendwann würden sie sich ändern oder »diesmal ist es anders«, ist ebenso naiv, wie zu glauben, eine Schlange würde weniger reptilienhaft, weil Sie sie gefüttert und gestreichelt haben. Erwarten Sie keine Güte von Menschen, die einfach keine in sich haben. Wenn nötig, können sie freundlich sein – um zu kriegen, was sie wollen. Mit Freundlichkeit etwa blendete Jerry Sandusky die Eltern, die ihm ihre Kinder anvertrauten.

Wenn diese Typen mit Ihnen fertig sind, werden Sie sich nicht nur missbraucht oder verraten vorkommen, Sie werden nach einem solchen Verrat auch anderen Menschen nur noch ungern vertrauen. Viele Opfer von Raubtieren leiden unter posttraumatischem Stress; es hinterlässt tiefe Verletzungen, derart ausgenutzt worden zu sein. Ich habe mit Opfern gesprochen, die noch Jahre später verbittert, traumatisiert und allen Menschen gegenüber misstrauisch waren. Einige befinden sich bis heute in Therapie, andere brauchten Medikamente. Ich weiß von Eltern, die wegen Angststörungen ärztlich behandelt werden mussten, weil ihre Tochter mit einem dieser Typen durchbrannte.

Wie gesagt hinterlassen Raubtiere in ihrer Bahn ein gewaltiges Trümmerfeld menschlichen Leids. Welches Leid sie uns zufügen und wann, entscheiden allein sie. Wenn Sie sich mit einem Raubtier einlassen, setzen Sie sich und Ihre Familie einem gewaltigen Risiko aus. Möglicherweise bringen Sie andere allein dadurch in Gefahr, dass Sie einem Raubtier Zugang gewähren. Bitte gehen Sie das Risiko nicht ein.

Das Raubtier in Beziehungen

Es gibt keine gleichberechtigte Beziehung mit einem Raubtier. Es sucht sich vertrauensselige oder fürsorgliche Menschen und saugt sich an ihnen fest wie ein Blutegel. Von ihnen lässt es sich alle Bedürfnisse erfüllen, selbst trägt es aber nichts bei; es sucht sich keinen Job und hilft nicht im Haushalt. Eine Ausrede, warum es nicht arbeitet, fällt ihm immer ein: Keiner würdigt seine Genialität, die angebotenen Jobs sind unter seiner Würde, der Chef ist fürchterlich, die Arbeitszeiten sind mörderisch und so weiter und so fort. Das Raubtier saugt seinen Wirt aus, bis der nichts mehr geben kann oder das Raubtier des Wirts überdrüssig wird. Dann sucht es sich die nächste vielversprechende Person oder Situation.

Elizabeth ist eine versierte, intelligente Frau, die das Unglück hatte, einen Parasiten zu heiraten. Er sah gut aus, konnte gut reden, war umgänglich und sehr sportlich. Aber er lag immer auf der faulen Haut. Elizabeth probierte es mit Karriereberatung und Eheberatung; sie versuchte, ihm Jobs zu verschaffen, und reichte sogar seinen Lebenslauf herum. Doch während sie arbeitete, fläzte er einfach daheim herum und schaute Pornos. In den drei Jahren, die sie so verbrachten, kostete er sie 40.000 Dollar. Sie zahlte ja für alles: Kleidung, Schmuck, Urlaube, Golfclubs, Computer, Kameras usw. Als es ihr endlich reichte und sie ihn rauswarf, verlangte er dreist die Hälfte ihrer in den drei Jahren Ehe erworbenen Rentenansprüche. So ist das parasitische Raubtier: Es bekommt den Hals nicht voll.

Beziehungen mit Raubtieren können fatal enden. Auf allen veröffentlichten Fotos wirkte Laci Peterson glücklich und lebendig, und im Jahr 2002 erwartete sie das erste Kind mit ihrem Mann, Scott Lee Peterson. Doch der betrog sie hinter ihrem Rücken und ermordete sie, wie das Gericht feststellte, am Weihnachtsabend 2002. Der acht Monate alte Fötus in ihrem Bauch starb ebenfalls. Warum? Scott Lee, ein echtes Raubtier, hatte beschlossen, sie müsse weg.

Auch der armen Stacy Ann Cales widerfuhr Ähnliches. Sie heiratete das Raubtier Drew Peterson (nicht verwandt mit Scott Lee Peterson). Als ein Jahr später dessen Exfrau, Kathleen Savio, unter ungeklärten Umständen starb, verteidigte Stacy ihren Mann vehement gegen alle Vorwürfe. Zu Unrecht, wie sich herausstellte: Vier Jahre später verschwand sie spurlos. Im Zuge ihrer Ermittlungen untersuchte die Polizei auch den Tod Savios neu und fand Beweise gegen Peterson. Der wurde wegen Mordes an Kathleen Savio zu 38 Jahren Haft verurteilt. Stacys Leiche wurde nie gefunden.

Das ist die traurige Wahrheit über Beziehungen mit Raubtieren. In den USA werden jeden Tag durchschnittlich drei Frauen von ihren Partnern ermordet, von den Raubtieren, mit denen sie zusammenlebten. Laut einer Statistik des amerikanischen Justizministeriums gehen 30 Prozent aller Morde an Frauen auf das Konto ihrer Partner, und fünf Prozent der Morde an Männern auf das Konto ihrer Partner(innen) (Zahlen von 2003 bzw. 2006). Diese Zahlen sollten uns zu denken geben, und oft genug gibt es ja Warnhinweise. Die müssen wir zu erkennen lernen – und dann auch beachten.

Drew Petersons Exfrauen hatten ausgesagt, wie brutal und herzlos er sie behandelt hatte – vielleicht Vorzeichen für das, was später kam. Wenn Sie die Signale übersehen oder zu spät handeln, kommt Sie das möglicherweise sehr teuer zu stehen. Die Uhr tickt. Noch bevor der Tag um ist, werden, rein statistisch, wieder drei Frauen in den USA von ihren Partnern ermordet.

Raubtiere können die besten Referenzen haben, sie bleiben immer Raubtiere. Jeffrey MacDonald etwa hatte in Princeton studiert, war Offizier in der Army und Mitglied der Spezialeinheit Green Berets. Doch als er 1970 seiner Frau Colette und seiner Kinder müde wurde, tötete er sie und behauptete, zugedröhnte Hippies hätten sie ermordet. Die Ermittler kauften ihm seine Geschichte nicht ab, ebenso wenig wie die Geschworenen. Der Einbruch sei nur vorgetäuscht gewesen, seine (oberflächlichen) Verletzungen habe MacDonald sich selbst zugefügt. Jeffrey MacDonald bleibt hinter Gittern, auch wenn er den juristischen Kampf nie aufgegeben hat. Bis heute beharrt er auf seiner Unschuld.

Wer sich mit einem Raubtier einlässt, ist ständig in Gefahr. Sei es nun indirekt, wegen des oft absurd riskanten Verhaltens des Raubtiers, oder direkt, weil immer seelische oder gar körperliche Misshandlungen drohen. Es gibt keine ruhige Minute. Wie oft lesen wir von Frauen, die sich vor ihrem Partner derart fürchteten, dass sie ihrem Tagebuch oder Freunden und Verwandten anvertrauten, wenn ihnen etwas zustoße, müsse man zuallererst den Partner verdächtigen? Diese Frauen hatten Vorahnungen, weil sie aus nächster Nähe beobachtet hatten, wie ein Raubtier sich verhält.

Manche Raubtiere führen ein Doppelleben: Sie begehen ihre Straftaten nur außerhalb ihrer Familie, die von nichts ahnt – oder lieber nicht nachfragt. Stellen Sie sich nur vor, Sie finden heraus, dass Mama oder Papa Ihr Elternhaus mit gestohlenem Geld gekauft hat. Wie kann man ein Elternteil lieben, das sagt, es liebe einen – das aber gleichzeitig andere Menschen finanziell oder psychisch ruiniert, verletzt oder gar getötet hat? Und wenn Sie einen solchen Menschen lieben, wozu macht Sie das? Das sind nur einige der Fragen, an denen die Kinder dissozialer Eltern zu knabbern haben – so schadet das Raubtier seinen Kindern, ohne je Hand an sie zu legen.

Erwarten Sie nicht, dass ein Raubtier immer für die Kinder da sein wird. Es wird distanziert oder kühl sein, gelegentlich brutal, es wird seine Kinder dem Spott aussetzen, körperlicher Gefahr, kriminellen Handlungen und dem Risiko, eingesperrt zu werden.

Der schlimmste Fall tritt ein, wenn das Raubtier seine gesamte Familie für seine Verbrechen einspannt. Die Zeitungen sind voll von Ehemännern, die ihre Frauen benutzen, um Straftaten zu begehen. Brian David Mitchell und seine Frau Wanda Barzee entführten im Jahr 2002 in Utah Elizabeth Smart und hielten sie neun Monate lang gefangen. Der verurteilte Sexualstraftäter Phillip Craig Garrido und seine Frau Nancy entführten Jaycee Lee Dugard, als sie elf war, und hielten sie 18 Jahre lang gefangen. Atmen Sie tief durch, bevor Sie Jaycees Buch über ihr Martyrium lesen, *Ein gestohlenes Leben*. Ein herzzerreißender Bericht darüber, wie ein Opfer sich nach solch einer Tat wieder aufrappelt.

Raubtiere bringen ihren Kindern oft bei zu stehlen, zu schwindeln, sich vor Verantwortung zu drücken, sich zu prügeln und gesellschaftliche Regeln zu verletzen. Von einigen Raubtieren, mit denen ich mich näher befasste, weiß ich, dass sie ihre Kinder nicht für Gesetzesverstöße bestraften, sondern fürs Erwischtwerden. John Walker, ein Kommunikationsspezialist bei der Navy, spionierte jahrzehntelang für die Sowjets. Er gefährdete nicht nur die Sicherheit seines Landes, indem er kryptografische Geheimnisse verriet, er zog auch seinen Sohn Michael in seine Verbrechen hinein. John Walker bekam eine lebenslange Haftstrafe, Michael 25 Jahre. Auch der Mafiaboss John Gotti tat seinem Sohn John A. »Junior« keinen Gefallen, indem er ihn in den Mafia-Dunstkreis brachte – John Junior steht unter ständiger Beobachtung durch Ermittler und musste wegen Erpressung, illegalem Glücksspiel und Zinswucher bereits sechs Jahre hinter Gitter. So eine Karriere wünscht niemand seinem Sohn – außer er ist ein Raubtier. Dem ist nämlich sogar das Wohlergehen seiner eigenen Kinder egal. Dann gibt es noch die Raubtiere, die ihre Stiefkinder und ihre leiblichen Kinder missbrauchen. Oder die ihre eigenen Eltern ermorden, wie die Brüder Lyle und Erik Menendez. Die erschossen ihre Eltern im Jahr 1989 kaltblütig mit einem Gewehr, als die gerade zu Hause fernsahen. Dann zogen sie los, shoppten und feierten ausgiebig, bis sie schließlich verhaftet wurden.[7] Die zwei Brüder hatten von allem das Beste gehabt – Schule, Geld, Kleidung, Autos, Tennisstunden. Aber für Raubtiere ist das Beste nie genug.

Manchmal gehen die Raubtiere behutsam vor und prüfen erst einmal, womit sie noch durchkommen. Carla, eine Frau aus Miami, erzählte mir, ihr zweiter Ehemann habe fast unmittelbar nach der Hochzeit begonnen, ihre 14-jährige Tochter zu umgarnen. Carla merkte, dass er immer mehr Zeit mit ihrer Tochter verbrachte, dass er sich mit ihr kitzelnd und ringend am Boden wälzte. Dann gab es da noch die verdächtig langen Umarmungen und Küsse. Doch Lunte roch Carla erst, als sie erfuhr, dass ihr Mann die Tochter heimlich zu Victoria's Secret gefahren und ihr Unterwäsche gekauft hatte. Mehrmals.

Carlas Bauchgefühl bestätigte sich, als sie E-Mails fand, die er ihrer Tochter vom Arbeitsplatz geschrieben hatte. Das war kein spielerisches Geplänkel mehr! Carla fragte ihre Tochter, was hier vorgehe. Erst sträubte die sich, weil sie keinen Ärger machen und das Glück ihrer Mutter nicht zerstören wollte. Wie sich herausstellte, hatte der Mann mehr versucht, als sie nur zu umarmen. Er hatte sie auf Autofahrten zwischen den Beinen berührt und sie auch sonst immer direkter bedrängt.

Carla stellte ihren Mann zur Rede. Er hatte natürlich auf alles eine Ausrede, er habe nur versucht, ein guter Vater zu sein, die Berührung zwischen den Beinen sei unabsichtlich gewesen oder nie passiert. Nichts war seine Schuld. Frech zog er sogar Carlas Tochter mit ins Gespräch und fragte: »War ich nicht nett zu dir? Kaufe ich dir nicht Sachen? Bitte sag deiner Mama, dass all das hier ein Missverständnis ist.« Was sollte ihre Tochter – die nach Carlas Worten zitterte wie Espenlaub – schon sagen? Seine Schlussfolgerung: »Siehst du? Alles ist prima.«

Mit dem Handy in der Hand sagte Carla: »Du hast eine Stunde, um zu packen und zu verschwinden. Sonst rufe ich die Polizei.« Sie brachte ihre Tochter hinaus und schickte sie zu Nachbarn, bis Angehörige sie abholen würden.

Ihr Mann versuchte, sie umzustimmen. Sie deutete auf die Uhr. Ihr stellten sich die Nackenhaare auf, sie bekam eine Gänsehaut, als ihr bewusst wurde, wie viel Zeit dieser Mann allein mit ihrer Tochter verbracht hatte. Und diese Mails, die er ihr geschickt hatte! Doch wirklich wütend machten sie seine Versuche, sich herauszureden und ihr weiszumachen, sie bilde sich da nur etwas ein. Das ist eine typische Taktik von Raubtieren – und in diesem Moment wurde Carla klar, dass sie es mit einem Raubtier zu tun hatte. Sie wurde fuchsteufelswild, denn »er versuchte schon wieder, mich zu täuschen und mich dazu zu bringen, die Augen zu verschließen«.

Stiefkinder sind recht oft das Ziel sexuellen Missbrauchs. Ich bewundere Carla, die das Richtige tat, und rechtzeitig. Aber sie musste auch teuer bezahlen: der zeitliche Aufwand, die Ausgaben für Anwälte, Gerichte, Scheidung usw. Es verursachte Carla noch lange Albträume, derart hintergangen worden zu sein. Auch ihre Tochter litt massiv; sie fühlte sich von der Mutter verraten, die diesen gefährlichen Typen ins Haus gebracht hatte. Noch Jahre später kämpften alle Beteiligten mit den Folgen. Das ist der Schaden, den Raubtiere anrichten.

Glücklicherweise setzte Carla sich durch. Viele Frauen schaffen das aber nicht. Nicht alle erkennen die Warnsignale rechtzeitig, nicht alle können sich noch retten. Alle neun Kinder von Marybeth Tinning starben unter ihrer Obhut – leider konnten die Behörden ihr nur in einem Fall nachweisen, dass sie ein Kind ermordet hatte.[8] Diane Downs glaubte, wegen ihrer drei Kinder fiele es ihr schwer, einen neuen Partner zu finden, also schoss sie auf sie; eines starb.[9] Im Fall von Crista Decker ermittelte ich im Jahr 1999 selbst. Decker, eine Mutter von drei Kindern, gab bei der Polizei an, jemand habe ihr sechs Monate altes Baby aus ihrem Auto geraubt, während sie einen Einkaufswagen geholt habe. Ich befragte sie nur Stunden nach der angeblichen Entführung. Ich erkundigte mich, wie ihre Kinder denn so seien. Liebevoll beschrieb Decker die zwei älteren Kinder, doch für ihren Säugling fand sie nur kühle Worte. Sie verriet sich schließlich, weil sie über ihr gerade erst entführtes Kind schon in der Vergangenheit sprach: »Er *war* immer ein braves Baby.« Später gestand sie, den Säugling (der von einem anderen Mann stammte) erstickt zu haben, weil er »ständig schrie«.[10]

Daraus dürfen wir alle eine Lektion ziehen: In keiner Beziehung, in keiner Familie mit einem Raubtier gibt es jemals Sicherheit.

Begegnungen mit dem Raubtier

Die meisten Begegnungen mit Raubtieren sind nur flüchtig. Wir treffen sie in Stadien, in Bars, bei der Arbeit, auf Konzerten oder Partys. Raubtiere kommen und gehen, sie verfolgen ihre eigenen Pläne, in denen wir vielleicht keine Rolle spielen. Anderen wiederum begegnen wir, weil sie uns gezielt ins Visier genommen haben, aufgrund unseres Berufs oder unserer aktuellen Situation. Das sind die Typen, vor denen man sich besonders hüten muss.

Aus gutem Grund gibt es (in den USA) Gesetze zur verschärften Kontrolle von Sexualstraftätern, insbesondere von Tätern, die sich an Minderjährigen vergangen haben. Denn da draußen laufen so viele Menschen herum, die es auf Kinder abgesehen haben. Einige von ihnen kommen ständig wieder hinter Gitter. Kaum sind sie entlassen, schlagen sie wieder zu. Andere wiederum agieren jahrzehntelang unbehelligt – erinnern Sie sich an die Missbrauchsskandale der katholischen Kirche?

Sexueller Missbrauch wird immer ein erhebliches Problem in Gesellschaften bleiben. Wer hätte sich etwa in England vorstellen können, dass der berühmte BBC-Moderator Jimmy Savile Kinder missbrauchte? Doch das tat er, jahrzehntelang. Alle Beschuldigungen fanden wegen seines Status und seiner Beliebtheit keinerlei Gehör. Für Kinder ist es grundsätzlich immer ungesund, in der Nähe von Raubtieren zu sein – egal, wer sie sind.

Auch Frauen werden oft zu Opfern. Albert Henry DeSalvo, bekannt als der Würger von Boston, durchstreifte in den 1960er-Jahren die Stadt und verschaffte sich Gelegenheiten. Unter den verschiedensten Vorwänden verschaffte er sich Zutritt zu den Häusern und Wohnungen von Frauen (er vertrete eine Model-Agentur, sein Auto sei liegen geblieben und er müsse einen Anruf machen usw.). Die Frauen ließen ihn ein, weil sie sich zu Hause sicher fühlten – aber wie ich erwähnte, gibt es keine Sicherheit, wenn ein Raubtier in der Nähe ist.

Manchmal betreten wir nichts ahnend die Jagdgründe eines Raubtiers und werden zur leichten Beute. Natalee Holloway flog 2005 mit ihren Highschool-Freunden nach Aruba. Nur Stunden, nachdem sie Joran van der Sloot begegnet war, verschwand sie. Vermutlich wurde sie ermordet, aber ihre Leiche tauchte nie auf.

Van der Sloot war gut aussehend, charmant und unterhaltsam – leider fand Natalee zu spät heraus, was für ein schrecklicher Mensch er wirklich war. Auf den Tag genau fünf Jahre nach Natalees Verschwinden beraubte und ermordete er Stephany Tatiana Flores Ramirez. Warum tat er das? Diese Frage bewegt die Eltern der Opfer. Doch leider ist die Frage völlig unerheblich, *warum* Raubtiere Dinge tun. Sie tun sie einfach.

Manchmal reicht es, in der Nähe eines Raubtiers zu wohnen. Während ich an diesem Kapitel schrieb, wurde in Cleveland (Ohio) Ariel Castro verhaftet. Er hatte drei Mädchen entführt, zehn Jahre lang festgehalten und mindestens ein Kind mit ihnen gezeugt. Die Mädchen hatten schlicht das Unglück, im gleichen Viertel zu wohnen wie er.

Dann gibt es die Raubtiere, die ausschließlich bei der Arbeit zuschlagen. Charles Cullen etwa war Krankenpfleger im Nachtdienst, der die Ermordung von mindestens 40 Patienten gestand, vielleicht waren es viel mehr.[11] Er tötete nur bei der Arbeit, nirgendwo sonst.

Auch Clyde Lee Conrad beging seine Straftaten nur im Dienst. Als Sergeant der Army stahl er militärische Versorgungsgüter, wo er konnte, verkaufte Benzin und Zigarettengutscheine auf dem Schwarzmarkt, und als ihm das nicht mehr reichte, verschaffte er sich militärische Geheimnisse und verkaufte sie an den Warschauer Pakt. Mit seinem Verrat brachte er Zehntausende Soldaten und Millionen Zivilisten in Gefahr – alles für einen kleinen Nebenverdienst.

Einige Raubtiere sind sogenannte Stützen der Gesellschaft – Veteranen, Kirchgänger, Ehrenamtliche, Pfadfinderleiter, Trainer, Amtsträger. Rita Crundwell war Kämmerin von Dixon (Illinois) und leidenschaftliche Züchterin von amerikanischen Quarter Horses. In ihrer 22-jährigen Tätigkeit unterschlug sie 53 Millionen Dollar. Der BTK-Mörder Dennis Rader war gewählter Präsident seiner Kirchengemeinde und ein verlässlicher Angestellter der Stadt, der seine Ortskenntnis und die Mobilität, die sein Beruf mit sich brachte, für seine Taten nutzte.

Dann gibt es noch die Raubtiere in Nadelstreifen, die man in großen Konzernen ebenso finden kann wie in Hinterhof-Klitschen. Denn ja, die Wirtschaft (insbesondere die Hochfinanz) honoriert eiskaltes, brutales Verhalten und zieht damit eiskalte, brutale Menschen – Raubtiere – magisch an. Hier dürfen sie sein, wie sie sind, und werden dafür noch fürstlich entlohnt.

Raubtiere in Nadelstreifen können charismatisch und interessant sein, mit ihrer Impulsivität und Aggressivität aber auch ganze Unternehmen in den Abgrund reißen. Genau das haben Kenneth Lay und Jeffrey Skilling mit Enron gemacht. Beide wurden wegen Betrugs verurteilt, und der Fall Enron ging unrühmlich als der größte Unternehmensbankrott Amerikas aller Zeiten in die Geschichte ein. Unzählige Menschen verloren ihren Job und ihre Lebensersparnisse. Der Enron-Fall muss als Mahnung dienen, dass sich selbst in den Vorstandsetagen Verbrecher in Nadelstreifen tummeln.

Gezeigt hat das erneut die US-Immobilienkrise von 2007, als gewissenlose Banker Schrottkredite vergaben und sofort weiterverschacherten. Als die Gläubiger später die Milliarden an Krediten – wenig überraschend – nicht mehr bedienen konnten, geriet das gesamte Weltfinanzsystem ins Wanken. Unternehmen gingen pleite, ganze Staaten gingen pleite – und das alles, weil ein paar Raubtiere eine schöne Chance gesehen hatten, sich zu bereichern.

Aggressivität und Härte im Geschäftsleben sind eines, aber illegale Handlungen und vorsätzlicher Betrug etwas ganz anderes.

So schlimm es schon ist, unter einem Raubtier zu arbeiten, richtig grauenerregend wird es erst, wenn ganze Länder unter der Knute eines Raubtiers leben, das es an die Spitze der Regierung geschafft hat. Fragen Sie nur die Menschen, die unter Adolf Hitler, Pol Pot oder Josef Stalin gelitten haben. Der sogenannte Schlächter von Bosnien, Radovan Karadžić, war in den Worten seiner Opfer auch um nichts besser, ebenso wenig der irakische Präsident Saddam Hussein, der die kurdische Minderheit im Land mit Folter und Giftgas verfolgte.[12]

Während ich dieses Kapitel schreibe, hören wir aus Syrien, wie Baschar al-Assad, kein Freund von Menschenrechten, sein Militär auf die eigenen Landsleute hetzt und sie mit Giftgas ermordet. Zehntausende sind schon gestorben, Millionen auf der Flucht.

Raubtiere an der Macht kennen nur ein Ziel: sich mit allen Mitteln an der Macht zu halten. Das Leid anderer lässt sie völlig kalt. Josef Stalin brachte es am besten auf den Punkt: »Der Tod eines Einzelnen ist eine Tragödie, der Tod von Millionen Statistik.« Ja, so kaltschnäuzig sind sie.

Ich hoffe, dieses Kapitel hat gezeigt, dass Begegnungen mit einem Raubtier immer gefährlich sind. Manchmal treffen wir sie, weil wir zur falschen Zeit am falschen Ort sind. Manchmal ist unser Chef oder Kollege eines. Allein das Wissen darum kann uns schon retten. Also müssen wir nach Verhaltensweisen Ausschau halten, die anzeigen, ob jemand rücksichtslos unverantwortlich ist, nur an sich denkt, gefährlich zudringlich ist oder gar eine Gefahr für Leib und Leben darstellt.

Checkliste: Hinweise auf dissoziale Persönlichkeiten

Wie in der Einleitung schon erwähnt, erstellte ich im Lauf meiner Arbeit Checklisten zur Beurteilung, ob Individuen gefährliche Persönlichkeiten sind. Anhand der folgenden Checkliste können Sie ermessen, ob Sie es mit einem dissozialen Menschen zu tun haben und wie stark dieser Zug ausgeprägt ist. Dieses Wissen darum, wie schädlich oder gar gefährlich die Person ist, hilft Ihnen dabei, Verhaltensstrategien im Umgang mit ihr zu entwickeln.

Wie die Checkliste zu nutzen ist, wird in Kapitel 1 auf Seite 54 erklärt.

- ☐ Missachtet die Rechte anderer, indem er sie misshandelt oder ausnutzt.
- ☐ Ist manipulativ und schafft es nur zu oft, Menschen dazu zu bringen, etwas für ihn zu tun.
- ☐ Hatte schon als Jugendlicher oder sogar als Kind Ärger mit Polizei und Justiz.
- ☐ Ist egozentrisch und glaubt, das Recht zu haben zu tun, was ihm passt, auch wenn andere dadurch geschädigt werden.
- ☐ Gibt auch noch damit an, dass er Regeln oder Gesetze gebrochen hat – erzählt stolz von Verbrechen, die er begangen, und Menschen, die er übertölpelt hat.
- ☐ Ist verschlagen, lügt gerne und lügt sogar, wenn es nicht nötig ist.
- ☐ Findet, dass Regeln und Gesetze für andere gelten, nicht für ihn.
- ☐ Bricht regelmäßig das Gesetz oder verletzt Gewohnheits- und Anstandsregeln.
- ☐ Erkennt Schwächen in anderen schnell und trachtet danach, sie auszunutzen.
- ☐ Hat sowohl in der Jugend als auch im Erwachsenenalter Ladendiebstähle begangen.
- ☐ Reue ist ihm fremd; wenn andere leiden, ist ihm das egal.
- ☐ Prellt gelegentlich die Zeche und gibt damit auch noch an.
- ☐ Gibt dem Leben, den Umständen, seinen Eltern, der Gesellschaft oder sogar seinen Opfern die Schuld für seine Taten.
- ☐ Kontrolle und Dominanz spielen in seinem Leben eine große Rolle – er versucht regelmäßig, andere zu kontrollieren.
- ☐ Wird als »herzlos«, »schädlich«, »unausstehlich«, »skrupellos« bezeichnet, man sagt ihm nach, es fehle ihm Anstand oder Moral.

- ☐ Hat wiederholt gefälschte oder ungedeckte Schecks ausgestellt.
- ☐ Hat Freude daran, andere zu übertölpeln.
- ☐ Provoziert gerne Menschen, indem er sie anrempelt, anstarrt oder beleidigt.
- ☐ Verfügt über großes Selbstbewusstsein – sein Handeln ist aber unverantwortlich und von geringem Nutzen für andere.
- ☐ Verträgt keine Kritik – reagiert mit Wutausbrüchen oder der Androhung von Rache.
- ☐ Gilt oder galt in der Schule oder in der Arbeit als Tyrann, der oft auf den Gefühlen anderer herumtrampelt.
- ☐ Ist geschickt darin, sich das Vertrauen anderer zu erschleichen, um es dann auszunutzen.
- ☐ Bringt Angehörige, Freunde, Kollegen und Partnerin dazu, ihn finanziell auszuhalten, für ihn zu lügen oder ihm ein Alibi zu verschaffen.
- ☐ Hat Brände gelegt, durch die Menschen, Tiere oder Sachwerte in Gefahr gerieten.
- ☐ Zögert nicht, andere Menschen finanziellen, körperlichen oder juristischen Risiken auszusetzen.
- ☐ Betrachtet das Leben als Kampf nach dem Motto »Survival of the fittest«.
- ☐ Bricht das Gesetz, ohne mit der Wimper zu zucken. Hat ein langes Vorstrafenregister.
- ☐ Ist mal gefühllos und kaltschnäuzig, mal charmant und verführerisch.
- ☐ Gibt sich als Arzt, Professor oder sonstiger Fachmann aus.
- ☐ Hat andere um Geld, Eigentum oder Wertsachen betrogen.
- ☐ Hat Fahrräder, Autos oder andere Dinge manipuliert und damit andere gefährdet.
- ☐ Plant genau, wie er andere ausnutzen kann.
- ☐ Hat als Kind oder Erwachsener Tiere gequält.
- ☐ Ist zynisch und verachtet andere.

- ☐ Ist hochmütig und selbstherrlich und wirkt oft arrogant, obwohl er eigentlich nichts vorzuweisen hat.
- ☐ Wurde schon als »extrem dreist« oder »penetrant« beschrieben.
- ☐ Hält Verabredungen nicht ein, ist unzuverlässig oder unverantwortlich, hat aber immer eine Ausrede, warum er seinen Verpflichtungen nicht nachkommen konnte.
- ☐ Spielt Psychospielchen mit anderen, um sie kleinzuhalten, sich minderwertig fühlen zu lassen oder einfach nur, um sie zu schikanieren.
- ☐ Hält es für sehr wichtig, respektiert zu werden und Macht zu haben, und sagt das auch.
- ☐ Hat sich mit Gewalt oder Einschüchterungen Sex verschafft.
- ☐ Schaltet seinen Charme von einer Sekunde auf die andere ab – gerade hat er Sie noch umgarnt, jetzt zeigt er Ihnen die kalte Schulter.
- ☐ Überschätzt sich und seine Fähigkeiten; von anderen hält er oft wenig.
- ☐ Betrachtet Untergebene als Arbeitssklaven oder Lemminge, nicht als gleichberechtigte Mitmenschen.
- ☐ Schlägt oder schlug sich mit Kleinkriminalität durch.
- ☐ Ermuntert andere zu gefährlichen oder verbotenen Handlungen.
- ☐ Versucht, Ihren Raum, Ihre Zeit, Ihren Körper, Ihren Geist oder sonst etwas zu dominieren, das Ihnen wichtig ist, um daraus Profit zu schlagen.
- ☐ Hat Eigentum anderer Menschen aus Rache oder nur zum Spaß beschädigt.
- ☐ Scheint vom Ärger verfolgt – wird oft als Unruhestifter bezeichnet.
- ☐ Hat wenig Respekt vor Institutionen oder dem Eigentum anderer.
- ☐ Hat wiederholt andere eingeschüchtert, um seinen Willen zu bekommen.
- ☐ Klagt oft über Langeweile oder redet über sein Bedürfnis nach »Action«.
- ☐ Rannte als Kind mehrmals von zu Hause fort.
- ☐ Ist nachtragend und nimmt dann »fies« Rache.

- ☐ Wirkt unaufrichtig, wenn er sich zerknirscht gibt.
- ☐ Wurde als Kind wegen Raufereien mehrmals vom Unterricht suspendiert.
- ☐ Treue und Fürsorge sind für ihn Einbahnstraßen: Er verlangt sie, gewährt sie aber selbst nicht.
- ☐ Übernimmt keine Verantwortung für sein Handeln und schiebt gern anderen die Schuld in die Schuhe.
- ☐ Gilt als »aalglatt«, »raffiniert«, »Charmeur« oder »zu gut, um wahr zu sein«.
- ☐ Widersetzte sich schon als Kind oft den Eltern, blieb lange aus, verletzte Regeln.
- ☐ Nutzt wie ein Parasit andere aus, um Obdach, Nahrung, Geld oder Sex zu bekommen.
- ☐ Behauptet, mehr geleistet zu haben, als menschenmöglich oder logisch möglich oder glaubhaft ist.
- ☐ Hatte einen Elternteil, der ihn körperlich misshandelte, tyrannisch, gleichgültig oder kriminell war.
- ☐ Lebt unverantwortlich: Behält keinen Job, seine Beziehungen scheitern regelmäßig, finanzielle Verpflichtungen werden ignoriert.
- ☐ Hat Eigentum oder Vermögen, dessen Herkunft er nicht erklären kann.
- ☐ Glaubt, ihm stünde alles zu oder er stehe über allen anderen, sodass er tun darf, was ihm passt.
- ☐ Seine Gefühlsbezeugungen wirken gespielt oder unaufrichtig.
- ☐ Verachtet andere, insbesondere Autoritätspersonen.
- ☐ Gibt sich arrogant, herablassend und verprellt damit andere Menschen.
- ☐ Andere Menschen hassen es, für ihn oder mit ihm zu arbeiten oder werden infolgedessen krank.
- ☐ Starrt andere an wie ein Reptil: unnachgiebig, unverwandt, kalt, stumm.

- ☐ Setzt seinen Blick ein, um andere einzuschüchtern, abzuschrecken oder zu dominieren (mit seinem Blick verursacht er bei Ihnen und anderen großes Unbehagen).
- ☐ Wirkt vordergründig charmant, was anfangs attraktiv ist.
- ☐ Findet Gründe, warum er andere bestohlen, verletzt oder misshandelt hat (»sie haben es verdient«).
- ☐ Er kam als Jugendlicher und Erwachsener »mit dem Gesetz in Konflikt«.
- ☐ Hat Untergebene oder andere ausdrücklich angewiesen, Regeln zu missachten, Gesetze zu brechen, Akten oder Beweise zu manipulieren, zu vernichten oder zu unterschlagen.
- ☐ Hat kaum Scheu, das Gesetz zu brechen.
- ☐ Verwendet Aliasse, wechselt Identitäten oder verschweigt bewusst Teile seiner Vergangenheit.
- ☐ Ist impulsiv – verübt ganz spontan Verbrechen, wenn sich eine Gelegenheit dazu ergibt.
- ☐ Plant nicht für die Zukunft, lebt ganz in der Gegenwart (Beispiel: nimmt das Geld für Miete oder Lebensmittel und kauft sich davon etwas Schönes).
- ☐ Reagiert gereizt oder aggressiv, wenn man ihn zur Rede stellt, tadelt oder ablehnt.
- ☐ Versucht, Sie oder andere davon abzuhalten, Kontakt mit Freunden, Angehörigen oder geliebten Menschen aufzunehmen.
- ☐ Tyrannisiert gern andere und geht keinem Streit aus dem Weg.
- ☐ In seinem Streben nach Macht, Sex oder Geld geht er gezielt auf die Schwachen los: Alte, Kinder, Naive, Frauen.
- ☐ Riskiert völlig rücksichtslos seine eigene Gesundheit, aber auch die anderer (z. B. indem er rast oder betrunken Auto fährt).
- ☐ Bedroht oder misshandelt (körperlich oder seelisch) Angehörige, Eltern, Kollegen oder Freunde oder hat das in der Vergangenheit getan.
- ☐ Nutzt seine Eltern aus, indem er sie bestiehlt, betrügt oder ihr Eigentum ohne ihre Einwilligung verpfändet oder verkauft.

- ☐ Behauptet, dem Geheimdienst, der KSK 9 oder einer anderen Geheim- oder Elitetruppe anzugehören, ohne einen Beweis dafür zu liefern.
- ☐ Wurde von einem Arbeitgeber (vielleicht dem Militär) abgewiesen, weil er psychologische Tests nicht bestand.
- ☐ Menschen spüren in seiner Gegenwart, wie ihre Haut (sie bekommen eine Gänsehaut, ihre Haare stellen sich auf) oder ihr Bauch reagiert (sich verkrampft oder übersäuert).
- ☐ Ist aggressiv narzisstisch – gemein im Umgang mit anderen; er macht sie herunter oder sorgt sonst wie dafür, dass sie sich schlecht fühlen.
- ☐ Hat bereits das Gesetz gebrochen, sich unter anderem der Erpressung schuldig gemacht, und ist straflos davongekommen.
- ☐ Interessiert sich für Schmerzen, Bestrafungen, Folter oder effektive Methoden, Menschen zu töten.
- ☐ Hat schon Zeit in Gefängnissen o. Ä. (Jugendstrafanstalten, Heimen für kriminelle Jugendliche usw.) abgesessen.
- ☐ Hat bereits Vergewaltigungen, Raub oder schweren Raub begangen.
- ☐ Hat Einbrüche und andere Eigentumsdelikte begangen oder wiederholt Autos gestohlen.
- ☐ Spricht abfällig über Frauen, sieht sie als Objekte oder »Huren«.
- ☐ Hat Kinder sexuell belästigt (Berührung, Entblößung) oder denkt über Sex mit Kindern nach.
- ☐ Scheint sein Verhalten nur schlecht im Griff zu haben.
- ☐ Seine Mutter war Prostituierte oder sonst wie im Sexgeschäft tätig.
- ☐ Hat eine sexuelle Präferenz für Kinder.
- ☐ Handelt auch beim Sex unverantwortlich und setzt andere dem Risiko sexuell übertragbarer Krankheiten wie AIDS aus.
- ☐ Hat von verschiedenen Frauen Kinder, um die er sich aber in keiner Weise (emotional, finanziell oder sonst wie) kümmert.
- ☐ Rechtfertigt grausames oder kriminelles Verhalten mit dem Spruch, der andere hätte sich die Behandlung »verdient«.

- ☐ Kam gegen Kaution aus Untersuchungshaft frei, tauchte unter und ließ seine Freunde oder Angehörigen auf dem finanziellen Schaden sitzen.
- ☐ Verschwindet tage- oder sogar monatelang und taucht dann wieder auf, ohne Erklärung oder Entschuldigung.
- ☐ Menschen sagten, sie fühlten sich in seiner Gegenwart »unbehaglich« oder sie »trauen ihm nicht«.
- ☐ Bittet andere, ihm Alibis zu verschaffen oder ihn vor der Polizei zu verstecken.
- ☐ Ist in das Auto, die Büroräume oder die Wohnung eines anderen eingebrochen oder hat jemanden verfolgt.
- ☐ Zahlt Freunden oder Partnern selten bis nie Geld zurück, das er sich geliehen hat.
- ☐ Schlägt oder misshandelt Frau oder Kinder regelmäßig.
- ☐ Frau oder Kinder vermeiden oder fürchten es, in seiner Nähe zu sein.
- ☐ Träumt davon oder denkt darüber nach, wie er kriminelle Taten verübt oder eine Frau vergewaltigt.
- ☐ Hat wiederholt Kredite nicht bedient und Unterhaltszahlungen nicht geleistet.
- ☐ Behauptet, jemanden umgebracht zu haben, oder hat es tatsächlich getan und sieht das ganz gelassen oder brüstet sich sogar damit.
- ☐ Hat unerlaubt mit der Kreditkarte eines anderen bezahlt.
- ☐ Versucht sich mit unmoralischen oder illegalen Methoden Macht, Sex oder Geld zu verschaffen.
- ☐ Behauptet gern, wenn es ans Bezahlen geht, er habe seine Geldbörse daheim vergessen oder sein Geld sei »fest angelegt«.
- ☐ Ist als Vorgesetzter gemein oder grausam – brüllt Untergebene in aller Öffentlichkeit an.
- ☐ Ist als Elternteil verantwortungslos, nachlässig, unaufmerksam, kaltschnäuzig oder rücksichtslos gegenüber seinen Kindern (kümmert sich beispielsweise nicht um sie, füttert sie nicht, badet sie nicht, bringt sie nicht zur Schule oder zum Arzt).
- ☐ Wirkt distanziert, scheint niemandem wirklich nahezustehen.

- ☐ Ist umgezogen, um einer Strafverfolgung, der Polizei oder finanziellen Verpflichtungen aus dem Weg zu gehen.
- ☐ Hat es gezielt auf alte und senile Personen abgesehen und betrügt sie um Geld.
- ☐ Hat in der Produktion von Kinderpornografie mitgewirkt.
- ☐ War schon in der Jugend verhaltensauffällig.
- ☐ Wird oder wurde als »Sadist« im Bett beschrieben.
- ☐ Wurde unehrenhaft aus dem Militär entlassen.
- ☐ Liebe bedeutet ihm nicht viel; er verwechselt Liebe und Sex.
- ☐ Hat die Misshandlung von Kindern mit abgedroschenen Phrasen wie »sie hörte nicht zu brüllen auf« oder »das macht ihn hart« gerechtfertigt.
- ☐ Lebt ein »wildes« Leben, hat »üble« oder kriminelle Freunde (Gangmitglieder, Drogendealer, Prostituierte, Zuhälter, Mafiosi).
- ☐ Besitzt Hehlerware, Kinderpornos oder Waffen, um sie bei Straftaten zu verwenden.
- ☐ Ist der Schläger oder Anführer einer Bande.
- ☐ Gehört einer kriminellen Vereinigung an (Drogenhändlerbande, Mafia, kriminelle Familie), betreibt Menschenhandel oder ist Zuhälter.
- ☐ Hat schon etliche – auch einfachste – Jobs verloren, weil er faul war, Anweisungen nicht befolgte, stritt oder unentschuldigt nicht zur Arbeit erschien.
- ☐ Trägt rassistische, frauenfeindliche oder Gewalt verherrlichende Tätowierungen, Aufnäher o. Ä.
- ☐ Hasst es, wenn man ihn nicht respektiert oder sich über ihn lustig macht – wird dann sehr böse.
- ☐ Scheint nicht aus Fehlern oder Erfahrung zu lernen.
- ☐ Hat wiederholt Dinge anderer Menschen genommen, ohne zu fragen, oder Ladendiebstahl begangen.
- ☐ Sagt selten oder nur gezwungenermaßen »tut mir leid«.
- ☐ Weist die Entschuldigungen anderer Menschen zurück, ist sehr nachtragend und nimmt gewaltsam Rache.

- ☐ Arbeit oder arbeitete für eine illegale, terroristische oder kriminelle Vereinigung, die illegales Glücksspiel betreibt, mit Drogen handelt, Autos stiehlt usw.
- ☐ Hat über lange Zeiträume nicht gearbeitet, obwohl Jobs zu bekommen gewesen wären, möglicherweise aufgrund von Haftstrafen.
- ☐ Hat Kinder in seiner Obhut vernachlässigt (nicht ausreichend ernährt oder gekleidet), eingesperrt oder misshandelt.
- ☐ Hat Menschen mit Seilen, Handschellen oder in Zellen gegen ihren Willen festgehalten.
- ☐ Hat Freude am Leid und Schmerz anderer.
- ☐ Scheint es zu genießen, in anderen Menschen Unbehagen oder Furcht zu erregen.
- ☐ Scheint immer wütend, feindselig und mit der ganzen Welt im Clinch.
- ☐ Hat von seiner »finsteren«, »gemeinen« oder »teuflischen« Seite gesprochen, was aber von seinen Gesprächspartnern möglicherweise nicht ernst genommen wurde.
- ☐ Sein Denken ist sehr starr und unflexibel; Dinge müssen auf seine Art gemacht werden, sonst wird er wütend.
- ☐ Die Frauen in seinem Leben lernen, ihn zu verabscheuen, ihm zu misstrauen, oder sie verschwinden auf mysteriöse Weise.
- ☐ Menschen, die mit ihm zu tun haben, fühlen sich ängstlich, bedroht, missbraucht, gequält, betrogen oder verraten.

Auswertung:

Bis 25 Kreuzchen: Dieser Mensch kostet andere gelegentlich Nerven; er nutzt andere aus, es kann schwierig sein, ihn als Partner oder Kollegen zu haben, möglicherweise ist Ihr Geld in Gefahr.

26 bis 75 Kreuzchen: Der Betreffende zeigt alle Anzeichen und Verhaltensweisen eines Raubtiers. Sie müssen äußerst vorsichtig sein, besonders wenn Sie in einem dauerhaften Verhältnis zu dieser Person stehen oder ihr absolut vertrauen müssen (weil Sie ihr Ihre Kinder, Finanzen, Gesundheit usw. anvertrauen).

76 und mehr Kreuzchen: WARNUNG! Dieser Mensch ist ein gefährliches Raubtier und stellt eine Gefahr für die Gefühle, die Psyche, die Finanzen und sogar die körperliche Gesundheit anderer Menschen dar. Unternehmen Sie sofort Schritte, um sich von dieser Person zu distanzieren.

Sofortmaßnahmen

Raubtiere ändern sich kaum je – sie verfeinern höchstens ihre Methoden. In seinem Buch *Fatal Flaws* beschreibt Stuart C. Yudofsky die Schwierigkeit, überhaupt psychiatrisches Personal zu finden, das für den Umgang mit dissozialen Typen ausgebildet und erfahren genug ist. Wenn schon die Profis Schwierigkeiten haben, was sollen wir dann tun? Uns bleibt kaum etwas anderes übrig, als diesen gefährlichen Persönlichkeiten möglichst fernzubleiben.

Nach meiner Erfahrung, die sich mit der vieler anderer Profis deckt, müssen Sie sich wirklich von diesen Typen befreien und gegebenenfalls kompetente und qualifizierte professionelle Hilfe suchen. Ich halte es da ganz mit Buddha, der weise bemerkte: »Die Menschen sollten lernen, Gefahren zu erkennen und zu vermeiden. So wie ein kluger Mensch sich von tollwütigen Hunden fernhält, sollte man sich nicht mit bösen Menschen anfreunden.«

Wir Laien können kaum mehr tun als aufzupassen und uns von diesen Typen fernzuhalten. Denn entweder schaden sie uns direkt (finanziell, seelisch, körperlich) oder indirekt, indem sie uns nahestehenden Menschen wehtun. Ein Raubtier in unserer Mitte kann ganze Gemeinschaften ruinieren. Es kann und wird Körper, Geist und Seele seiner Opfer verwüsten. Es plündert Sie aus oder zerstört Ihr Leben, ohne auch nur mit der Wimper zu zucken.

Vielleicht fühlen Sie sich einem solchen Menschen verpflichtet, weil Sie ihn geheiratet haben, weil er Ihr Kind ist, weil Sie ihn eingestellt haben. Halten Sie sich aber immer vor Augen, dass Ihre Treue ihn nicht davon abhalten wird, Sie auszubeuten, zu quälen, finanziell zu ruinieren. So ist das Raubtier nun mal. Weitere Strategien finden Sie im sechsten Kapitel.

Ich möchte mit den warnenden Worten eines Menschen schließen, der das Wesen des Raubtiers bestens kannte: »Wir Serienmörder sind eure

Söhne, eure Ehemänner, wir sind überall. Und morgen sterben wieder ein paar eurer Kinder.« – Theodore »Ted« Bundy

Anmerkungen:

[1] Madoff Mack, 2011

[2] *Austrian Times,* 2008; *The Week,* 21. März 2009, S. 20; Connolly, 2008

[3] Cahill, 1986

[4] Vitello, 2011

[5] Pool, 2005

[6] Meloy/Meloy, 2002, S. 21–34

[7] Davis, 1994

[8] Bovsun, 2011

[9] Rule, 1987, S. 129–136, 155, 213; Baker, 2008

[10] Mabe, 1999

[11] Graeber, 2007

[12] *U.S. News & World Report,* 4. April 1988, S. 11

FÜNFTES KAPITEL

Eine ist schlimm, zwei sind schrecklich, drei sind tödlich.

Kombinierte Persönlichkeitsstörungen

Bisher haben wir die vier Persönlichkeitsstörungen isoliert betrachtet, um sie besser verstehen zu können. In der Realität aber leiden gefährliche Persönlichkeiten oft unter mehreren Störungen gleichzeitig – und dann kann es richtig gefährlich werden.

Wie jede normale Person passt auch die gefährliche Persönlichkeit ihr Verhalten an die Lebensumstände an. Und so kann es kommen, dass die emotional instabile Persönlichkeit ihr Kind eines Tages nicht mehr nur anschreit, sondern wild schüttelt oder gegen die Wand wirft. Auch der unterkühlte, narzisstische Junggeselle heiratet vielleicht und wird ein dominierender, diktatorischer Ehemann, der sich immer abfälliger und verächtlicher äußert. Wir alle verändern uns im Lauf der Zeit, und so können viele Faktoren dazu beitragen, dass ein Mensch instabiler, böser und gefährlicher wird. Unsere Hauptaufgabe besteht darin, andere Menschen auf diese Merkmale hin im Auge zu behalten. Was wir nicht glauben oder naiv hoffen dürfen: dass sich eine gefährliche Persönlichkeit mit der Zeit von selbst bessert.

Wenn man in die Feinheiten der menschlichen Persönlichkeiten geht, kann es sehr kompliziert werden, aber Details brauchen uns nicht zu interessieren. Denn wir haben ja unsere Checklisten. Wir dürfen uns nur nicht auf eine einzelne Persönlichkeitsstörung versteifen, wenn wir uns ansehen, wie bösartig, instabil oder gefährlich ein Mensch ist. Wir müssen die Möglichkeit bedenken, dass bei der fraglichen Person mehrere dieser Störungen zusammenkommen. Auch das gehört zum Prozess – das Erkennen, welches Verhalten wozu passt. So machen wir uns ein zunehmend besseres Bild von den Menschen, mit denen wir zu tun haben. Wobei wir uns immer vor Augen halten müssen, dass manche Persönlichkeitsstörungen einander in ihren Auswirkungen potenzieren können, wenn sie gemeinsam auftreten. Die Folgen sind mitunter grässlich.

Für Beispiele müssen wir nur in die Zeitung schauen. Ich bin mir sicher, dass die Polizei von Los Angeles sich während der Fahndung nach Christopher Dorner Anfang 2013 fragte, welcher Persönlichkeitstyp er war und was er als Nächstes tun würde. Zum Glück hatte der Polizistenmörder (selbst ein Ex-Cop) ein langes Manifest geschrieben, das uns mehr verriet als seine Personalakte.

Das Manifest enthüllte einen Menschen mit zahlreichen emotionalen Verletzungen, der seine Feinde zu vernichten suchte (Paranoia) und sich gleichzeitig anmaßte, Gewalt gegen Exkollegen und ihre Familien auszuüben, um Missstände zu beheben, die seiner Ansicht nach behoben gehörten (narzisstischer Größenwahn).

Dieses Manifest lieferte wichtige Erkenntnisse; es half, sein Verhalten zu erklären und sein weiteres Vorgehen in gewissem Umfang vorherzusagen. Versucht man einen hochgradig paranoiden Menschen zu verhaften, der in seinem Narzissmus das Leben anderer Menschen für wertlos hält, muss man mit einem Feuergefecht rechnen – und genau so kam es dann ja auch.[1]

Gar nicht so selten: Kombinierte Persönlichkeitsstörungen

Von den Anweisungen für das Ausfüllen der Checklisten wissen Sie ja schon, worauf Sie achten müssen, wenn Sie es möglicherweise mit einer gefährlichen Persönlichkeit zu tun haben: Beobachten Sie die betreffende Person, registrieren Sie, wie sie sich verhält, was sie sagt, wie Sie und andere sich in ihrer Gegenwart fühlen, was man über ihre Vergangenheit weiß und was andere, die mit dieser Person zu tun hatten, erlebt und bemerkt haben. Im sechsten Kapitel werden wir darlegen, dass es zu Ihren Sorgfaltspflichten gehört, objektiv einzuordnen, was Sie und andere beobachten, und nach eindeutigen Hinweisen dafür zu suchen, dass jemand bösartig, instabil oder gefährlich ist. Das ist unsere Verantwortung, und es ist sowohl weise als auch umsichtig, ihr nachzukommen.

Machen wir nun einen weiteren Schritt und überprüfen wir, ob die beobachteten Signale darauf hindeuten, dass jemand mehr als nur eine Persönlichkeitsstörung hat. So gewinnen wir eine tiefere Einsicht in den Charakter einer Person und ihre mögliche Gefährlichkeit.

Angenommen, uns fällt auf, dass Harry redet und handelt, als halte er sich für etwas ganz Besonderes. Dieses Verhalten taucht in drei Checklisten auf: für die narzisstische, die paranoide und die dissoziale Persönlichkeit. Aber das ist ja nur ein Indikator. Also sammeln wir gründlich weiter Informationen (Wie behandelt er uns? Wie fühlen wir uns in seiner Gegenwart? Welches spezifische Verhalten beobachte ich?) und ordnen sie den jeweiligen Checklisten zu.

Sagen wir, ich beobachte, dass Harry das Bedürfnis zeigt, andere zu kontrollieren, und notorisch rachsüchtig ist. Mit diesen Beobachtungen können, wir seinen Persönlichkeitstyp näher bestimmen, und mit der Zeit kristallisiert sich vielleicht heraus, dass Harry sowohl die Kriterien für eine paranoide als auch für eine dissoziale Persönlichkeit erfüllt.

Sollten Sie durch den Umgang mit ihm oder durch Beobachtung schließlich herausfinden, dass unser fiktiver Harry 45 Punkte und mehr in beiden einschlägigen Checklisten erhält, haben Sie ein signifikantes Ergebnis. Jemand, der sowohl auf der Paranoiker-Skala als auch auf der Raubtier-Skala derart hohe Punktzahlen bekommt, ist nicht einfach unangenehm, er ist definitiv gefährlich.

Sich ein vollständigeres Bild von jemandem zu verschaffen bedeutet nicht, ihn von Anfang an in eine Schublade zu stecken. Nein, man lässt sein Verhalten für sich sprechen. Ansonsten könnten wir wichtige Informationen übersehen – was sogar Profis unterläuft.

Also angenommen, Sie treffen einen charmanten Mann, der vor Selbstbewusstsein strotzt, von großen Plänen und Ideen redet, aber nicht viel erreicht hat. Sie stecken ihn ratzfatz in die Schublade »narzisstische Persönlichkeit«. Doch damit haben Sie vielleicht etwas vorschnell geurteilt.

Ja, der Mann weist Merkmale der narzisstischen Persönlichkeit auf, aber indem Sie ihm dieses Etikett verpassen, werden Sie vielleicht blind für weitere Informationen. Wie etwa die, dass er ganz neu in der Stadt ist, nicht belegen kann, dass und wo er bisher gearbeitet hat, immer auf Achse scheint und keine erkennbare Einkommensquelle hat – lauter Dinge, die auf ein Raubtier hinweisen. Diese Person weist möglicherweise zwei Persönlichkeitsstörungen gleichzeitig auf und könnte hochgradig gefährlich sein (siehe viertes Kapitel). Den Fehler, kombinierte Persönlichkeitsstörungen zu übersehen, müssen wir unbedingt vermeiden. Verfallen Sie nicht in einen Tunnelblick, bei dem Sie nur noch bestimmte Anzeichen wahrnehmen, die Ihre Theorie stützen, und alles andere ausblenden. Piloten kennen das Phänomen, dass man sich derart auf ein Ziel oder eine Aufgabe fixiert, dass man für alle anderen Ziele – und sogar im Weg stehende Berge – völlig blind wird.

Es gibt alle möglichen Kombinationen der vier beschriebenen Persönlichkeitstypen. So kann es durchaus vorkommen, dass jemand hochintelligent, aber auch paranoid und narzisstisch ist. Betrachten Sie nur, was John McAfee, der Gründer des größten Antiviren-Unternehmens der Welt, in letzter Zeit gemacht hat. Er zog ins Ausland (Belize) und äußerte in einem Interview, er müsse das Land aufräumen, als hätten die Götter ihm diesen Auftrag gegeben – Narzissmus. Aber er fürchtete sich gleichzeitig grundlos vor der dortigen Polizei und seinen Nachbarn – Paranoia.[2] Möglicherweise vereinigt er also zwei Persönlichkeitsstörungen in sich, aber um das wirklich beurteilen zu können, fehlen uns zu viele Informationen. Also müssten wir weiter sammeln und unsere Erkenntnisse anhand der Checklisten einordnen.

Ganz allmählich kristallisiert sich dann ein Gesamtbild heraus, das sich auf das Verhalten dieser Person stützt. Es bleibt aber immer eine gewisse Unschärfe, schließlich können manche Merkmale auf mehrere Persönlichkeitsstörungen zutreffen, außerdem haben wir es mit Menschen zu tun. So wie jeder von uns Stimmungsschwankungen unterliegt, ist auch bei diesen Menschen mal der Narzisst mit seinen Größenideen vorherrschend, mal das Raubtier. Das macht Menschen ja so interessant: dass sie auf das Leben reagieren und das Leben auf sie. So wie auch wir nie ganz dieselben sind, sind auch gefährliche Persönlichkeiten von Tag zu Tag unterschiedlich.

Spielt es eine Rolle, welche Persönlichkeitsstörung überwiegt? Ja und nein, es kommt wirklich auf die einzelne Person und ihren Charakter an. Aber vergessen Sie nicht: Sie sind weder Profiler noch Wissenschaftler, Sie interessiert lediglich, wie gefährlich eine Person ist. Wenn also jemand in zwei Checklisten auf jeweils mehr als 50 Punkte kommt, kann es uns egal sein, welche Störung jetzt die vorherrschende ist. Für uns zählt nur, dass die betreffende Person mit höchster Wahrscheinlichkeit hochgradig schädlich, sehr instabil oder sogar brandgefährlich für Sie ist.

So ist es beispielsweise extrem schwierig, mit jemandem zusammenzuleben, der gleichzeitig emotional sehr instabil und hochgradig paranoid ist, denn er verdächtigt alles und jeden und schlägt mit erschreckender Regelmäßigkeit um sich. Ob diese Ausbrüche nun vornehmlich der Paranoia oder der emotionalen seelischen Instabilität geschuldet sind, interessiert nur am Rande. Wichtig ist, sich vor solchen Menschen zu retten.

Eine Frau, die ich Amanda nennen will, schrieb mir, früher sei ihr Mann nur »ein wenig schrullig« gewesen. Er sei gelegentlich ausgetickt, besonders nach anstrengenden Tagen. Doch im Lauf der Jahre hätten sich sowohl seine emotionalen Instabilität als auch seine Paranoia verstärkt, ohne ersichtliche Gründe. Er wurde extrem misstrauisch, überprüfte bei ihrem Handy, welche Anrufe sie getätigt hatte, und rubbelte sogar mit einem Bleistift über die oberste Seite des Notizblocks, um zu erfahren, welche Nachrichten niedergeschrieben worden waren. Irgendwann hielt Amanda es nicht mehr aus, auch weil er immer gewalttätiger wurde: Früher hatte er sie nur herumgeschubst, dann geschlagen, am Ende würgte er sie. Jawohl, würgte.

Also, welche Störung überwog hier, die emotionalen Instabilität oder die Paranoia? Für Wissenschaftler oder Therapeuten ist das vielleicht eine spannende Frage. Aber ich kann Ihnen verraten: Amanda interessierte sich nicht im Geringsten für die Antwort. Wir leben nicht im Labor, wo man ruhig experimentieren, ausführlich diskutieren oder weiter forschen kann, bis man hundertprozentige Sicherheit hat. Wir leben in einer Welt, wo Frauen geschlagen werden, Kinder verschwinden, vergewaltigt oder getötet werden. Wenn es um Ihre persönliche Sicherheit geht, zählt jede Minute, und man muss schnell entscheiden, aufgrund der vorhandenen Informationen, und seien sie auch unvollständig. Ziel ist es, jemanden in etwa korrekt einzustufen, ohne hundertprozentige Genauigkeit. Wartet man, bis man hundertprozentig sicher ist, kann es zu spät sein (wie etwa für Susan Powell, deren Schicksal ich später schildere).

Genau wie Amanda müssen wir vom tatsächlichen Stand der Dinge ausgehen, in Amandas Fall den Misshandlungen und der »Verrücktheit« der Umstände daheim. Amanda ging es nicht um Gewissheit, sondern ums Überleben. Sie fragte sich nicht: »Ist mein Mann 80 Prozent dies oder 20 Prozent das?« Solche Analysen dürfen Sie anderen überlassen. Für Sie lautet die zentrale Frage: Bin ich in Gefahr? Allein darum geht es in diesem Buch, nur dafür gibt es die Checklisten.

Während Sie also Daten sammeln, bedenken Sie, dass all diese Persönlichkeitsstörungen unterschiedlich stark ausgeprägt sein können, von leicht bis massiv, von hell bis dunkel, von erträglich bis gemein, von gemein bis gefährlich, und dass es von den Umständen – Stressfaktoren, Gelegenheiten, Stimmungen – abhängt, wie stark sich eine Störung gerade manifestiert. Sie dürfen sich das wie ein Radio vorstellen. Stellen Sie es leise, ist die Musik kaum hörbar. Stellt man es lauter, hört man die Musik besser. Dreht man noch lauter, wird der Lärm störend. Noch lauter, und es wird schmerzhaft, fast unerträglich laut. Dreht man voll auf, kann man sogar sein Gehör schädigen – es ist gefährlich. So kann man gefährliche Persönlichkeiten betrachten: Wie laut ist das Radio aufgedreht? Nur ganz wenig, zeigen sich nur ein paar Anzeichen? Halb laut, nervend oder störend? Oder sehr laut, bis in den roten Bereich, sodass uns körperliche Gefahr droht?

Um aber überhaupt etwas hören zu können, muss man auf einen Sender einstellen. Lassen Sie mich das noch einmal wiederholen: Die meisten schädlichen oder gefährlichen Menschen fallen gar nicht weiter auf, geraten nur selten oder nie mit der Polizei in Konflikt und gehen nur selten zum Therapeuten. Freunde und Angehörige ahnen in der Regel nichts; ihnen fehlt das Wissen, um gefährliche Persönlichkeiten erkennen zu können, sie wissen nicht, wie man mit ihnen umgeht, und oft genug schauen sie auch weg. Ein Freund von Timothy McVeigh etwa meinte: »Lässt man [den Bombenanschlag von] Oklahoma City mal weg, ist Tim ein guter Mensch.«[3] Das sagt alles. Viele Menschen weigern sich zu sehen, was direkt vor ihrer Nase liegt, oder sie sind derart voreingenommen, dass sie wie blind sind. In solchen Umgebungen gedeihen gefährliche Persönlichkeiten. Zwei Dinge darf man nie vergessen: Wir sehen nur, was wir zu sehen bereit sind, und die meisten Menschen verbergen ihren wahren Charakter.

Aus meiner Arbeit als Profiler für das FBI weiß ich, dass diese Typen oft schwer durchschaubar sind, gerade wenn mehrere Persönlichkeitsstörungen zusammenkommen. Gerade dann braucht man die Checklisten, weil man mit ihnen so gut herausarbeiten kann, welche Charakterzüge vorherrschen und mit was für einem Menschen man es nun genau zu tun hat.

Berühmte Fälle von Menschen mit kombinierten Persönlichkeitsstörungen

Am besten versteht man Menschen mit mehreren Persönlichkeitsstörungen, indem man sich Beispiele aus der Geschichte und den Nachrichten ansieht – denn sie verdeutlichen, welche Spur der Verwüstung diese Typen hinter sich herziehen.

»Wir sind von Feinden umzingelt, aber ich kenne die Lösung« – paranoid und narzisstisch

Beginnen wir im 20. Jahrhundert, über das wir dank den Massenmedien besser Bescheid wissen als über alle Epochen zuvor. Josef Stalin springt da gleich mal ins Auge. Stalin sehnte sich narzisstisch nach Macht und Bewunderung – Sie haben im ersten Kapitel erfahren, welche teils schon ans Lächerliche grenzende Ehrentitel er für sich beanspruchte. Er ließ auch ganze Städte nach sich benennen. Doch Stalin war nicht nur äußerst narzisstisch, sondern auch massiv paranoid, was ihn hochgradig gefährlich machte.[4]

Dadurch, dass er das Volk über den Sicherheitsapparat und das Militär total beherrschte, konnte er geradezu episches Unheil anrichten. Stellen Sie sich vor, jemand brächte jeden zweiten Menschen in Deutschland um. Denn das ist die Opferzahl, von der wir hier reden: 30 bis 40 Millionen Tote, die genauen Zahlen sind unbekannt.[5] In seinem extremen Argwohn siedelte Stalin ganze Ethnien um, vor allem Minderheiten, denen er misstraute. Nach dem Ersten Weltkrieg ließ er auch rund ein Viertel seiner militärischen Führung töten, weil er ihr nicht traute – eine unbedachte, kontraproduktive Handlung, die das gesamte russische Volk in Gefahr brachte, als der Zweite Weltkrieg ausbrach und erfahrene Generäle dringend gebraucht worden wären.

War Stalin jetzt ein grässlicher Einzelfall? Leider nein. Adolf Hitler (allein fünf bis sieben Millionen getötete Juden gehen auf sein Konto) war ebenfalls pathologisch narzisstisch und paranoid. Ebenso wie Pol Pot, der die »Killing Fields« und Zwangsarbeit in Kambodscha verantwortete (1,7 bis 2,5 Millionen Opfer).

Oder betrachten wir in der jüngeren Geschichte das Beispiel Slobodan Milošević und sein Wüten gegen Moslems und Kroaten. Oder Ratko Mladić, den »Schlächter von Bosnien«, der vom Internationalen Gerichtshof für das Massaker an 7500 bosnischen Männern und Buben in Srebrenica 1995 verantwortlich gemacht wird. All diese Männer haben gemeinsam, dass sie paranoid (»Wir sind von Feinden umzingelt!«) und narzisstisch waren (»Aber ich kenne die Patentlösung für alle Probleme und setze sie notfalls auch mit Gewalt durch.«). Schon das machte sie gefährlich. Aber sie kommandierten den Sicherheitsapparat oder das Militär, und das ergab die gefährlichste Mischung überhaupt: eine Psychopath mit unbegrenzter Macht.

Doch selbst im Alleingang kann die narzisstische und paranoide Persönlichkeit schon schlimme Verwüstungen anrichten, wie etwa Anders Behring Breivik, der eine Bombe im Osloer Regierungsviertel legte (acht Tote) und dann auf der Insel Utøya ein Massaker unter Jugendlichen anrichtete (69 Tote). Auch er wurde in seinem Prozess für narzisstisch und paranoid befunden. Er sah sich als den einzigen Menschen (Narzissmus), der sein Land vor Ausländern und Moslems (Paranoia) retten konnte, und wenn er dafür Unschuldige töten musste.

Leider sehen wir das immer wieder: kleine Nebendarsteller im Theater des Lebens, die plötzlich eine Hauptrolle spielen wollen. In einer Mischung aus Selbstüberschätzung und Paranoia beschließen sie, große Taten zu vollbringen. Wenn ihnen niemand zuhört, wenn sie verlacht werden, dann greifen sie nach drastischen Methoden, um auf ihr Anliegen aufmerksam zu machen.

Heute sind sie kleine, unbeachtete Würstchen wie Anders Breivik, und morgen blickt die ganze Welt auf sie. Doch wie erreicht man das? Mit Gewalt.

Lange vor den Anschlägen von Norwegen hatte ein weiterer sturer, verbohrter und schwieriger Menschen mit allen Anzeichen paranoider und narzisstischer Persönlichkeitsstörungen beschlossen, sich einen Namen zu machen. Endlich würde er in der Spitzenliga mitspielen, wo er seiner Ansicht nach hingehörte. Und dann erfuhr er aus der örtlichen Zeitung, dass der Konvoi des amerikanischen Präsidenten direkt an seinem Arbeitsplatz vorbeifahren würde. Am 22. November 1963 erschoss er John F. Kennedy. Sein Plan ging auf, heute kennt jeder seinen Namen: Lee Harvey Oswald.

Wir müssen uns dann besonders sorgen, wenn narzisstische und paranoide Persönlichkeiten anfangen, sich abzukapseln. Es hat sich immer wieder gezeigt: Wenn diese Typen sich abschotten, verliert die Außenwelt ihren dämpfenden Einfluss, die Menschen verrennen sich immer mehr in ihren Wahn, lecken (imaginäre) Wunden, kultivieren ihre Leidenschaften, Ängste und ihren Hass. Unglücklicherweise endet die Geschichte immer gleich: mit Gewalt gegen diejenigen, die sie verachten oder hassen.

Timothy McVeigh etwa zog sich nach Arizona zurück, nachdem er von den Green Berets abgewiesen worden war, um seinen Hass auf die Regierung zu pflegen. In seiner Isolation plante er den Anschlag auf das Alfred P. Murrah-Regierungsgebäude in Oklahoma City. Jahrzehnte zuvor war der ebenso narzisstische und paranoide Ted Kaczynski in eine entlegene Hütte in Montana gezogen, wo er sich in seinem Hass auf moderne Technik suhlen konnte und seine Bomben bastelte, mit denen er drei Menschen tötete und 23 verletzte.

»Beachte mich, während ich mache, was mir passt« – Narzisst und Raubtier

Im Jahr 2003 bat mich das amerikanische Außenministerium, der kolumbianischen Regierung beim Aufbau einer Profiling-Einheit zu helfen. Es war mir eine Ehre, dabei mitzuwirken, und bis heute hilft die *Unidad Especial de Comportamiento Criminal de Colombia* tatkräftig mit, die schrecklichsten Kriminalfälle Kolumbiens aufzuklären. Einer der ersten Fälle, zu denen ich hinzugezogen wurde, drehte sich um Luis Alfredo Garavito Cubillos, auch bekannt als »der kolumbianische Schlächter«. Dieser hierzulande nahezu unbekannte Mann ist einer der schlimmsten Serienmörder überhaupt – über sieben Jahre hinweg tötete er mehr als 240 Kinder (140 Leichen wurden gefunden, wo er die restlichen verscharrt hatte, wusste er nicht mehr).

Als wir uns hinsetzten, um den Fall zu analysieren, sprang mir ein Foto des Mannes sofort ins Auge. Mein kolumbianischer Kollege Luis Alfonso Forero Parra, ein brillanter Psychologe, Ermittler und heute Leiter der kolumbianischen Profiling-Einheit, bemerkte mein Innehalten. »Siehst du die narzisstische Freude in seinem Gesicht?«, fragte ich. »Der Mann ist gerade verhaftet worden, doch er scheint die Aufmerksamkeit der Medien zu genießen.« »Interessant, dass du das erwähnst«, antwortete Dr. Forero Parra. »Denn als er in seine Zelle gebracht wurde, fragte er: ›Wie sah mein Haar aus?‹« Manchmal sind Raubtiere spürbar narzisstisch. Das war einer dieser Fälle.

Tatsächlich finden wir bei Narzissten oft Merkmale des Raubtiers. Auch Bernard Madoff, der den größten Anlageschwindel der US-Geschichte plante und durchzog, der selbst seine Freunde und Angehörigen abzockte, scheint einige Merkmale des Narzissten (dessen Verhalten ausdrückt: »Ich kann alles tun, mit allen Mitteln, ohne Einschränkung«) und des Raubtiers (dessen Verhalten ausdrückt: »Ich werde jederzeit jeden ausnutzen, den ich ausnutzen kann, ohne Schuldgefühl«) in sich zu vereinen. Das gewaltige Ausmaß des Betrugs, dessen dreiste Durchführung, Madoffs Gefühlskälte und Bereitschaft, andere zu schädigen – all das spricht Bände über diese facettenreiche gefährliche Persönlichkeit.[6]

Viele Experten glauben, dass Raubtiere im Grunde von einem aggressiven Narzissmus getrieben werden. Anders ausgedrückt, muss man imstande sein, sich zu überhöhen und andere zu verachten, um sie gnadenlos ausbeuten zu können.[7] Das klingt logisch. Um sich zu verhalten wie Ted Bundy, muss man ein starkes Gefühl haben, alles stehe einem zu, und die Fähigkeit, andere Menschen ohne einen Anflug schlechten Gewissens zu verachten. Wenn wir also ein Raubtier mit stark ausgeprägtem Narzissmus sehen, müssen wir gewarnt sein: Wir haben es mit einem hochgradig gefährlichen Individuum zu tun. Mehr dazu im sechsten Kapitel.

Wie Ted Bundy war auch Charles Manson gleichzeitig narzisstisch und dissozial. Manson wurde schon in jungen Jahren kriminell; er beging Einbrüche, Diebstähle und Sexualstraftaten. Außerdem log er und genoss es, andere zu manipulieren.[8] Er sah sich (zu Unrecht) als talentierten Musiker und als Menschenführer, doch wirklich geschickt war er darin, gottähnliche Kontrolle über andere auszuüben (Narzissmus), sie auszunutzen und dazu zu bringen, für ihn Verbrechen zu verüben (dissoziale Störung). Er wurde verurteilt, die Morde an Sharon Tate sowie Leno und Rosemary LaBianca in Auftrag gegeben zu haben, die dann von Mitgliedern seiner Sekte begangen wurden. Selbst nach 40 Jahren Haft bleibt er gottlob hinter Gittern, ein Zeugnis dafür, als wie gefährlich man ihn bis heute einschätzen muss. Wenn Sie je an der Gefährlichkeit von narzisstischen Raubtieren zweifeln, lesen Sie *Helter Skelter – der Mordrausch des Charles Manson* von Vincent Bugliosi oder *Manson* von Jeff Guinn. Das wird Ihnen die Augen öffnen.

Die Kombination von drei oder vier Persönlichkeitsstörungen

Das bringt uns zu Menschen mit drei oder sogar vier Persönlichkeitsstörungen gleichzeitig. Nehmen wir etwa den Sektenführer Jim Jones. Sein Bedürfnis, verehrt zu werden, war eindeutig narzisstisch. Sein Bedürfnis nach Abgeschiedenheit und seine Angst vor Außenstehenden waren eindeutig paranoid. In seiner grandiosen Selbstüberschätzung übertrieb er die Zahl seiner Feinde maßlos.[9] Dass er seinen Anhängern ihr Geld abnahm und sie drakonisch bestrafte, weist ihn wiederum als Raubtier aus. Am Ende befahl dieser narzisstische, paranoide und dissoziale Anführer seinen Anhängern, sich umzubringen – und über 900 Menschen folgten. So gefährlich sind diese Typen.

Leider kommt es nicht so selten vor, dass Menschen multiple Persönlichkeitsstörungen aufweisen, insbesondere die Anführer von rassistischen Gruppierungen oder Sekten. David Koresh, der Anführer der Branch Davidians, ähnelte Jim Jones in vielerlei Hinsicht: narzisstisch und paranoid, mit etlichen Merkmalen des Raubtiers. Ebenso Warren Jeffs, der Anführer der Polygamistensekte. Jeffs begriff seine Sekte als Selbstbedienungsladen für Sex mit minderjährigen Mädchen, unter stillschweigender Duldung der Mütter. Jeffs glaubte wirklich, Gott habe ihn dazu berufen, diese Dinge zu tun, und »irdische« Gesetze gälten nicht für ihn (Narzissmus). Auch nach seiner Verhaftung bereute er sein widerwärtiges Verhalten nie (dissoziale Störung). Und drittens mied er alle Außenstehenden und alle, die mit ihm konkurrierten oder anderer Meinung waren (Paranoia).[10] Jeffs steht idealtypisch für Menschen mit diesen drei Persönlichkeitsstörungen: Er ist selbstsüchtig, manipulativ, ausbeuterisch und ängstlich.

Bei der Erörterung dieser Dreifachstörung darf einer nicht fehlen: Osama bin Laden, dessen extremer Narzissmus, gepaart mit massiver Paranoia und einem Schuss dissozialer Störung, zu den Anschlägen vom 11. September 2001 führte. Die Folgen dieser jahrelang mit sagenhafter Hartnäckigkeit geplanten Tat für die Gesellschaften dieser Welt, für Weltwirtschaft und Weltpolitik lassen sich kaum überschätzen. Derart größenwahnsinnige Terroristen geben sich nicht mit Kleinkram ab; ihre wenigen Anschläge sind dann aber so gewaltig wie ihr Ego.[11] Ist ein Terrorist charismatisch und intelligent genug, kann er ausgetüftelte Pläne schmieden und weitere gefährliche Persönlichkeiten um sich scharen, die ihren Fähigkeiten entsprechend die Drecksarbeit machen: bösartige Raubtiere, denen das Töten Lust bereitet, oder paranoide Menschen, die aus lauter Angst und Hass bereit sind, zum Selbstmordattentäter zu werden.

Das Komplettpaket: Alle vier Persönlichkeitsstörungen zusammen

Es gibt tatsächlich Menschen, die mehr oder minder stark Merkmale aller vier Persönlichkeitsstörungen aufweisen. Wie Sie sich wahrscheinlich ausmalen können, sind diese Psychopathen hochgradig instabil und destruktiv. Stress und andere Faktoren können diese Merkmale verschärfen, bis weit in den roten Bereich. Nachdem sich das Blatt im Zweiten Weltkrieg gewendet hatte, zeigte Hitler eindeutige Anzeichen für eine dissoziale, eine narzisstische, eine paranoide und eine emotional instabile Persönlichkeitsstörung.[12]

Nun möchte man denken, es geschehe nur sehr selten, dass Menschen alle vier Persönlichkeitsstörungen aufweisen. Doch Sie würden sich wundern, wie viele es davon gibt. Manchmal richten sie ihren Schaden nur in ihrer Nachbarschaft, im Büro oder in einer Nachbarstadt an, und wir hören nie von ihnen. Selbst wenn wir schließlich doch von ihren Taten erfahren, stellt sich hinterher nur selten jemand hin und analysiert die Sache psychologisch: »Soundso hat seine Verbrechen begangen, weil er diese Persönlichkeitsstörungen in sich vereinigte.« Das finde ich schade. Schließlich führen wir auch Autopsien durch, um festzustellen, woran und wie nun jemand gestorben ist – auch wenn dem Toten dadurch natürlich nicht geholfen ist. Ebenso sollten wir nach schlimmen Taten »psychologische Autopsien« durchführen, um aus ihnen zu lernen, welche Gefahren da draußen wirklich drohen.

Wenn jemand es für unwahrscheinlich hält, dass ein Mensch alle vier Persönlichkeitsstörungen gleichzeitig hat, können Sie ihn auf Idi Amin verweisen, den Exdiktator Ugandas. Er wies alle Merkmale der hier beschriebenen Störungen in unterschiedlich starken Ausprägungen auf.[13] War er immer so? Das weiß ich nicht. Und, ich wiederhole mich da, das spielt auch gar keine Rolle, nicht für mich, nicht für die Opfer und nicht für deren Angehörige. Entscheidend ist nur, was am Ende rauskam: Zehntausende gefolterte oder getötete Menschen. Entscheidend ist nur, dass irgendwann etwas in Idi Amin Klick gemacht hat und diese Störungen zum beherrschenden Zug seines Charakters wurden. Der Schaden, den er danach anrichtete, war grauenerregend.

Aber diese Typen sind selbst dann gefährlich, wenn sie nicht an der Spitze der Regierung stehen. Nehmen Sie Josh Powell. In ihrem Tagebuch hielt Susan Powell fest, welche Verhaltensweisen ihres Mannes Josh sie beunruhigten. Sie schrieb sogar: »Wenn ich sterbe, war das kein Unfall.« Diese Frau war eine gute Beobachterin, weigerte sich aber, die Gefahr zu sehen. Sie vertraute auf Gott, dass schon alles gut werden würde. Leider konnte dieser fromme Wunsch sie nicht retten – ebenso wenig, wie er Sie vor einer gefährlichen Persönlichkeit retten wird.

Schließlich verschwand Susan Powell unter ungeklärten Umständen. Sie wurde für tot erklärt, wie sie es geahnt hat. Ganz routinemäßig wurde erst einmal Josh verdächtigt (bekanntlich ist meistens der Partner auch der Mörder). Als sich die Indizien gegen ihn häuften, zog Josh in einen anderen Bundesstaat. Als die Behörden ihn dort aufspürten, erschlug er die Kinder mit einem Beil und beging Selbstmord, indem er das Haus anzündete.

Nach Zeugenaussagen und Susan Powells Tagebucheinträgen zu schließen wies Josh die Merkmale sowohl einer paranoiden als auch einer emotional instabilen Persönlichkeit auf, gleichzeitig aber auch die eines Raubtiers und eines Narzissten. Susan durfte ohne seine Erlaubnis nichts tun, während er machen konnte, was ihm passte; er verprügelte sie nach Belieben, er spionierte ihr nach und fragte sie, mit wem sie geredet hatte. Es war so schlimm, dass sie von der Arbeit aus mit Angehörigen und Freunden telefonieren musste, damit er nichts davon mitbekam.

Meines Wissens klärte niemand Susan darüber auf, in welcher Gefahr sie schwebte. Trotzdem erkannte sie irgendwie, dass sie es mit einem gefährlichen Menschen zu tun hatte. Sie fürchtete um ihr Leben und vertraute diese Furcht ihrem Tagebuch an.

Susan Powell bleibt bis heute verschwunden. Höchstwahrscheinlich hat ihr Mann sie getötet. Susan ahnte intuitiv, wie gefährlich ihr Mann sein könnte, aber niemand konnte ihre Erkenntnisse bestätigen und ihr raten: »Lauf, flieh, such dir Hilfe. Jetzt!« Genau dafür habe ich dieses Buch geschrieben.

Wenn gefährliche Persönlichkeiten sich zusammentun

Haben Sie sich je gefragt, warum entlassene Sträflinge sind nicht mit anderen verurteilten Verbrechern treffen dürfen? Weil wir aus Erfahrung wissen, dass schlimmes Unheil droht, wenn gefährliche Persönlichkeiten sich zusammentun – der Gesellschaft, aber auch ihnen selbst. Hier einige fatale Paarungen aus der Geschichte:

- Frank und Jesse James überfielen in den 1860er-Jahren Banken und Züge und ballerten sich zum Ruhm. Wie viele Leichen ihren Weg pflasterten, ist nicht überliefert.
- Auch Robert LeRoy Parker (Butch Cassidy) und Harry Alonzo Longabaugh (Sundance Kid) wurden als Eisenbahnräuber und Mörder berühmt.

- Bonnie Parker und Clyde Barrow (»Bonnie und Clyde«), Bankräuber und Mörder und nicht annähernd so nett, wie im Film dargestellt.
- Charles Manson und seine »Familie« stahlen, raubten und mordeten ohne Gewissensbisse.
- Die Cousins Angelo Buono jun. und Kenneth Bianchi (»Hillside Stranglers«) vergewaltigten, quälten und ermordeten in den späten 1970ern mehrere Mädchen; das jüngste war gerade zwölf Jahre alt.
- Charles Ng und Leonard Lake folterten und töteten in den 1980ern zwischen elf und 25 Opfer, darunter zwei Babys. Einige dieser Morde filmten sie sogar in ihrer selbst gebauten Folterkammer.
- Henry Lee Lucas und Ottis Toole brachten Anfang der 1980er über einen Zeitraum von sieben Jahren möglicherweise über 100 Menschen um. Den sechsjährigen Adam Walsh erschlug Toole 1981 mit einer Machete.
- Eric Harris und Dylan Klebold liefen an der Columbine Highschool Amok; es gab 13 Tote und 23 Verwundete.
- John Muhammad und John Lee Malvo erschossen im Jahr 2002 in der Gegend um Washington 13 Menschen, einfach so. Der Schütze versteckte sich jeweils im geschlossenen Kofferraum ihres Autos.

Und das waren nur wenige Beispiele. Es ist schon schlimm genug, wenn diese Typen allein agieren. Aber wenn sie sich zusammentun, droht ernsthafte Gefahr, denn sie unterstützen einander und treiben sich gegenseitig zu immer schlimmeren Taten an. Im Fall von Muhammad und Malvo steigerten sich die beiden in einen wahren Blutrausch. Drei Wochen lang terrorisierten sie eine der bestgeschützten Städte der Welt, Washington D.C., und schienen schier unaufhaltsam.

Alles zusammenfügen

Ich hoffe, Sie haben in diesem Kapitel gelernt, *alle* Checklisten durchzugehen, wenn das Verhalten eines Menschen Sie oder andere stutzig macht oder schädigt.

Wenn jemand die Merkmale mehrerer Persönlichkeitsstörungen aufweist, potenziert sich seine Gefährlichkeit; sein Handeln wird unvorhersehbarer, instabiler und möglicherweise gefährlicher für Sie. Die Sache wird umso schlimmer, je ausgeprägter die Störungen sind. Doch selbst wenn jemand auf den Checklisten überall nur mäßig punktet, haben Sie es noch immer mit jemandem zu tun, der Kummer bereitet, nervt, frustriert, Angst erregt oder Sie sonst wie runterzieht – kurz, mit einer gefährlichen Persönlichkeit, der Sie besser aus dem Weg gehen, wenn Ihnen Ihre geistige, seelische, körperliche oder finanzielle Gesundheit am Herzen liegt.

Die Checklisten können zwar nicht voraussagen, was jemand tun wird, aber sie zeigen Ihnen, wie das Verhalten einer Person sich in etwa entwickeln wird. Was jemand tun wird, lässt sich nie sicher vorhersagen – dafür sind Menschen zu komplexe Wesen. Aber vergessen Sie nie: Am besten lässt sich zukünftiges Verhalten aus dem bisherigen Verhalten ableiten. Und da gefährliche Persönlichkeiten an massiven Störungen leiden, werden sie höchstwahrscheinlich nichts dafür tun, um sich zu bessern. Ihr Verhalten wird also gleich bleiben oder schlimmer werden, abhängig von den Umständen.

Sollten Sie gerade keine Checkliste zur Hand haben und jemanden schnell beurteilen müssen, gehen Sie folgende fünf Punkte durch:

- Weckt die Person in mir negative Gefühle?
- Tut sie sprunghafte, illegale, unmoralische oder ungehörige Dinge?
- Nutzt sie andere Menschen aus oder manipuliert sie sie?
- Tut sie gefährliche Dinge?
- Handelt sie impulsiv, als wäre sie unfähig oder unwillig, noch länger auf eine Befriedigung ihrer Bedürfnisse zu warten?

Je öfter Sie mit Ja geantwortet haben, desto größer ist die Wahrscheinlichkeit, dass Sie es mit einer mehrfach gestörten Persönlichkeit zu tun haben. Anhand der Checklisten können Sie dann genauer festmachen, mit welchen Störungen Sie es zu tun haben und wie stark sie sind.

Ein weiterer Tipp: Schlagen Sie die Seiten mit den Kästen »Worte, die eine … Persönlichkeit beschreiben« auf und umringeln Sie jedes Wort, das Ihrer Meinung nach auf Ihren Kandidaten zutrifft. Wie viele Ausdrücke haben bei den verschiedenen Störungen jeweils gepasst?

In seinem Meisterwerk *Der Archipel Gulag* warnte uns Alexander Solschenizyn, der die schrecklichen Verbrechen des Sowjetregimes und seiner Anführer anprangerte, dass Menschen an einen Punkt geraten können, an dem sie die Trennlinie zwischen Gut und Böse überschreiten und möglicherweise nie wieder zurückkommen. Es gab mal eine Zeit, da brachte Ted Bundy noch keine Studentinnen um, aber irgendwann überschritt er diese Grenze und kam nie mehr zurück. Nun mag man sich fragen, wie oder warum eine Person diese Grenze überschritten hat. Andere erinnern sich vielleicht noch an die Zeit, als dieser Mensch ganz anders war. Beide Reaktionen sind durchaus berechtigt. Aber wir leben in der Gegenwart, und deshalb zählt für uns einzig, wie diese Person heute ist, ob sie eine Gefahr für uns oder unsere Lieben darstellt. Nur darum geht es, nur darum habe ich dieses Buch geschrieben.

Anmerkungen:

[1] Winter/Leinwand-Leger, 2013

[2] Davis, 2013; McGinnes, 2012

[3] Will, 2002, S. 57

[4] Radzinsky, 1996; Robins/Post, 1997

[5] Radzinsky, 1996

[6] Madoff Mack, 2011

[7] Kernberg, 1985; Meloy, 2001, S. 315 ff.

[8] Bugliosi, 1994; Sanders, 2002

[9] Kantor, 2008, S. 4 – 89

[10] Bentley/Durant, 2011

[11] Navarro, 2005, S. 38 ff., 57, 63

[12] Robins/Post, 2002; Langer, 1972

[13] Kyemba, 1977; Avirgan/Honey, 1982

SECHSTES KAPITEL

Selbsthilfe gegen gefährliche Persönlichkeiten

Sie kennen wahrscheinlich die Anleitung, wie man einen Frosch kocht: Setzt man ihn in heißes Wasser, springt er sofort wieder heraus. Setzt man ihn aber in lauwarmes Wasser und erhöht man die Temperatur ganz langsam, bleibt er sitzen und merkt gar nicht, dass er gekocht wird.

Beim FBI hörte ich von den Opfern gefährlicher Persönlichkeiten immer wieder den gleichen Refrain: »Als ich merkte, was ablief, war es zu spät.«

Unsere Anpassungsfähigkeit hat uns in der Evolution gute Dienste erwiesen. Doch bei gefährlichen Persönlichkeiten sind wir vielleicht schon gar gekocht, bevor wir überhaupt merken, dass wir in heißem Wasser sitzen.

Glücklicherweise sind wir deutlich klüger als Frösche. Wir können lernen, uns vor übelwollenden Menschen zu hüten, und Schritte unternehmen, um uns zu schützen. Ich gebe zu, bevor ich die Polizeischule in Utah und die FBI-Akademie besucht hatte, wusste ich auch nichts über das Verhalten von Kriminellen. Ich wusste nur, was ich im Fernsehen gesehen hatte, aber definitiv nicht genug über die vier hier beschriebenen Persönlichkeitsstörungen.

Mit diesem Buch will ich weitergeben, was ich in jahrzehntelanger Ermittlertätigkeit, während meiner Ausbildung, durch Beobachtung und aus Gesprächen mit Opfern gelernt habe.

Hierzulande gibt es zahllose Hotlines für die verschiedensten Notlagen. Doch man kann nirgendwo anrufen, wenn man eine gefährliche Persönlichkeit wittert. Es fällt uns selbst zu aufzupassen, als Bürger, als Eltern und als Vorgesetzte. Wir müssen Situationen, Bedrohungen und Gefahren selbst einschätzen und die erforderlichen Maßnahmen ergreifen, damit keine gefährliche Persönlichkeit in unser Leben tritt, oder, falls das bereits geschehen ist, diese Person keinen Schaden anrichten kann. Ich möchte verhindern, dass Sie der Frosch sind, der glaubt, alles stünde zum Besten, wenn in Wirklichkeit die Temperatur stündlich um ein Grad steigt.

Dieses Buch ist nur ein Puzzlestück; es gibt etliche weitere, sehr gute Bücher, darunter J. Reid Meloys Klassiker *Violence Risk and Threat Assessment* sowie *Mut zur Angst* von Gavin de Becker. Weitere Titel finden Sie im Literaturverzeichnis. Viele Menschen können Ihnen helfen, und ich hoffe, Sie schlagen im Verzeichnis der Hilfsstellen nach, wenn Sie Rat suchen. Je mehr Sie wissen und je mehr Hilfe Sie sich holen, desto besser gerüstet sind Sie.

Es folgen meine persönlichen Schlussfolgerungen aus jahrzehntelanger Erfahrung als Ermittler und Profiler. Bitte erwägen Sie diese Ideen immer vor dem Hintergrund, dass sie von einem Polizisten stammen, nicht von einem Therapeuten. Hören Sie sich auch an, was ein Therapeut zu sagen hat. Es folgt meine persönliche Meinung, die natürlich nicht das letzte Wort zu diesem Thema sein soll und kann.

Das Allerwichtigste zuerst: Die Realität

Wenn Sie sich hilfesuchend nach Rat umhören, bekommen Sie vermutlich Tipps wie: Rede doch mal mit ihm; versuche, ihn zu einer Therapie zu bewegen; versucht doch, euch zusammenzuraufen; gib ihm eine letzte Chance. Nicole Brown Simpson hat all das probiert. Und sie ist tot. Ratschläge wie die obigen eignen sich meiner Ansicht nach für normale zwischenmenschliche Probleme. Hat man es aber mit einer gefährlichen Persönlichkeit zu tun, sieht die Sache ein wenig anders aus.

Erstens sehen diese Menschen, wie bereits erläutert, normalerweise gar nicht, dass mit ihnen etwas nicht stimmt. Wenn Sie sie dezent auf diese

Möglichkeit hinweisen, reagieren sie bestenfalls mit Antworten wie »Ich habe kein Problem, du hast eines«, »Du hast doch keine Ahnung, wovon du redest«, »Wer hat gesagt, ich hätte ein Problem? Mir geht es prima« oder »Mit wem hast du geredet? Was hast du ihnen erzählt?« Meistens werden sie aber heftiger und feindseliger reagieren.

Ich will hier nicht sagen, dass Sie nicht versuchen sollten, mit diesen Menschen zu reden. Vielleicht ist ihre Störung nur so milde, dass sie nicht ausfällig werden und tatsächlich bereit sind, Hilfe anzunehmen. Aber wundern Sie sich nicht, wenn der Betroffene verspricht, sich Hilfe zu suchen, das dann aber nicht tut, oder nur ein einziges Mal (etwa zum Therapeuten) geht und dann nie wieder. Denn genau das passiert meistens – ich weiß das von den Opfern.

Vergessen Sie nie: Gefährliche Persönlichkeiten sind gestört; der Narzisst faucht Sie vielleicht an, weil er sich für vollkommen hält und Sie jetzt andeuten, er wäre es möglicherweise nicht. Die emotional instabile Persönlichkeit wird auf Sie losgehen, weil das ihrer Natur entspricht. Das Raubtier hat ohnehin nicht den geringsten Sinn dafür, dass bei ihm etwas nicht stimmt. Und der Paranoide wird Sie danach als »Feind« einstufen und Ihnen noch weniger trauen. Was ich sagen will: Normalerweise ist es klug, jemandem zu raten, sich therapeutische Hilfe zu suchen, doch im Fall von gefährlichen Persönlichkeiten sollten Sie sich das zweimal überlegen, weil es sehr heikel sein kann.

Halten Sie sich vor Augen, dass Sie äußerst behutsam vorgehen müssen, wenn Sie diesen Typen auf den Kopf zusagen, dass sie Hilfe brauchen. Beachten Sie, dass Ihr Handeln Folgen haben kann, ernsthafte Folgen. Meiner Ansicht nach dürfen Sie es überhaupt nur wagen, wenn Sie glauben, das ohne Gefährdung für sich selbst tun zu können. Nur Sie kennen Ihre Situation. Lassen Sie sich von niemandem einreden, dieses Thema leichtfertig anzuschneiden – Sie sind derjenige, der die Faust ins Gesicht bekommt oder dem das Leben einen Monat lang zur Hölle gemacht wird.

Gefährlichen Persönlichkeiten fehlt es, wie ich dargelegt habe, an Einsicht und am Willen, sich zu bessern. Überlassen Sie diesen schwierigen Kampf den Profis. Es gibt Therapeuten, die sich auf Persönlichkeitsstörungen und kriminelles Verhalten spezialisiert haben. Und auch bei denen gibt es keine Erfolgsgarantie, weil gefährliche Persönlichkeiten gegen Veränderungen praktisch immun sind.

Gehen Sie besonders vorsichtig vor, wenn der Betreffende die Grenze von nervtötend und übel zu bösartig, instabil, kriminell überschritten hat. Menschen wie Ted Bundy, John Wayne Gacy oder Jerry Sandusky laufen nicht zum Therapeuten, um sich ihren Dämonen zu stellen. Sie merken nicht einmal, dass sie nicht ganz richtig ticken, selbst wenn sie vergewaltigen oder töten. Wie wollen Sie so jemanden dazu bringen, sich Hilfe zu suchen? Wenn Menschen einmal die Grenze zur Kriminalität überschritten haben, irrational oder instabil geworden sind, bleibt Ihnen nur noch die Flucht. Das klingt jetzt hart, aber das ist der beste Rat, den ich Ihnen mit der Erfahrung meines ganzen Arbeitslebens geben kann.

Tipps für den Alltag

Die folgenden Tipps habe ich im Lauf der Jahre von verschiedenen Experten zusammengetragen. Die Liste ist nicht vollständig, und es gibt einen Haufen Bücher, die im Detail beschreiben, wie man mit bösartigen oder gefährlichen Personen umgeht. Ich hoffe, Sie finden hier trotzdem einen gewissen Leitfaden; die geschilderten Taktiken haben anderen Menschen in vergleichbarer Situation weitergeholfen.

Sammeln Sie Informationen

Louis Pasteur, der französische Chemiker und Mikrobiologe, der unter anderem das Pasteurisieren erfand, wusste: »Das Glück bevorzugt den, der darauf vorbereitet ist.« Wie wahr! Nun, da Sie dieses Buch gelesen haben, wissen Sie um die Charaktermerkmale gefährlicher Persönlichkeit, sind besser für den Umgang mit ihnen gewappnet und haben bessere Chancen, unbeschadet davonzukommen.

Die Checklisten sollen Ihnen nicht nur dabei helfen, Menschen in Ihrem Umfeld richtig einzuschätzen, Sie sollen auch ganz allgemein zur Warnung dienen. Zur Warnung, wie diese Typen andere manipulieren, gezielt seelische »Knöpfe« drücken, sich gegen deren Willen in das Leben anderer drängen, Menschen körperlich oder seelisch misshandeln, lügen, betrügen, stehlen, sich und andere mit riskanten Aktionen in Gefahr bringen, vergewaltigen und sogar töten. Sehen Sie sich die vier Checklisten auch später immer mal wieder an, zur Warnung: Das sind die Menschen, denen wir aus dem Weg gehen müssen.

Schauen Sie nicht nur, sehen Sie

Als ich noch jung war, verbrachte ich viele Wochenenden am Strand. Dort badeten auch viele Touristen aus Europa, deren Kleinkinder, wie dort üblich, nackt herumliefen. Oft beobachtete ich einen Mann in Straßenkleidung, der Fotos machte. Er hatte eine große Tasche mit Objektiven, weshalb ich ihn für einen professionellen Fotografen hielt. Er fotografierte alle Touristen, doch bei den Kindern ging er oft nah hin, um sie beim Spielen im Wasser oder beim Sandburgenbauen zu fotografieren. Damals dachte ich mir nichts Böses, ich interessierte mich mehr für seine teure Ausrüstung, die sich meine Eltern nicht hätten leisten können.

Ich sah damals einen Fotografen. Hätte ich genauer hingesehen, hätte ich einen Pädophilen in Aktion gesehen. Ich war blind für das, was wirklich vorging, weil mir niemand beigebracht hatte, worauf ich achten musste. Niemand hatte mir erklärt, dass Sexualstraftäter und Kinderpornografen sich so verhalten. Erst Jahre später, als ich über Sexualstraftaten nachlas, dämmerte mir, was ich gesehen, aber nicht erkannt hatte, weil ich geistig nicht vorbereitet gewesen war.

Wie oft haben wir es nach schrecklichen Verbrechen erlebt, dass ein Reporter den Nachbarn fragt, was für ein Typ Mensch der Täter denn so sei. Und der sagt dann etwas wie »ein netter Kerl«. Vor fast 40 Jahren, als wir die 26. Leiche unter John Wayne Gacys Haus in Illinois ausgruben, schwärmte ein Nachbar Reportern vor, was für ein »toller Typ« Gacy sei.[1] Und seitdem hat sich nichts geändert. Die Leute schauen, aber sie sehen nicht. Vielleicht ist es sogar noch schlimmer geworden. Blicken Sie sich nur in der Öffentlichkeit um: Die Menschen starren so gebannt auf die Bildschirme ihrer Smartphones, dass sie einander gelegentlich anrempeln, auf den Ohren haben sie Kopfhörer. Doch wie soll man einen Stalker bemerken, wenn man auf einen Bildschirm starrt, telefoniert oder Musik hört? Sehen Sie sich an, wie viele Menschen genau das tun. Und die Raubtiere da draußen sehen es ebenfalls.

Dieses Buch und die Checklisten sollen Sie lehren, genau hinzusehen. Von Ihrer Beobachtungsgabe kann Ihre Sicherheit abhängen. Wie der angesehene französische Kriminalist und Biometriker des 19. Jahrhunderts, Alphonse Bertillon, sagte: »Man kann nur sehen, worauf man seine Aufmerksamkeit richtet, und man richtet seine Aufmerksamkeit nur auf Dinge, die bereits einen Platz im Bewusstsein einnehmen.«

Vertrauen Sie Ihrem Gefühl: Wie fühle ich mich in Gegenwart dieser Person?

Im vierten Kapitel beschrieb ich, wie es mich bei meiner ersten Begegnung mit einem Raubtier körperlich schüttelte. Wir verfügen über ein inneres Warnsystem, das uns auf Gefahren hinweist – wenn wir denn nur darauf hören. Achten Sie darauf, wie Sie sich in Gegenwart anderer fühlen. Das ist ein entscheidender Hinweis, den aber selbst Experten oft ignorieren. Achten Sie darauf, wie Ihr Körper auf Menschen und Situationen reagiert. Verkrampft sich Ihr Magen? Stellen sich Ihnen die Haare an den Armen auf? Rötet sich Ihre Haut? Fühlen Sie sich unwohl, ängstlich oder vage beunruhigt? Seien Sie dankbar für diese Gefühle, denn sie sind Nachrichten unseres Gehirns an den Körper: Pass auf, dieser Mensch könnte gefährlich sein! Seien Sie dankbar für die »Gabe«, Angst zu empfinden, die Gavin de Becker in seinem äußerst lesenswerten Buch so preist.

Erkennen Sie den Unterschied zwischen Nettigkeit und Gutartigkeit

Der Serienmörder Ted Bundy bot jungen Frauen an, ihre Einkaufstüten zu tragen. Der Sexualstraftäter und Serienmörder John Wayne Gacy machte buchstäblich den Clown für die Kinder seiner Nachbarschaft. Der verurteilte Kinderschänder Jerry Sandusky organisierte Sportprogramme für Jugendliche in Schwierigkeiten. Alle drei verstanden es, nett zu tun (diese Typen verstehen sich oft bestens darauf), aber hinter geschlossenen Türen waren sie nicht nett, sondern böse.

In unseren Gesellschaften haben wir das Problem, dass wir anderen Menschen erst einmal vertrauen, auch wenn sie das nicht verdienen. Wie weiter oben bereits geschildert, verstehen es gefährliche Persönlichkeiten, nett zu sein, aber sie sind nicht gut.

Als ich jung war, brachte mir meine Mutter eine spanische Version dieser Weisheit bei: »Ventajeros no son buenos.« Wer nette Dinge tut, um selbst daraus einen Vorteil zu ziehen, ist deswegen kein guter Mensch. Auch de Becker brachte es gut auf den Punkt, indem er zwischen Nettigkeit und Gutartigkeit unterschied. Diese Unterscheidung müssen auch wir treffen und unseren Kindern beibringen.

Nett kann man bei Bedarf und aus egoistischen Gründen sein. Güte hingegen kommt von Herzen und gehört zum Charakter eines Menschen. Sie umfasst die Fähigkeit, die Bedürfnisse anderer Menschen wahrzunehmen, und den Wunsch, sie nach Möglichkeit zu erfüllen. Auch gute Menschen können schlechte Tage haben – aber danach kehren sie wieder zu der ihnen eigenen Güte in Gedanken, Worten und Taten zurück. Nett sein kann jeder. Gutartigkeit ist ein Charakterzug. Um den Unterschied zu erkennen, müssen wir die Motivation von Menschen betrachten. Bringen Sie Ihren Kindern bei, auf diesen Unterschied zu achten.

Kontrollieren Sie Raum und Abstand

Abstand ist das probate Mittel, um sich und seine Lieben zu schützen. Wände, Zäune, Tore, Türen, Autofenster, Kindersicherungen am Computer – all das hilft, das Böse fernzuhalten.

Manchmal müssen wir selbst für Abstand oder Barrieren sorgen. Niemand mag es, wenn am Geldautomaten jemand zu nah hinter einem steht. Niemand mag, wenn man ihm zu seinem Auto folgt. Niemand mag, wenn der eigene Partner einem aus sieben Zentimetern Entfernung ins Gesicht brüllt. Raum und Abstand können ebenso schützen wie Barrieren. Vergessen Sie nie, dass Raubtiere versuchen, Ihren Raum, Körper, Verstand, Ihre Gefühle oder Ihre Finanzen unter ihre Kontrolle zu bringen. Raum und Abstand können verhindern, dass ihnen das gelingt.

Kontrollieren Sie die Geschwindigkeit – bremsen Sie

Wenn Leute andere zu übervorteilen versuchen, setzen sie sie gern unter künstlichen Zeitdruck. Merken Sie also auf, wenn jemand Sie bedrängt, und lassen Sie sich nicht dazu verleiten, sich überhastet in Dinge zu stürzen. Denken Sie in aller Ruhe darüber nach, ob Sie diese Person heiraten oder einstellen, diesen Vertrag unterschreiben, diesen Scheck ausstellen, diese Person hereinlassen oder ihre Ansichten übernehmen wollen. Treten Sie auf die Bremse, nehmen Sie sich die Zeit, ohne Druck über eine Situation nachzudenken. Das ist ein wichtiges Indiz: Wenn man Sie unter Zeitdruck setzt, wenn Sie das Gefühl haben, Sie müssten vorschnell entscheiden, dann ist etwas faul. Wenn dem anderen wirklich an Ihnen liegt, bedrängt er Sie nicht.

Umgekehrt lassen gefährliche Persönlichkeiten manchmal auch die Zeit für sich arbeiten: Mit ihrer Hartnäckigkeit, mit ständig wiederholten Argumenten oder mit immer schärfer werdenden Drohungen kochen sie ihre Opfer weich. Wenn Sie spüren, dass jemand Sie weichkochen will, sollten Sie den Abstand vergrößern oder kategorisch ausschließen, wozu der andere sie verleiten will. In diesen Fällen können auch Verbündete von Nutzen sein, die sich bei Bedarf um Sie scharen (siehe auch weiter unten den Abschnitt »Schmieden Sie Allianzen«).

Durchtrennen Sie die emotionalen Fäden

Wenn jemand versucht, Sie über Ihre Gefühle zu kontrollieren wie eine Marionette, stimmt etwas nicht. Liebende Menschen tun so etwas nicht. Gefährliche Persönlichkeiten sind jedoch wie Marionettenspieler, sie wissen, was sie sagen und tun müssen, um Ihre emotionalen »Knöpfe« zu drücken. Sie drohen, die Beziehung zu beenden oder sich etwas anzutun, oder jammern, sie wären am Boden zerstört, wenn Sie dies oder jenes nicht tun. Oder sie nölen und quengeln und weinen wie Kleinkinder, bis Sie das Gewünschte tun. Halten Sie einfach inne und machen Sie sich klar: Wenn solche Szenen Sie mitnehmen, dann deswegen, weil der andere gezielt Ihre »Knöpfe« drückt – Sie bewusst manipuliert. Und Sie wollen ja nicht Ihr Leben lang fremdgesteuert werden. Entreißen Sie dem Marionettenspieler die Kontrolle über Ihr Leben. Machen Sie sich klar, was er tut, setzen Sie Grenzen und verlassen Sie diejenigen, die Sie nicht eigenmächtig handeln lassen.

Überschlagen Sie, wie oft/wie viel

Gefährliche Persönlichkeiten verraten über ihr Handeln – was sie tun und wie oft sie es tun –, wie stark ihre Störung ist und ob sie mehrfach gestört sind (siehe fünftes Kapitel). Daraus wiederum können wir ableiten, wie gefährlich sie sind. Was bedeutet: Sich alle Jubeljahre mal danebenzubenehmen ist akzeptabel. Schließlich hat jeder von Zeit zu Zeit einen schlechten Tag. Wenn sich die in den Checklisten aufgeführten Verhaltensweisen allerdings oft wiederholen, wenn sogar neue Verhaltensweisen hinzukommen oder das Verhalten anfängt, Sie emotional oder körperlich mitzunehmen, müssen Sie aufpassen. Vergessen Sie nie: Wenn Sie einer gefährlichen Persönlichkeit etwas durchgehen lassen, fasst sie das als Zeichen Ihrer Schwäche auf und als Ermunterung, weiterzumachen.

Zeit und Ort entscheiden

Einmal untersuchte ich einen Fall in Tampa (Florida), wo eine junge Frau keine vier Meter von einer belebten Straße entfernt vergewaltigt und erdrosselt worden war. Als ich ihre letzten Stunden rekonstruierte, ergab sich Folgendes: Irgendwann am Abend waren ihr die Zigaretten ausgegangen (in ihrer Wohnung waren alle Schachteln leer). Also ging sie zu einem Laden zwei Straßen weiter und kaufte sich welche. Um 23.10 Uhr verließ sie den Laden, allein, wie die Überwachungskameras des Geschäfts belegten. Irgendwo auf dem Heimweg muss sie dann überfallen (Abwehrverletzungen an ihren Armen), vergewaltigt (DNS-Spuren) und getötet (Würgemale am Hals) worden sein. Der Verkäufer sagte aus, die Frau habe in seinem Laden schon oft Zigaretten und andere Dinge gekauft – allerdings zu einer anderen Zeit: Normalerweise kam sie etwa um 17:30 Uhr, nach der Arbeit, wenn es draußen noch hell und belebt war. Diese paar Stunden machten den Unterschied aus: Am frühen Abend war sie eine Pendlerin von vielen, in der Nacht leichte Beute für ihren Mörder.

Manchmal hängt es nur von Ort oder Zeit ab, ob Sie in Sicherheit sind oder in Gefahr. Zwischen 16 Uhr und 2 Uhr nachts häufen sich die Gewaltdelikte. Auch wenn Alkohol und Drogen im Spiel sind, erhöht sich das Risiko für Gewalt. Diese Tatsachen kennen wir seit den 1960er-Jahren, und doch scheinen die Menschen sie immer mal wieder zu vergessen.

Womit ich nicht sagen will, dass Sie nach 16 Uhr das Haus nicht mehr verlassen sollten. Aber Sie sollten dann schon besser aufpassen. Was morgens um elf Routine ist, kann abends um elf tödlich enden.

Machen Sie sich uninteressant für gefährliche Persönlichkeiten

Raubtiere suchen sich ihre Opfer nach der Art aus, wie sie gehen. Sehen Sie sich um, wenn Sie draußen sind, achten Sie auf Ihre Umgebung. Blicken Sie Menschen direkt an, vermitteln Sie ihnen, dass Sie sie gesehen haben und gegebenenfalls, dass Sie sich vor ihnen in Acht nehmen. Gehen Sie zielgerichtet und entschlossen (mit schwungvollen Armbewegungen), nicht zögerlich. Raubtiere lieben passive, unaufmerksame Spaziergänger. Gehen Sie so, dass der Verkehr Ihnen entgegenkommt, nicht mit dem Verkehr. Telefonieren Sie nach Möglichkeit nicht, wenn Sie zu Ihrem Auto gehen, und versuchen Sie, eine Hand frei zu halten. Vermeiden Sie dunkle Gassen, gehen Sie aber auch nicht zu nah an der Straße, wenn Sie allein unterwegs sind. Achten Sie auf dem Land oder in Bereichen mit starker Vegetation auf Orte, an denen sich jemand verstecken könnte.

Überprüfen Sie sie

Im Geschäftsleben machen wir es ganz selbstverständlich: Wir überprüfen, ob jemand wirklich ist, wer er zu sein vorgibt, ob jemand vertrauenswürdig ist, ob irgendetwas faul ist. Damit sollten wir auch im Privatleben anfangen. Ich finde es verblüffend, wie leichtfertig Menschen Fremde zu sich mit nach Hause nehmen, als Babysitter engagieren oder mit ihren Finanzen betrauen. Menschen heiraten und finden erst später heraus, dass ihr Gatte noch verheiratet war, ein gesuchter Krimineller oder ein Hochstapler ist.

Die meisten Leute nehmen sich mehr Zeit für die Auswahl ihres nächsten Küchenmixers als für die Überprüfung eines potenziellen Partners. Lassen sich die Angaben des Menschen (Name, Heimatort, Name der Schule) überprüfen? Kennen Sie seine Familie? Hat er wirklich dort gearbeitet, wo er behauptet? War er bereits verheiratet? Das klingt nach viel Arbeit, aber inzwischen sollten Sie genug Geschichten darüber gehört haben, wie das Vertrauen von Menschen ausgenutzt wurde. Wenn Sie Vorsichtsmaßnahmen unterlassen, tun Sie das auf eigene Gefahr.

Warten Sie nicht zu lang

Zögern Sie nicht ewig! Handeln Sie, wenn Sie etwas Negatives spüren, und zwar gleich. Vielleicht ahnte Natalee Holloway gegen Ende des Abends in Aruba, dass etwas nicht stimmte, aber wenn sie noch etwas tat, kam es zu spät – inzwischen hatte sie sich von ihren Freunden getrennt und befand sich in einem fremden Land, umgeben von fremden Männern, die sie gerade erst kennengelernt hatte. Sie werden sich erinnern: Ihre Leiche wurde nie gefunden. Vielleicht spürte auch Travis Alexander schon früh, dass in seiner Beziehung zu Jodi Arias etwas nicht stimmte, aber auch er zögerte zu lang.

Im Umgang mit gefährlichen Persönlichkeiten bleibt Ihnen möglicherweise nicht viel Zeit zu handeln. Solange Sie nichts Besseres wissen, entfernen Sie sich am besten.

Der Umgang mit gefährlichen Persönlichkeiten

Offenkundig wäre es am klügsten, ihnen ganz aus dem Weg zu gehen, aber manchmal funktioniert das nicht. Vielleicht wählt ja jemand genau Sie als Opfer aus, vielleicht hat das Schicksal Sie zusammengebracht: unterwegs, im Job oder in der Familie. Doch egal, wie Sie sich begegnet sind: Wenn Sie glauben, es mit einer gefährlichen Persönlichkeit zu tun zu haben, müssen Sie zuallererst für Ihr eigenes Wohlergehen sorgen. Ich hoffe, die folgenden Strategien helfen Ihnen dabei.

Mit wem habe ich es zu tun?

Verschaffen Sie sich anhand der Checklisten einen Einblick, mit was für einem Typen Sie es zu tun haben. Sollte das nicht möglich sein, gehen Sie zumindest durch, woran Sie sich aus den Checklisten noch erinnern, und versuchen Sie einzuordnen, wo dieser Mensch hingehört. Das erlaubt Ihnen eine Einschätzung, wie schlimm Ihre Lage aussieht und welche Maßnahmen zum Selbstschutz Sie ergreifen sollten. Zögern Sie aber keine Sekunde, wenn Sie das Gefühl haben, in Gefahr zu sein. Wenn Sie einen bewaffneten Einbrecher in der Diele ertappen, brauchen Sie keine Checklisten. Laufen Sie einfach! Doch wie in den vergangenen Kapiteln bereits beschrieben, ist die Situation oft komplexer, etwa wenn sich ein glattzüngiger Schwindler die Bankdaten Ihrer Oma verschafft hat.

Komplexe Situationen

Vielleicht wissen Sie ja, dass Ihr Mann lügt, betrügt und Sie schlägt. Aber wenn man gemeinsame Kinder und Konten hat, kann man nicht einfach davonlaufen. Angenommen, Ihr Mann kommt bei zwei Checklisten auf hohe Punktzahlen, aber es sprechen wichtige Gründe dafür, ihn nicht zu verlassen. Oder Ihr Chef ist massiv gestört, aber Sie brauchen das Einkommen. Oder Ihr gestörter Chef ist ein Verwandter. Ich kenne all diese Einwände, und ich verstehe sie. Aber betrachten Sie Ihre Lage realistisch, erst dann können Sie anfangen, sie zu verbessern.

Je komplexer die Situation ist, desto mehr Hilfe werden Sie brauchen, und desto länger wird es dauern, sich zu befreien. Aber wenn die Lage sich zuspitzt, die Drohungen vehementer werden und die Gewalt eskaliert, dann bleibt Ihnen vielleicht keine andere Wahl. Kein Kampfpilot dieser Welt möchte sein Flugzeug verlieren, doch manchmal ist der

Punkt erreicht, an dem man nur noch den Schleudersitz betätigen und wenigstens sich selbst retten kann.

Bemühen Sie sich bei Problemen am Arbeitsplatz um eine Versetzung in einen anderen Bereich oder in eine andere Schicht, reden Sie mit der Personalabteilung oder mit Vorgesetzten und schmieden Sie Allianzen. Aber am Ende bleibt Ihnen vielleicht nichts anderes übrig, als zu kündigen. All diese Dinge mussten übrigens diejenigen Menschen tun, die unter dem Mitbegründer von Apple, Steve Jobs, arbeiteten. Walter Isaacsons Biografie *Steve Jobs* beschreibt eindrücklich, dass Jobs zwar ein Visionär war, aber auch extremen Stimmungsschwankungen unterlag und seine Leute pathologisch mies behandelte – über Jahrzehnte hinweg. Er machte viele seiner Angestellten seelisch oder körperlich krank. Selbst sein langjähriger Geschäftspartner Steven Wozniak ging irgendwann, weil er Jobs' Bissigkeit nicht mehr ertrug.[2]

Natürlich ist es einfacher, sich aus einem Job zu verabschieden als aus einer Ehe, wo es meistens auch um gemeinsame Finanzen und Kinder geht. Oder was tun Sie, wenn Sie ein Teenager sind und einem kranken Elternhaus entkommen wollen? Dann wird es richtig kompliziert – aber es gibt immer Wege.

Wenn Sie sich in einer komplexen Lage befinden, brauchen Sie wirklich Unterstützung, und zwar nicht aus Büchern, sondern tatkräftige Hilfe von Profis. Vielleicht stehen die Dinge aber auch schon so schlimm, dass Polizei oder Sozialdienste einschreiten müssen.

Nutzen Sie auf jeden Fall die Checklisten, um Ihre Erfahrungen einzuordnen. Wenden Sie sich dann an einen Profi. Zögern Sie niemals, mit diesem Buch in der Hand zu einem Therapeuten oder sogar zur Polizei zu gehen und zu sagen: »Bitte sehen Sie sich diese Checkliste an; mein Partner/Chef/Freund/Kind/Elternteil macht all diese Dinge.« Jemanden, der mit Belegen in der Hand kommt, kann man nicht so leicht ignorieren.

Und da wir schon beim Thema Dokumentieren sind …

Schreiben Sie mit

Als ich in Puerto Rico stationiert war, arbeitete ich unter einem cholerischen Chef, der regelmäßig mich und so ziemlich alle anderen Mitarbeiter anbrüllte. Nachdem er das ein paarmal gemacht hatte, wehrte ich mich. Ich hielt mein persönliches Notizbuch jederzeit griffbereit, wenn ich zu ihm ins Büro musste oder er zu mir kam. Sobald mein Chef zu brüllen anfing, holte ich es raus und schrieb mit. Er verstand, was ich da machte, und hörte schnell mit seinen Ausfällen auf. Bei manchen Menschen reicht es, ihre Taten und Worte mitzuschreiben, und schon ändern sie ihr Verhalten.

Andere Menschen beschränken sich nicht aufs Brüllen, sie sind extrem reizbar oder gewalttätig. Auch in diesen Fällen bleibe ich bei meinem Rat: Schreiben Sie alles auf, was sie tun, mit Zeit und Datum, besonders die sich wiederholenden Ausbrüche. Egal, ob das nun zu Hause oder in der Arbeit passiert – schreiben Sie mit. Schreiben Sie sich z. B. selbst eine E-Mail. Sie tun sich damit einen Gefallen, und vielleicht rettet es Sie später.

Schreiben Sie mit, wenn jemand Sie anbrüllt, Ihnen die Tür ins Gesicht knallt, Sie schlägt, Ihnen die Luft aus dem Reifen lässt, Sie verfolgt, Sie per Telefon belästigt. Ich komme immer wieder auf das Schicksal Nicole Simpsons zurück. Hätte Sie nur in einem Tagebuch festgehalten, wie oft ihr Exmann, O. J. Simpson, sie belästigte, mit Anrufen bombardierte, in ihre Wohnung einbrach, sie ohrfeigte, zu Boden warf, prügelte usw.! Was wäre wohl passiert, wenn Nicole mit diesen Notizen zur Polizei gegangen wäre und gesagt hätte: »Bitte unternehmt etwas«? Ich denke, dann wäre die Sache anders ausgegangen. Verlassen Sie sich nie darauf, dass die Polizeiberichte reichen; Sie haben selbst die Pflicht, Vorfälle zu dokumentieren.

Ich weiß von vielen Frauen, die die Scheidungsverhandlung zu ihren Gunsten entschieden, weil sie mit einem Notizbuch voller Einträge zur Verhandlung kamen, in denen all die Male festgehalten waren, in denen ihr Mann sie beleidigt, misshandelt, bestohlen hatte usw. Vergessen Sie nie: In jedem Verfahren wiegen schriftliche Notizen schwerer als Aussagen aus dem Gedächtnis. Der Anwalt der Gegenseite kann das überhaupt nicht gebrauchen – einen Ehepartner/Kollegen/Geschäftsmann, der alle Details dokumentiert hat. Fall abgeschlossen.

Schmieden Sie Allianzen

Je mehr Merkmale der Checklisten jemand erfüllt, desto stärker müssen Sie sich um Verbündete bemühen. Stellen Sie sicher, dass jeder in der Familie mitbekommt, wie Sie misshandelt werden und mit welcher Art Mensch Sie es hier zu tun haben. Erzählen Sie den Nachbarn, dem Frisör, Ihrem Trainer, Ihren Freunden davon, wie dieses Individuum Sie quält oder misshandelt. Sorgen Sie dafür, dass Ihre Verbündeten Sie regelmäßig anrufen, besuchen, selbst die Augen offen halten und beobachten, was Sie durchmachen. Möglicherweise kommt einmal der Punkt, an dem sie sogar einschreiten müssen.

Erinnern Sie sich an die Frau aus dem dritten Kapitel, die mit den Kindern auf dem Boden sitzen musste, während ihr Mann sie zusammenstauchte? Belegen konnte sie das erst, als eine Freundin, die sie eingeweiht hatte, überraschend zu Besuch kam und das Ganze mit ansah.

Wehren Sie sich dagegen, isoliert zu werden

Jeder Mensch, der versucht, Sie körperlich zu isolieren, stellt eine mögliche Gefahr dar. Wenn Sie eine Beziehung eingehen, sich einer Gruppe, einer Organisation oder einer Sekte anschließen und merken, da versucht jemand, sie von allen Vertrauten – Eltern, Geschwistern, Freunden, Kollegen usw. – fernzuhalten, haben Sie es mit einer gefährlichen Persönlichkeit zu tun. Jemand, der Sie mag, will, dass Sie gedeihen und glücklich sind – im Kreis Ihrer Lieben. Machen Sie sich klar, dass jemand, der versucht, Sie zu isolieren (und diese Typen haben dafür die verschiedensten Methoden; sie arbeiten z. B. mit Schuldgefühlen oder sorgen dafür, dass es Freunden und Verwandten peinlich wird, Sie zu besuchen), das macht, um mehr Macht über Sie zu bekommen. Alle, von Jim Jones bis Ted Bundy, sonderten ihre Opfer ab, um sie in ihre Gewalt zu bekommen. Wehren Sie sich nach Kräften dagegen.

Dazu gehört natürlich auch, niemals zu Unbekannten oder zu Menschen mit zweifelhaften Motiven ins Auto zu steigen. Im Auto sitzen Sie in der Falle, und das Risiko, Gewalt zu erfahren, steigt enorm. Wehren Sie sich dagegen, in ein Auto gezerrt zu werden, notfalls mit Treten, Schreien, Beißen oder Kratzen, selbst wenn der andere bewaffnet ist. Befinden Sie sich erst einmal im Auto, sind Sie in noch viel größerer Gefahr. Lassen Sie mich noch mal betonen: Widersetzen Sie sich mit allem, was Sie haben, selbst wenn der andere eine Waffe hat.

Legen Sie Grenzen fest

Mein Vater arbeitete jahrelang in einer Eisenwarenhandlung, deren Eigentümer ein narzisstischer und emotional instabiler Tyrann war. Er brüllte Angestellte an, kanzelte sie öffentlich ab, warf Gegenstände an die Wände und brüllte sogar Kunden an. Aber meinen Vater behandelte er nie so. Als ich meinen Vater danach fragte, antwortete er: »Weil ich ihm am ersten Tag sagte: ›Reden Sie nie so mit mir!‹«

Was Sie anderen Menschen durchgehen lassen, werden diese oft auch tun. Ziehen Sie klare Grenzen und machen Sie klar, dass Sie nicht mit sich verhandeln lassen. Diese Typen brauchen ein unmissverständliches »Nein«. Reichen Sie ihnen den kleinen Finger, nehmen sie beide Hände – und Ihre Füße gleich noch mit. Sie müssen klare Grenzen ziehen, was erlaubt und was verboten ist, und diese Grenzen jederzeit verteidigen. Interessanterweise können emotional instabile Menschen mit Struktur, Regeln und Routinen gut umgehen; Grenzen helfen ihnen sogar.

Bestehen Sie auf diesen Grenzen. Sie bilden die Linie, die der andere nicht überschreiten darf. Tut er es doch, müssen Sie handeln, sonst wird er sie weiter misshandeln, Ihnen alle Energie rauben, Ihre Geduld strapazieren, Sie seelisch oder körperlich krank machen oder Sie der Gefahr aussetzen.

Lassen Sie sich nicht manipulieren

Ziehen Sie diese Grenzen auch für Manipulationsversuche. Denn Manipulation ist oft nur das Vorspiel zur Misshandlung; diese Typen werden den Einsatz immer weiter erhöhen, Sie zermürben, Sonderbehandlung oder Gefälligkeiten verlangen. Die Typen kommen zu spät, lassen Sie warten, nötigen Sie dazu, Ihren Zeitplan anzupassen, wieder und wieder verlangen sie Zugeständnisse. Belohnen Sie übles Verhalten nicht. Wenn der Narzisst feststellt, dass ein Meeting ohne ihn begonnen hat und sein großer Auftritt ignoriert wird, kommt er beim nächsten Mal pünktlich. Warten aber alle auf ihn und beachten ihn bei seinem Auftritt, wird er dieses Verhalten wiederholen.

Jetzt mag der eine oder andere sagen: »Da muss man durch, ein wenig Toleranz schadet nicht.« Doch manche Dinge darf man einfach nicht tolerieren. Jeder Mensch hat das Recht, mit Respekt behandelt zu werden; für Respektlosigkeit aber kann es keine Toleranz geben. Natürlich hassen respektlose, kaltschnäuzige, selbstsüchtige, gefährliche Persönlichkeiten diese Grenzen, die die Würde der anderen bewahren. Pech gehabt!

Verschaffen Sie Kindern Zufluchtsmöglichkeiten und positive Erfahrungen

Schützen Sie Kinder mit aller Macht vor gefährlichen Persönlichkeiten, selbst wenn es um Eltern- oder Großelternteile geht. Solange eine räumliche Trennung nicht möglich ist, sollte man den Kindern Möglichkeiten bieten, unbeschwerte Stunden außer Haus zu verbringen, in denen sie sich sicher und glücklich fühlen können.

Kinder brauchen den Umgang mit liebenden Verwandten, mit freundlichen Betreuungspersonen, denen sie sich anvertrauen können. Verschaffen Sie ihnen gegebenenfalls eine Therapie. Binden Sie sie in das schulische Leben ein, ermuntern Sie sie, Sport zu machen, mit Tieren zu arbeiten, ihrer Kreativität Ausdruck zu verleihen, zu lesen, Musik zu hören. Zeigen Sie ihnen, wie ein normales Leben aussehen kann, ein Leben ohne ständigen Zank, ohne ewiges Nörgeln, ohne Drohungen.

Einmal bekam ich es mit einer Familie zu tun, die ihre Kinder zu Hause unterrichtete. Der Vater wies Merkmale einer dissozialen und einer narzisstischen Persönlichkeitsstörung auf. Diese Kinder lernten erst im Alter von etwa 15 Jahren, wie »normales« Leben aussah. Damit hat man ihnen Unrecht getan! Es obliegt uns, Kindern zu vermitteln, dass Misshandlungen, seien sie nun körperlich oder seelisch, weder normal noch akzeptabel sind.

Handeln Sie bei Gefahr im Verzug!

Manchmal verhält sich eine gefährliche Persönlichkeit derart unberechenbar, riskant oder kriminell, dass sie ihr Umfeld (finanziell, emotional, seelisch oder körperlich) in Gefahr bringt. Dann müssen Sie sofort handeln. Wie Sie in diese Lage geraten sind, spielt gar keine Rolle. Sie müssen sich sofort von dieser Person trennen oder befreien.

Hier einige Strategien für den Fall, dass eine gefährliche Persönlichkeit zur unmittelbaren Bedrohung wird:

Handeln Sie

Reagieren Sie sofort, wenn Körper, Bauch oder Verstand sagen: »Raus hier!« Wenn Sie sich später dafür entschuldigen müssen, tun Sie das halt. Aber wenn Sie sich bedroht fühlen, müssen Sie weg. Zögern Sie nicht. Handeln Sie sofort, wenn jemand Sie mit Gewalt bedroht oder sonst wie versucht, sich die Gewalt über Ihren Körper, Geist, Raum, Reichtum oder über Menschen, die Sie lieben, zu verschaffen. Gehen Sie behutsam vor, erregen Sie nach Möglichkeit nicht die Aufmerksamkeit der gefährlichen Persönlichkeit, aber entfernen Sie sich.

Denken Sie nach

Sollten Sie es mit einer hochgradig gefährlichen Persönlichkeit zu tun haben, könnte es sicherer sein, nicht mit ihr über die Situation zu reden, sondern sich darauf zu beschränken, schnellstmöglich zu verschwinden. Wie bereits dargestellt, reagieren diese Typen mitunter überaus heftig. Jemandem in einer bereits brenzligen Situation mitzuteilen, dass er Hilfe brauche oder dass man nicht nachgebe, liegt nicht in Ihrem Interesse. Er könnte massiv zurückschlagen: gewalttätig werden, Ihnen nachstellen, Eigentum zerstören, Ihr Konto leer räumen, sich die Kinder schnappen und verschwinden, mit einer Waffe in der Hand an Ihrem Arbeitsplatz auftauchen, Geiseln nehmen, Selbstmord versuchen u. Ä. Denken Sie also zuallererst darüber nach, wie Sie der Situation unbeschadet entkommen. Wenn Sie mit ihm reden müssen, tun Sie es möglichst ruhig – und nach Möglichkeit in der Nähe einer Tür oder eines Ausgangs.

Alarmieren Sie Ihre Verbündeten

Verständigen Sie Angehörige, Freunde und Unterstützer, wenn Sie sich ernsthaft bedroht fühlen oder die Situation sich verschlimmert. Bitten Sie sie, öfter unangekündigt vorbeizusehen. Schärfen Sie ihnen ein, täglich anzurufen und vorbeizukommen, wenn Sie sie nicht anrufen – oder gleich die Polizei zu verständigen. Ja, manchmal wird es so schlimm.

Beschaffen Sie sich die Hilfe von Profis

Setzen Sie sich mit einer Hilfsstelle, einem Therapeuten, einem Anwalt, der Polizei, einem Krisenzentrum, dem Sozialdienst oder einer Hotline in Verbindung, wenn Sie das bisher noch nicht getan haben. Sofort! Sie brauchen jetzt ein Team zur Unterstützung und ein Sicherheitsnetz. Überwinden Sie Ihre Scham und handeln Sie! Genau dafür wurde der Notruf eingerichtet: Irgendwann braucht jeder von uns sofort Hilfe.

Konfrontieren Sie ihn nicht allein

Wenn Sie mit einer gefährlichen Persönlichkeit reden müssen, aber sich vor einer gewalttätigen Reaktion fürchten, nehmen Sie einen Therapeuten, Verwandten oder Freund mit griffbereitem Handy zu dem Gespräch mit. Oder rufen Sie bei der Polizei an, und bitten Sie sie, sich bereitzuhalten, nur für den Notfall. Wahrscheinlich kommt ein Streifenwagen – die meisten Polizeibehörden wissen aus Erfahrung, dass häusliche Gewalt ein kritisches Problem ist, das sofortiges Eingreifen erfordert.

Planen Sie Ihren Abgang

Dabei spielt Ihre Sicherheit die überragende Rolle. Ich habe mit Menschen gesprochen, die monatelang in aller Heimlichkeit ihren Abgang aus einer Beziehung mit einer hochgradig gefährlichen Persönlichkeit vorbereitet haben. Bereiten Sie z. B. alles wie für einen ganz normalen Abend vor, tun Sie dann, als müssten Sie noch etwas fürs Abendessen besorgen – und verschwinden Sie, oder kehren Sie in Begleitung eines Freundes zurück, um Ihre Habseligkeiten zu packen. Tun Sie, was Sie tun müssen, um Ihre Sicherheit und die Sicherheit Ihrer Kinder zu gewährleisten.

Besorgen Sie Geld für die Flucht

Wenn Sie Hals über Kopf verschwinden, brauchen Sie Geld. Bereiten Sie sich finanziell auf eine Flucht vor, wenn Sie das Gefühl haben, die Lage spitzt sich zu. Tun Sie, was nötig ist, verkaufen Sie z. B. Ihr Eigentum. Eine mir bekannte Frau in Kolumbien bereitete sich vor, indem sie ihrem gewalttätigen Mann jeden Tag Cents – Cents! – stahl, bis sie für sich und ihre Tochter das Geld für die Busfahrt zu ihren Eltern beisammen hatte.

Sprechen Sie über finanzielle Dinge

Thematisieren Sie es, wenn Ihnen ein Geschäft merkwürdig vorkommt oder bei Ihren Finanzen irgendetwas seltsam scheint. Warten Sie mit der Unterschrift, der Überweisung, dem Preisgeben der Kreditkartennummer. Was immer Sie tun, machen Sie keinen weiteren Schritt ohne Hilfe, am besten von einem Fachmann: einem Banker, Buchhalter oder Anwalt. Legen Sie ihm die Situation dar und bitten Sie ihn um seine Einschätzung. Besser 400 Euro für einen Anwalt ausgeben, als einem Betrüger 40.000 Euro in den Rachen zu werfen.

Rufen Sie sich in Erinnerung, dass Sie nicht allein sind

Die meisten Menschen, die mit einer gefährlichen Persönlichkeit zusammen waren, erlebten irgendwann, oft erst nach Jahren, einen Moment, den ich *Das große Erwachen* nenne. Schon lange zuvor waren sie unzufrieden gewesen, aber sie hatten so viel in ihre Beziehung hineingesteckt, dass sie einfach nicht aufgeben wollten. Doch irgendwann dämmert schließlich jedem, dass eine solche Beziehung nie einlösen wird, was man sich von ihr versprochen hat. Es folgt *Das große Erwachen*, der Moment, in dem man endlich erkennt, dass diesem Menschen nicht zu helfen ist, dass es einem selbst schlecht geht und es Zeit ist zu gehen. Dieses Erwachen ist schmerzhaft. Ich habe das selbst erlebt. Man kommt sich vor wie ein Idiot – man fühlt sich ausgenutzt, man spürt, eine Lüge gelebt zu haben, und möchte niemandem mehr vertrauen. Manche richten ihre Wut gegen sich und geben sich selbst die Schuld. Deswegen ist in diesem Stadium eine Therapie immer sinnvoll, wenn man eine bekommen kann. Aber glauben Sie bitte nie, Sie wären allein. Wir alle haben, auf die eine oder andere Art, Ähnliches erlebt.

Schaffen und halten Sie Distanz

Inzwischen kennen Sie mein Mantra: Oft hilft schon eine gewisse Distanz. Dafür möchte ich mich nicht entschuldigen, denn mir geht es vor allem um die Sicherheit der Opfer und der ihnen nahestehenden Menschen. Aus Erfahrung weiß ich: Gefährliche Persönlichkeiten bessern sich nur selten, und sie richten bei ihren Opfern schlimme seelische, emotionale, finanzielle oder körperliche Schäden an. Ich habe mit zu vielen Opfern gesprochen, um noch davon zu schwafeln, man müsse »sich zusammenraufen«, wenn das Wohlergehen in Gefahr ist. Ich halte es da eher mit den weisen Worten des ehemaligen UN-Generalsekretärs Dag Hammarskjöld: »Wer seinen Garten rein halten will, darf keinen Fleck dem Unkraut überlassen« (in: *Muscheln am Weg*). Wenn das Unkraut einen überwuchert, muss man sich einen neuen Garten suchen.

Was kommt danach?

Ich hoffe, dieses Buch hat Ihnen einen Einblick in das Wesen gefährlicher Persönlichkeiten verschafft und einige Strategien an die Hand gegeben, wie Sie sich vor ihnen schützen können. Das Leben ist ein Geschenk, das man nutzen muss. Man darf es nicht mit einem Joch um den Hals damit verschwenden, einer gefährlichen Person zu dienen. Als wir noch in Dörfern wohnten und jeder jeden kannte, fielen diese Typen in unserer Mitte stärker auf und man konnte einander leichter warnen. Als wir in die Städte zogen und unsere Dörfer wuchsen, wurde das schwieriger. Aber es ist nicht unmöglich.

Wir schulden es uns selbst, unseren Familien und unserem Umfeld, für unsere Sicherheit zu sorgen. Das gelingt uns mit Erziehung, Aufmerksamkeit und dem Austausch wichtiger Informationen. Doch erst einmal müssen wir uns selbst helfen. Mit der Lektüre dieses Buches sind Sie diesem Ziel einen großen Schritt näher gekommen. Es gibt noch etliche andere lehr- und hilfreiche Bücher auf dem Markt; Empfehlungen finden Sie im Literaturverzeichnis; ich hoffe, Sie lesen ein paar davon.

Meiner Ansicht nach verdient jeder Mensch es, respektvoll behandelt zu werden. Ich habe immer versucht, allen Menschen Respekt entgegenzubringen, selbst denjenigen, die ich für schreckliche Verbrechen hinter Gitter brachte. Wir alle sollten einander mit Respekt behandeln – was aber natürlich auch bedeutet, dass niemand uns misshandeln oder missbrauchen darf.

Ich habe dieses Buch auch geschrieben, um Sie in Ihrer Einschätzung zu bestätigen, wenn Sie sich respektlos behandelt, misshandelt, missbraucht oder von anderen in Gefahr gebracht fühlen. Ich hoffe, Sie haben jetzt einen schärferen Blick für diese Dinge gewonnen und erkennen diese Typen rechtzeitig, bevor sie Ihnen Leid antun können.

Zum Glück sind die meisten Menschen, denen man begegnet, keine Psychopathen. Die meisten Menschen meinen es gut und sorgen sich um andere. Aber ich weiß, dass Sie irgendwann einmal einer gefährlichen Persönlichkeit über den Weg laufen werden. Denn es gibt Millionen davon. Merken Sie sich für diese Gelegenheit mein Schlusswort:

Sie haben keinerlei soziale Pflicht, sich quälen oder missbrauchen zu lassen.

Anmerkungen:

[1] Cahill, 1986

[2] Isaacson, 2011, S. 238ff.

NACHBEMERKUNG:

Wenn Sie glauben, Sie könnten eine gefährliche Persönlichkeit sein

Im Lauf der Jahre habe ich einige Artikel über gefährliche Persönlichkeiten geschrieben. Daraufhin bekam ich immer mal wieder Zuschriften, in denen stand: »In vielen dieser Merkmale und Verhaltensweisen erkenne ich mich selbst.« Falls Sie so denken, möchte ich Ihnen zuerst einmal zu Ihrer Aufrichtigkeit gratulieren. Mit dieser Einsicht sollten Sie sich an einen Therapeuten wenden, der sich auf Fälle Ihrer Art spezialisiert hat und der Ihnen helfen kann. Lernen Sie, sich bewusst von Ihren Verhaltensweisen zu distanzieren, die letztlich auch Sie in Gefahr bringen werden.

HILFSSTELLEN

Dank Internet ist es heute relativ einfach, Hilfe zu finden. Unten sind einige Organisationen aufgelistet, die Betroffenen helfen können. Leider ist das Hilfsangebot hierzulande in vielen Fällen stark zersplittert; örtliche und regionale Hilfsangebote finden Sie im Telefonbuch oder im Internet.

Glauben Sie niemals, Sie wären allein oder der Einzige, der Probleme wie die Ihrigen hat. Wir alle brauchen mal Hilfe – und es gibt sie da draußen.

Kinder/Kindesmisshandlung

Kinder-Notruf-Telefon 0800/15 16 001 (bundesweit gebührenfrei). Hier wird Kindern in Not geholfen, vertraulich und anonym, auch im Internet unter www.kindernotruftelefon.de.

Kinder und Jugendsorgentelefon: 0800/00 80 08 0 (bundesweit gebührenfrei).

Die Nummer gegen Kummer des Deutschen Kinderschutzbundes: 0800/111 03 33 oder im Internet unter www.kinderundjugendtelefon.de.

Kinderschutz-Zentren: Hier finden nicht nur betroffene Kinder, sondern auch Eltern Hilfe – kostenlos und auf Wunsch auch anonym. Die Kinderschutz-Zentren (Bundesgeschäftsstelle), Bonner Str. 147, 50968 Köln. Tel.: 0221/56 97 5–3, E-Mail: die@kinderschutz-zentren.org.

Häusliche Gewalt

Bundesweites **Hilfetelefon Gewalt gegen Frauen** 08000/116 016, rund um die Uhr erreichbar. Das Angebot ist barrierefrei und bei Bedarf mehrsprachig erreichbar. Möglich sind z. B. auch eine Onlineberatung und Beratung für gehörlose Frauen. Die Hotline ist eigentlich nicht für von Gewalt betroffene Männer gedacht, vermittelt aber an die entsprechenden Stellen weiter. Im Internet unter www.hilfetelefon.de

Darüber hinaus können Sie sich natürlich direkt an örtliche Frauenhäuser wenden oder örtliche Frauenkrisentelefone oder Frauennotrufe wählen.

Auch für von Gewalt betroffene Männer gibt es lokale Hilfsangebote; die Nummern entnehmen Sie dem Telefonbuch oder dem Internet.

Lebenskrise, Selbstmordgefährdung

Die Telefonseelsorge bietet kostenlose, rund um die Uhr besetzte Telefon-Hotlines, die auch Auskunft über lokale Hilfsdienste geben. Träger sind die beiden christlichen Kirchen in Deutschland, doch es wird auch konfessionsneutral beraten. Tel. 0800/111 0 111 (ev.), 0800/111 0 222 (rk.), 0800/111 0 333 (für Kinder/Jugendliche). Im Internet unter www.telefonseelsorge.de.

Psychiatrische Notfälle

Hierfür existiert keine bundesweite Hotline. Rufen Sie in akuten Notfällen die 112, von dort werden Sie weitervermittelt. Die Nummern der örtlichen psychiatrischen Bereitschaftsdienste finden Sie im Telefonbuch und im Internet.

Hilfe für Verbrechensopfer

Weißer Ring 01803/34 34 34 (bundesweit kostenlos), mehr als 400 Außenstellen im ganzen Bundesgebiet. Im Internet: www.weisser-ring.de.

Trauma-Ambulanzen, etwa der Max-Planck-Gesellschaft oder von Universitätskliniken. Adressen und Telefonnummern finden Sie im Telefonbuch und im Internet.

BIBLIOGRAFIE

American Psychiatric Association: *Diagnostic and statistical manual of mental disorders*. Fünfte Auflage. Arlington: American Psychiatric Association, 2013

American Psychiatric Association/Saß, H./Wittchen, H.-U./Zaudig, M.: *Diagnostisches und statistisches Manual psychischer Störungen (DSM-IV-TR): Textrevision*. Göttingen: Hogrefe, 2003

Arrigo, Bruce A: *Introduction to Forensic Psychology*. San Diego: Academic Press, 2000

Associated Press: »Neighbors of Ala. Man Suspected of Holding Child in Standoff Say He Was Threatening, Violent.« *Washington Post*, Online-Ausgabe, 30. Januar 2013

Associated Press: »Susan Powell's diary foreshadows family tragedy, detailing fears of controlling husband.« Erschienen unter *Foxnews.com* 2013

Athens, Lonnie: *The creation of dangerous violent criminals*. Urbana: University of Illinois Press, 1992

Austrian Times: »›I Was Born to Rape,‹ says Josef Fritzl.« *Austrian Times* online, 24. Oktober 2008

Avirgan, Tony/Honey, Martha: *War in Uganda: The Legacy of Idi Amin*. Westport: Lawrence Hill & Co., 1982

Babiak, Paul/Hare, Robert D.: *Menschenschinder oder Manager: Psychopathen bei der Arbeit*. München: Hanser, 2007

Baker, Mark: »Diane Downs.« *The Register-Guard*, 19. Mai 2008

Baker, Mike/Johnson, Gene: »Josh Powell Dead: Missing Woman Susan Powell's Husband, 2 Sons killed in Home Explosion.« *Huffington Post*, 5. Februar 2012

Bancroft, Lundy: *Why Does He Do That?: Inside the Minds of Angry and Controlling Men.* New York: The Berkley Publishing Group, 2002

Beck, Aaron: *Prisoners of Hate: the Cognitive Basis for Anger, Hostility, and Violence.* New York: Harper Collins, 1999

Bentley, Paul/Durant, Thomas: »Polygamist Paedophile Warren Jeffs ›in a Coma After Going on Hunger Strike in Solitary Cell‹.« *Daily Mail*, 29. August 2011

Berke, J. H.: *The Tyranny of Malice: Exploring the Dark Side of Character and Culture.* New York: Summit Books, 1986

Blackburn, R.: »Psychopathology and Personality Disorder in Relation to Violence.« In: *Clinical Approaches to Violence.* K. Howells/C. R. Hollins (Hrsg.), New York: Wiley, 1989, S. 187–205

Blair, James/Mitchell, Derek/Blain, Karina: *The Psychopath: Emotion and the Brain.* Malden: Blackwell, 2006

Bohm, R. M.: *A Primer on Crime and Delinquency Theory.* Wadsworth: Belmont, 2001

Bovsun, Mara: »14 Years and Nine Tiny Corpses Later, Authorities Finally Took Action on Murderous Mother.« *NY Daily News*, 20. März 2011

Brooks, David: »The Columbine Killers.« *New York Times*, 24. April 2004

Brown, Robbie/Robertson, Campbell: »Standoff in Alabama Ends in Boy's Rescue and Kidnapper's Death.« *New York Times*, 4. Februar 2013

Browning, Christopher R.: *Der Weg zur »Endlösung«: Entscheidungen und Täter.* Bonn: Dietz, 1998

Brussel, James A.: *Das ungezähmte Böse: Die berühmtesten Fälle des Sherlock Holmes unter den Psychiatern.* München: Scherz Verlag, 1971

Bugliosi, Vincent: *Reclaiming History: the Assassination of President John F. Kennedy.* New York: W. W. Norton & Co., 2007

Bugliosi, Vincent: *Helter Skelter – der Mordrausch des Charles Manson.* München: Riva, 2010

Bugliosi, Vincent: *Outrage: The Five Reasons Why O. J. Simpson Got Away with Murder.* New York: W. W. Norton & Co., 2008

Bureau of Justice Statistics: *Crime Data Brief: Intimate Partner Violence 1993–2001.* Veröffentlicht 2003

Bureau of Justice Statistics: *Intimate Partner Violence in the U.S. 1993–2004*. Veröffentlicht 2006

Butcher, James N. (Hrsg.): *Clinical Personality Assessment*. New York: Oxford University Press, 1995

Cahill, Tim: *Buried Dreams: Inside the Mind of a Serial Killer*. New York: Bantam Books, 1986

Callahan, Maureen: »The Hunt for the Perfect Serial Killer.« *New York Post*, 30. Dezember 2012

Campbell, Andy: »›Whitey‹ Bulger Verdict: Boston Mobster Guilty of Federal Racketeering, Some Murders« *The Huffington Post*, 12. August 2013

Chan, Sewell:. »Remembering Leona Helmsley.« *New York Times*, 20. August 2007

Chapman, Alexander L./Gratz, Kim L.: *The Borderline Personality Disorder Survival Guide: Everything You Need to Know About Living with BPD*. Oakland: New Harbinger, 2007

Christie, Richard/Geis, Florence L. (Hrsg.): *Studies in Machiavellianism*. New York: Academic Press, 1970

Cialdini, Robert B.: *Influence: The Psychology of Persuasion*. New York: William Morrow and Co., 1997

Cloud, John: »Preventing Mass Murder.« *Time Magazine*, 6. August 2012

Coleman, James C. et al.: *Abnormal Psychology and Modern Life*. Siebte Auflage. Glenview: Scott, Foresman and Co., 1984.

Connolly, Kate: »›I was born to rape‹, Fritzl tells doctor.« *The Guardian*, 22. Oktober 2008

Coscarelli, Joe: »Jodi Arias Found Guilty of First-Degree Murder«, *New York Magazine*, 8. Mai 2013

Cox, Marian R.: *Cinderella: Three Hundred and Forty-five Variants*. London: The Folklore Society, 1893

Crompton, Vicki/Kessner, Ellen Z.: *Saving Beauty from the Beast: How to Protect Your Daughter from an Unhealthy Relationship*. New York: Little, Brown and Company, 2003

Davis, Don: *Bad Blood: The Shocking True Story Behind the Menendez Killings*. New York: St. Martin Press, 1994

Davis, Joshua: »Dangerous: An In-depth Investigation Into The Life Of John McAfee.« *Wired*, 2. März 2013

Dawson, Pat: »The Children's War.« *Time*, 11. Juni 2001

de Becker, Gavin: *Mut zur Angst: Wie Intuition uns vor Gewalt schützt.* Frankfurt a.M.: Krüger Fischer, 1999

Dees, Morris/Corcoran, James: *Gathering Storm: America's Militia Movement.* New York: Harper Collins, 1996.

Dickinson, Debbi: »He Lied To Me When We First Met And I Married Him Anyway.« *Huffington Post*, 14. April 2012

Dreeke, Robin: *It's Not All About »Me«: The Top Ten Techniques for Building Quick Rapport With Anyone.* Kindle E-Book, 2012

Dugard, Jaycee: *Ein gestohlenes Leben.* Piper, München, 2012

Durando, Jessica: »BP's Tony Hayward: ›I'd Like My Life Back‹« *USA Today*, 1. Juni 2010

Dyer, Joel: *Harvest of Rage: Why Oklahoma City is Only the Beginning.* Boulder: Westview Press, 1998

Ehrenfreund, Max: »Prosecutors Investigating Reported Stabbing of John Gotti Jr. on Long Island.« *Washington Post*, 11. November 2013

Emerson, Steven: *American Jihad: The Terrorists Living Among Us.* New York: Free Press, 2002

Epstein, Daniel Mark: *The Lincolns: Portrait of a Marriage.* New York: Ballantine Books

Erikson, Erik H.: *Jugend und Krise: die Psychodynamik im sozialen Wandel.* München: Klett-Cotta, 1988

Esser, Doug: »Michael Chadd Boysen, Accused of Killing Grandparents, to be Extradited to Washington State.« *The Huffington Post*, 14. März 2013

Evans, Patricia: *The Verbally Abusive Relationship: How to Recognize It and How to Respond.* Avon: Adams Media Corporation, 2010

Fantz, Ashley: »Ariel Castro agrees to plead deal to avoid the death penalty.« *CNN*, 28. Juli 2013

FBI Uniform Crime Reports, 2011

Frank, Gerold: *Der Würger von Boston.* München: Molden, 1967

Ford, Charles V.: *Lies!, Lies!, Lies!: the Psychology of Deceit.* Washington, D.C.: American Psychiatric Press, 1996

Fox, James Allen/Levin, Jack: *Extreme Killing: Understanding Serial and Mass Murder.* Thousand Oaks: Sage, 2005

Gabbard, Glen O.: *The Psychology of the Sopranos: Love, Death, Desire, and Betrayal in America's Favorite Gangster Family.* New York: Basic Books, 2003

Gabbard, Glen O.: *Psychodynamische Psychiatrie: ein Lehrbuch.* Gießen: Psychosozial-Verlag, 2010

Gardner, D. L./Cowdry, R.W.: »Suicidal and Parasuicidal Behavior in Borderline Personality Disorder.« *Psychiatric Clinics of North America* 8(2) 1985, S. 389–403.

Giannangelo, Stephen J.: *The Psychopathology of Serial Murder: a Theory of Violence.* Westport: Praeger, 1996.

Gibbs, Nancy: »Tracking down the UNABOMBER.« *Time*, 15. April 1996

Gibson, Megan: »Scotland Yard Report Reveals Details of Jimmy Savile's Crimes.« *Time World*, 11. Januar 2013

Glover, Barry: Interview mit dem Autor am 7. April 2000

Goforth, Candace et al.: »Kidnap Victims Released from Cleveland Hospital Reunite with Families; 3 Brothers Arrested in Shocking Case.« *New York Daily News*, 7. Mai 2013

Goleman, Daniel: *Emotionale Intelligenz.* München: Hanser, 1996

Goleman, Daniel: *Soziale Intelligenz.* München: Knaur, 2008

Graeber, Charles: »The Tainted Kidney.« *New York Magazine*, 24. Oktober 2007

Greig, Charlotte: *Serienmörder.* New York, Fränkisch-Krumbach: Tosa, 2012

Guinn, Jeff: *Manson: The Life and Times of Charles Manson.* New York: Simon & Schuster, 2013

Gunderson, John G.: *Borderline-Persönlichkeitsstörung.* Bern: Huber, 2005

Gunderson, John G./Hoffman, Perry D.: *Understanding and Treating Borderline Personality Disorder: A Guide for Professionals and Families.* Arlington: American Psychiatric Publishing, 2005

Hammarskjöld, Dag: *Zeichen am Weg.* München: Droemer Knaur, 1965

Hare, Robert D.: *Gewissenlos: die Psychopathen unter uns.* Wien, New York: Springer, 2005

Hare, Robert D. et al.: »Psychopathy and the DSM-IV criteria for antisocial personality disorder.« *Journal of Abnormal Psychology* 100, 1991, S. 391–398

Haroun, Ansar M.: »Psychiatric aspects of terrorism.« *Psychiatric Annals* 26 (6), 1999, S. 335f.

Harris, Grant T. et al.: »Criminal Violence: the Roles of Psychopathy, Neurodevelopment Insults, and Antisocial Parenting.« *Criminal Justice and Behavior* 28 (4), 2001, S. 402–426

Harris, Judith Rich: *The Nurture Assumption: Why Children Turn Out The Way They Do.* New York: Touchstone Books, 1998

Hedges, Peter et al.: *Der Teufel trägt Prada.* Drehbuch, 2005. Quelle: www.dailyscript.com/scripts/devil_wears_prada.pdf

Hoch, Paul H.: *Differential Diagnosis in Clinical Psychiatry.* New York: Science House, 1972

Hoffer, Eric: *Der Fanatiker: eine Pathologie des Parteigängers.* Reinbek: Rowohlt, 1965

Horowitz, Mardi J. (Hrsg.): *Hysterical Personality.* New York: Jason Aronson, 1977

Hotchkiss, Sandy: *Why is it Always About You? The Seven Deadly Sins of Narcissism.* New York: Free Press, 2003

Hyde, Maggie/McGuinness, Michael: *Introducing Jung.* New York: Totem Books, 1998

Iadicol, Peter/Shupe, Anson: *Violence, Inequality, and Human Freedom.* New York: General Hall, 1998

Isaacson, Walter: *Steve Jobs: die autorisierte Biografie des Apple-Gründers.* München: Bertelsmann, 2011

Jones, Stephen A.: »Family Therapy With Borderline and Narcissistic Patients.« *Bulletin of the Menninger Clinic* 51 (3), 1987, S. 285–295

Kantor, Martin: *Understanding Paranoia: a Guide for Professionals, Families, and Sufferers.* Westport: Praeger Publishers, 2008

Karas, Beth/O'Neill, Ann: »Ex ›Mrs. Rockefeller‹: ›I had a pretty big blind spot.‹« *CNN OnLine*, 2. Juni 2009

Kashner, Sam/Schoenberger, Nancy: *Furious Love: Elizabeth Taylor und Richard Burton – die Liebesgeschichte des Jahrhunderts.* München: Heyne, 2012

Keefe, Patrick R.: »Did a Murderer in Waiting Go Undetected Because She Was a Woman?« *The New Yorker*, 14. Februar 2013

Kernberg, Otto F.: *Borderline-Störungen und pathologischer Narzissmus.* Frankfurt a. M.: Suhrkamp, 1983

Kernberg, Otto F.: *The Psychopathology of Hatred: In Rage, Power and Aggression.* New Haven: Yale University Press, 1993

Kilduf, Marshal/Javers, Ron: *Suicide Cult: The Inside Story of the Peoples Temple Sect and the Massacre in Guyana.* New York: Bantam Books, 1978

Kilgannon, Corey: »Hedda Nussbaum Promotes Her Memoir on Life With an Abuser.« *The New York Times*, 6. April 2006

Kiernan, B.: *How Pol Pot Came to Power: History of Communism in Kampuchea, 1930–1975.* London: Verso Press, 1985

Kreisman, Jerold J./Straus, Hal: *Ich hasse dich – verlass mich nicht: die schwarzweiße Welt der Borderline-Persönlichkeit.* München: Kösel, 2013

Kyemba, Henry: *A State of Blood: The Inside Story of Idi Amin.* New York: Ace Books, 1977

Langer, Walter C.: *Das Adolf-Hitler-Psychogramm.* München: Molden, 1973

Laqueur, Walter: *Voices of Terror: Manifestos, Writings and Manuals of al Qaeda, Hamas, and Other Terrorists From Around the World and Throughout the Ages.* New York: Reed Press, 2004

Lawson, Christine A.: *Borderline-Mütter und ihre Kinder: Wege zur Bewältigung einer schwierigen Beziehung.* Gießen: Psychosozial-Verlag, 2006

LeDoux, Joseph E.: *Das Netz der Gefühle: Wie Emotionen entstehen.* München: Hanser, 1998

Levin, Jack/McDevitt, Jack: *Hate Crimes: The Rising Tide of Bigotry and Bloodshed.* New York: Plenum, 1993

Levine, Sol: »Psychiatric Aspects of Terrorism: Youth in Terroristic Groups, Gangs, and Cults: The Allure, the Animus, and the Alienation.« *Psychiatric Annals* 26 (6), 1999, S. 342–49

Linehan, Marsha: *Dialektisch-behaviorale Therapie der Borderline-Persönlichkeitsstörung.* München: CIP-Medien, 1996

Lipman-Blumen, Jean: *The Allure of Toxic Leaders: Why We Follow Destructive Bosses and Corrupt Politicians – and How We Can Survive Them.* New York: Oxford University Press, 2005.

Luhrmann, Tanya M.: *Of Two Minds: the Growing Disorder in American Psychiatry.* New York: Random House, 2000

Mabe, Logan D.: »Questions Elicit Tale of Baby's Death.« *St. Petersburg Times*, 30. August 1999

Macfarland, Sheena: »Josh Powell's Lasting Identity: Murderer.« *Salt Lake City Tribune*, 6. Februar 2012

Madoff Mack, Stephanie: *The End of Normal: a Wife's Anger, a Widow's New Life.* New York: Blue Rider Press, 2011

Maguire, J./Dunn, M.: *Hold Hands and Die: the Incredible True Story of the People's Temple.* New York: Dale Books, 1978

Maguire, Daniel C./Fargnoli, A. Nicholas: *On Moral Grounds: the Art and Science of Ethics.* New York: Cross Roads Publishing, 1991

Masterson, James F.: *Die Sehnsucht nach dem wahren Selbst.* Stuttgart: Klett-Cotta, 2004

McGinnes, Jamie: »Millionaire on the Run: How the Man Who Founded Software Giant McAfee Lost His Fortune and Ended Up Hiding From Police in Belize After They ›Rousted Him From the Bed of a 17-year-old and Shot His Dog Because He's Running a Meth Lab‹.« *Daily Mail*, 25. Mai 2012

Meloy, J. Reid: *The Mark of Cain: Psychoanalytic Insight and the Psychopath.* Hillsdale: The Analytic Press, 2001

Meloy, J. Reid: *The Psychopathic Mind: Origins, Dynamics, and Treatment.* New Jersey: Jason Aronson, 1998

Meloy, J. Reid: *Violence Risk and Threat Assessment.* San Diego: Specialized Training Services, 2000

Meloy, J. Reid: *Violent Attachments.* New Jersey: Jason Aronson, 1997

Meloy, J. Reid/Meloy, M.J.: »Autonomic Arousal in the Presence of Psychopathy: A Survey of Mental Health and Criminal Justice Professionals,« *Journal of Threat Assessment* 2 (2), 2002, S. 21–34

Millon, Theodore/Davis, Roger D.: *Disorders of Personality: DSM-IV and Beyond.* New York: Wiley and Sons, 1996

Monahan, John: *Predicting Violent Behavior: an Assessment of Clinical Techniques.* Beverly Hills: Sage, 1981

Moore, Solomon et al.: »Actor Phil Hartman, Wife Killed in Murder-Suicide Tragedy: The Comedian is Apparently Shot by Spouse in Their Encino Home.« *Los Angeles Times*, 29. Mai 1998

Moses, Jeanette: »Desperately Seeking Susan Powell: A Best Friend's Quest.« *Time Magazine*, 10. Februar 2012

Muller, Rene J.: *Anatomy of a Splitting Borderline: Description and Analysis of a Case History.* Westport: Praeger, 1994

Munro, Alistair: *Delusional Disorder: Paranoia and Related Illnesses.* New York: Cambridge University Press, 1999

Murray, Jill: *But I Love Him: Protecting Your Teen Daughter from Controlling, Abusive Dating Relationships.* New York: Harper Collins, 2001

Myers, David G.: *Exploring Psychology.* 2. Auflage, New York: Worth Publishers, 1993

Navarro, Joe: »Are You Being Manipulated by a Social Puppeteer?« *Psychology Today*/Blog/Spycatcher, 7. Januar 2013

Navarro, Joe: *How to Spot a Psychopath.* Kindle E-Book, 2010

Navarro, Joe: *Hunting Terrorists: a Look at the Psychopathology of Terror.* Springfield: Charles C. Thomas Publishers, 2005

Navarro, Joe: »Lessons From the Oslo Terrorist Attack.« *Psychology Today*/Blog/Spycatcher, 30. Juli 2011

Navarro, Joe: *Narcissists Among Us.* Kindle E-Book, 2012

Navarro, Joe: »The Psychopathology of Terror.« Vortrag vor den Absolventen der FBI National Academy, Key West, Florida, 28. Juli 2003

Navarro, Joe/Schafer, John R.: »Universal Principles of Criminal Behavior: a Tool for Analyzing Criminal Intent.« *FBI Law Enforcement Bulletin*, Januar 2003, S. 22 ff.

Navarro, Joe: »Wound Collectors.« *Psychology Today*/Blog/Spycatcher, 2013

Nicholi, Armand M. (Hrsg.): *The Harvard Guide to Modern Psychiatry*, 3. Ausgabe. Cambridge: Harvard University Press, 1987

O'Brien, D.: *Two of a Kind: the Hillside Stranglers; the Inside Story.* New York: Signet, 1985

O'Connor, Anahad: »Government ends case against Gotti.« *New York Times*, 13. Januar 2010

Ohlin, Lloyd/Tonry, Michael (Hrsg.): *Family Violence: Crime and Justice: A Review of Research*, Zweite Auflage. Chicago: University of Chicago, 1990

Oldham, John M./Morris, Lois B: *Ihr Persönlichkeitsportrait: Warum Sie genau so denken, lieben und sich verhalten, wie Sie es tun.* München: Droemer Knaur 1994

Panksepp, Jaak: *Affective Neuroscience: The Foundations of Human and Animal Emotions.* New York: Oxford University Press, 1998

Payson, Eleanor D.: *The Wizards of Oz and Other Narcissists: Coping With the One-way Relationship in Work, Love, and Family.* Royal Oak: Julian Day Publications, 2002

Pearce, Matt: »Cleveland Suspect Ariel Castro: a Troubling Portrait Emerges.« *Los Angeles Times*, 9. Mai 2013

Pennebaker, James W.: *Opening Up; the Healing Power of Expressing Emotions.* New York: The Guilford Press, 1990

Pennebaker, James W.: *Emotion, Disclosure, & Health.* Washington, D.C.: American Psychological Association, 1995.

Pinker, Steven: *Das unbeschriebene Blatt: die moderne Leugnung der menschlichen Natur.* Berlin: Berlin Verlag, 2003

»Police: 1981 Killing of Adam Walsh Solved.« Crime & Courts, *NBC News.com*, aktualisiert am 16. Dezember 2008

Pool, Bob: »Former GI Claims Role in Goering's Death.« *Los Angeles Times*, 7. Februar 2005

Post, Jerrold M. »It's Us Against Them: the Group Dynamics of Political Terrorism.« *Terrorism* 10, 1987, S. 23–36

Post, Jerrold M.: *Leaders and Their Followers in a Dangerous World: the Psychology of Political Behavior.* Ithaca: Cornell University Press, 2004

Post, Jerrold M.: »The Mind of the Terrorist: Individual and Group Psychology of Terrorist Behavior.« *Aussage vor dem Armed Services Committee des US-Senats* am 15. November 2001

Post, Jerrold M.: *The Psychological Assessment of Political Leaders.* Ann Arbor: The University of Michigan Press, 2003

Post, Jerrold M.: »Terrorist Psycho-logic: Terrorist Behavior as a Product of Psychological Forces.« In: Reich (1992), S. 25–40

President's Commission on Law Enforcement and Administration of Justice: *The Challenge of Crime in a Free Society.* U.S. Government Printing Office, 1967

Quartz, Steven R./Sejnowski, Terrence J.: *Liars, Lovers, and Heroes: What the New Brain Science Reveals About How We Become Who We are.* New York: HarperCollins, 2003

Quinn, Phil: Interview mit dem Autor, 7. November 2001

Radzinsky, Evard: *Stalin: The First In-depth Biography Based on Explosive New Documents from Russia's Secret Archive.* New York: Anchor Books, 1996

Raine, Adrian: *The Anatomy of Violence: The Biological Roots of Crime.* New York: Pantheon Books, 2013

Reeser, Marc: Interview mit dem Autor, 13. April 2003

Reich, Walter (Hrsg.): *Origins of Terrorism: Psychologies, Ideologies, Theologies, States of Mind.* Cambridge: Cambridge University Press, 1992

Ressler, Robert H./Shachtman, Tom: *Whoever Fights Monsters.* New York: St. Martin's Press, 1992

Rhodes, Richard: *Why They Kill: Discoveries of a Maverick Criminologist.* New York: Vintage Books, 1999

Robins, Robert S./Post, Jerrold M.: *Die Psychologie des Terrors: vom Verschwörungsdenken zum politischen Wahn.* München: Droemer, 2002

Roche, Mike: *Face 2 Face: Observation, Interviewing and Rapport Building Skills: an Ex-Secret Service Agent's Guide.* Kindle E-Book, 2012

Rogers, Patrick: »Ill Suited Life as a Crime Boss, John Gotti Follows His Father Into Prison.« *People Magazine*, 27. September 1999

Roth, Kimberlee/Friedman, Freda B.: *Surviving a Borderline Parent: How to Heal Your Childhood Wounds & Build Trust, Boundaries, and Self-Esteem.* Oakland: New Harbinger Publications, 2003

Roy, Joe: *False Patriots: The Threat of Antigovernment Extremists.* Montgomery: Southern Poverty Law Center, 1996

Rule, Ann: *The Stranger Beside Me: Ted Bundy the Shocking Inside Story.* New York: Signet, 2001

Rule, Ann: *Small Sacrifices.* New York: Signet, 1987

Russo, Francine: »The Faces of Hedda Nussbaum.« *New York Times Magazine*, 30. März 1997

Samenow, Stanton E.: *Inside the Criminal Mind.* New York: Crown Publishers, 1984

Sanders, Ed: *The Family: Die Geschichte des Charles Manson.* Reinbek: Rowohlt, 1995

Schafer, John/Navarro, Joe: »The Seven-Stage Hate Model; the Psychopathology of Hate Groups.« FBI Law Enforcement Bulletin März 2003 S. 1–9

Schechter, Harold/Everitt, David: *The A to Z Encyclopedia of Serial Killers.* New York: Simon & Schuster, 1997

Schouten, Ronal/Silver, James: *Almost a Psychopath: Do I (or Does Someone I Know) Have a Problem With Manipulation and Lack of Empathy?* Center City: Hazelden, 2012

Shapiro, Ronald M./Jankowski Mark A.: *Bullies, Tyrants, & Impossible People: How to Beat Them Without Joining Them.* New York: Crown Business, 2005

Seigel, L. J.: *Criminology: the Core.* Zweite Auflage. Belmont: Wadsworth, 2005

Siever, L. J./Koenigsberg, H. W.: »The Frustrating No-mans-land of Borderline Personality Disorder.« *Cerebrum, The Dana Forum on Brain Science* 2 (4), 2000

Simmons, D.: »Gender Issues and Borderline Personality Disorder: Why do Females Dominate the Diagnosis?« *Archives of Psychiatric Nursing* 6 (4), 1992, S. 219–223.

Simon, George K.: *Wölfe im Schafspelz: wie Sie mit üblen Typen souverän umgehen.* Landsberg a.L.: mvg, 1998

Singer, Margaret Thaler/Lalich, Janja: *Cults in Our Midst: The Hidden Menace in our Everyday Lives.* San Francisco: Jossey-Bass, 1995

Sluka, Jeffrey A. (Hrsg.): *Death Squad: the Anthropology of State Terror.* Philadelphia: University of Pennsylvania Press, 2000

Soloff, P. H. et al.: »Self-mutilation and Suicidal Behavior in Borderline Personality Disorder.« *Journal of Personality Disorders* 8 (4), 1994, S. 257–67

Solschenizyn, Alexander: *Der Archipel GULAG.* Gekürzte Fassung. Frankfurt a. M.: Fischer, 2008

Spitz, Vivien: *Doctors From Hell: the Horrific Account of Nazi Experiments on Humans.* Boulder: Sentient Publications, 2005

Spoto, Donald: *Marilyn Monroe: die Biografie.* München: Heyne, 1994

Stanton, Bill: *Klanwatch: Bringing the Ku Klux Klan to Justice.* New York: Grove Weidenfeld, 1991

Stern, Kenneth S.: *A Force Upon the Plain: the American Militia Movement and the Politics of Hate.* New York: Simon & Schuster, 1996

Stout, Martha: *The Sociopath Next Door.* New York: Broadway Books, 2005

St-Yves, M./Baroche, C./Renaud, J.: »Personality Disorders and Crisis Intervention.« In: St-Yves 2012, S. 167–198

St-Yves, M./Collins, P.: *The Psychology of Crisis Intervention for Law Enforcement Officers.* Toronto: Carswell, 2012

Suddath, Claire: »Top 10 CEO Scandals.« *Time*, 10. August 2010

Sutherland, E. H./Cressey, D. R.: *Principles of Criminology.* Philadelphia: Lippincott, 1978

Sutton, Robert. I.: *Der Chef-Faktor: Lösungen für das Arschloch-Problem.* München: Heyne, 2013

Swanson, Charles R./Chamelin, Neil/Territo, Leonard: *Criminal Investigation.* Elfte Auflage. New York: McGraw-Hill, 2011

Swartz, M. et al.: »Estimating the Prevalence of Borderline Personality Disorder in the Community.« *Journal of Personality Disorders* 4 (3), 1990, S. 257–72

Taraborrelli, J. Randi: *The Secret Life of Marilyn Monroe.* New York: Rose Books, 2009

Tarm, Michael: »Drew Peterson Sentenced to 38 Years for Murder.« *AP*, 21. Februar 2013

Thomas, M. E.: *Confessions of a Sociopath: a Life Spent Hiding in Plain Sight.* New York: Crown Publishers, 2013

Twenge, Jean M./Campbell, W. Keith: *Living in the Age of Entitlement: the Narcissism Epidemic.* New York: Simon & Schuster, 2009

United States Department of Justice: *Crime in the United States, 2010.* Federal Bureau of Investigation, Uniform Crime Reports, Washington, D. C., 2011

Van Horn, Charisse: »Transskripte der Abschlussplädoyers im Jodi-Arias-Prozess.« Examiner.com, 14. Mai 2013

Verplaetse, Jan et al. (Hrsg.): *The Moral Brain: Essays on the Evolutionary and Neuroscientific Aspects of Morality.* New York: Springer, 2009

Vitello, Paul: »Clifford Olson, Canadian Serial Killer, is Dead at 71.« *New York Times*, 4. Oktober 2011

Waldinger, Robert/Gunderson, John: *Effective Psychotherapy with Borderline Patients: Case Studies.* New York: Macmillan, 1987

Will, George F.: *With a Happy Eye But …: America and the World 1997–2002.* New York: The Free Press, 2002

Wilson, Karen J.: *When Violence Begins at Home: A Comprehensive Guide to Understanding and Ending Domestic Abuse.* Alameda: Hunter House, 2006

Winter, Michael/Leinwand Leger, Donna: »Dorner Charged with Murder, Attempted Murder of Cops.« *USA Today*, 11. Februar 2013

Yaccino, Steven: »Former Official Pleads Guilty to Defrauding Illinois Town of $53 Million.« *New York Times*, 14. November 2012

Yochelson, John/Samenow, Stanton E.: *The Criminal Personality.* New York: Jason Aronson, 1989

Yudofsky, Stuart C.: *Fatal Flaws: Navigating Destructive Relationships With People With Disorders of Personality and Character.* Washington, D.C.: American Psychiatric Publishing, 2005